MW00608408

Deutsch als Fremdsprache

Kursbuch

Mit DVD und Audio-CDs

B1

Stefanie Dengler
Paul Rusch
Helen Schmitz
Tanja Sieber

Klett-Langenscheidt

München

Von
Stefanie Dengler, Paul Rusch, Helen Schmitz, Tanja Sieber

Projektleitung: Angela Kilimann
Redaktion: Angela Kilimann
Gestaltungskonzept, Layout und Cover: Andrea Pfeifer, München
Illustrationen: Florence Dailleux
Satz und Repro: kaltner verlagsmedien GmbH, Bobingen

DVD
Lizenz durch: www.zdf-archive.com/ZDF Enterprises GmbH
Trailer „Sound of Heimat": 3Rosen GmbH, Fruitmarket Kultur & Medien GmbH & Tradewind Pictures GmbH
Produktion: Michael Paulsen
Redaktion: Angela Kilimann

Audio-CDs
Aufnahme und Postproduktion gesamt: Christoph Tampe, Plan 1, München
Aufnahme und Postproduktion Lied Kap. 9: Augusto Aguilar
Regie: Sabine Wenkums

Verlag und Autoren danken Christoph Ehlers, Beate Lex, Margret Rodi, Dr. Annegret Schmidjell, Katja Wirth und allen Kolleginnen und Kollegen, die Netzwerk begutachtet sowie mit Kritik und wertvollen Anregungen zur Entwicklung des Lehrwerks beigetragen haben.

Netzwerk B1 – Materialien

Teilbände	
Kurs- und Arbeitsbuch B1.1 mit DVD und 2 Audio-CDs	605014
Kurs- und Arbeitsbuch B1.2 mit DVD und 2 Audio-CDs	605005
Gesamtausgaben	
Kursbuch B1 mit 2 Audio-CDs	605002
Kursbuch B1 mit DVD und 2 Audio-CDs	605003
Arbeitsbuch B1 mit 2 Audio-CDs	605004
Zusatzkomponenten	
Lehrerhandbuch B1	605006
Netzwerk digital B1 mit interaktiven Tafelbildern (DVD-ROM)	605007
Intensivtrainer B1	605009
Testheft B1	605146

In einigen Ländern ist es nicht erlaubt, in das Kursbuch hineinzuschreiben. Wir weisen darauf hin, dass die in den Arbeitsanweisungen formulierten Schreibaufforderungen immer auch im separaten Schulheft erledigt werden können.

Audio-Dateien zum Download unter www.klett-langenscheidt.de/netzwerk/medienB1
Code: nW9a&D5

Besuchen Sie uns auch im Internet:
www.klett-langenscheidt.de/netzwerk

1. Auflage 1 6 5 4 3 2 | 2018 17 16 15 14

© Klett-Langenscheidt GmbH, München, 2014

Das Werk und seine Teile sind urheberrechtlich geschützt. Jede Verwertung in anderen als den gesetzlich zugelassenen Fällen bedarf deshalb der vorherigen schriftlichen Einwilligung des Verlags.

Gesamtherstellung: Print Consult GmbH, München

ISBN 978-3-12-605003-6

Netzwerk – das Kursbuch

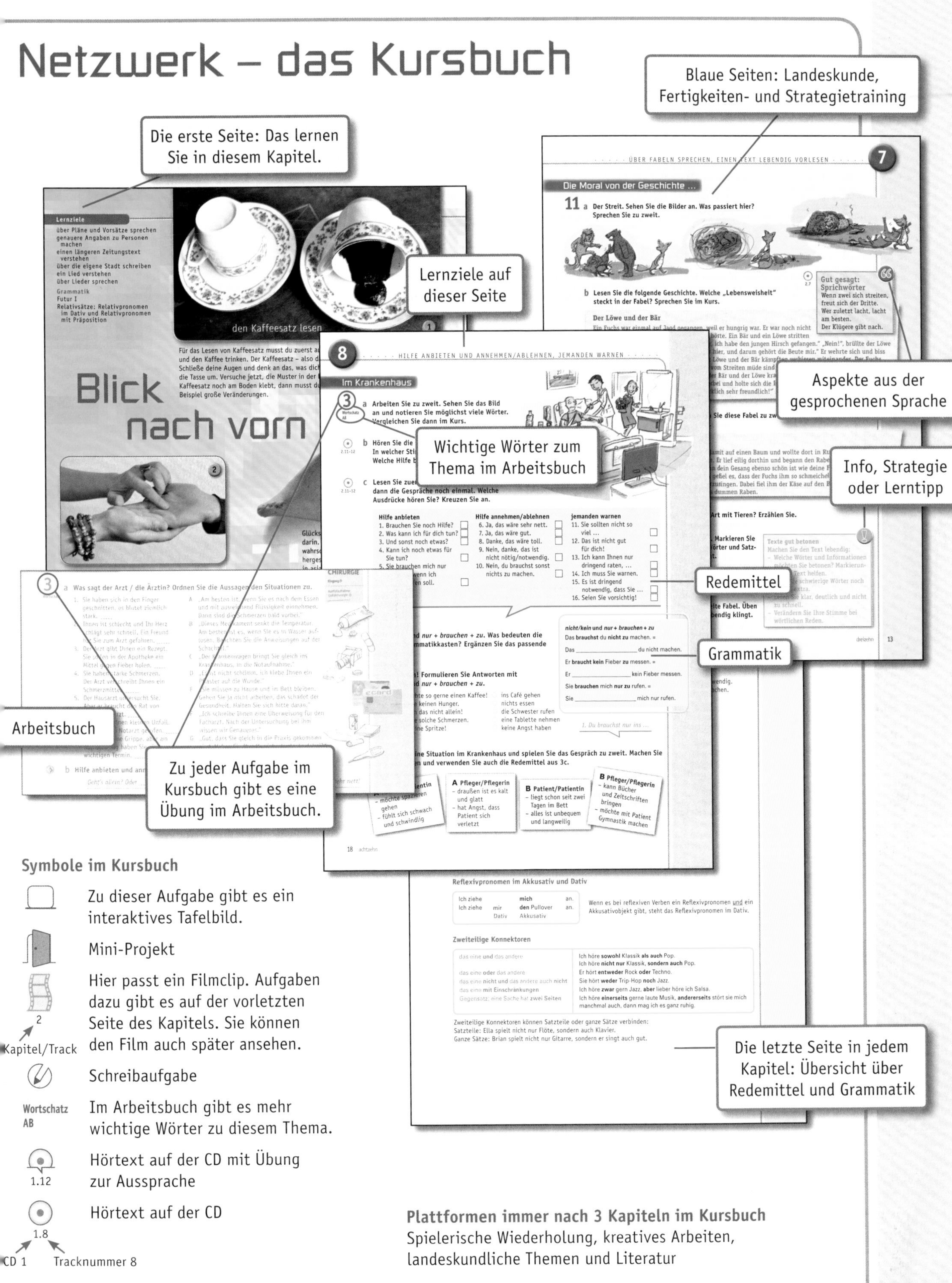

Symbole im Kursbuch

- Zu dieser Aufgabe gibt es ein interaktives Tafelbild.
- Mini-Projekt
- Hier passt ein Filmclip. Aufgaben dazu gibt es auf der vorletzten Seite des Kapitels. Sie können den Film auch später ansehen. (2 – Kapitel/Track)
- Schreibaufgabe
- Wortschatz AB – Im Arbeitsbuch gibt es mehr wichtige Wörter zu diesem Thema.
- 1.12 – Hörtext auf der CD mit Übung zur Aussprache
- 1.8 – Hörtext auf der CD (CD 1, Tracknummer 8)

Plattformen immer nach 3 Kapiteln im Kursbuch
Spielerische Wiederholung, kreatives Arbeiten, landeskundliche Themen und Literatur

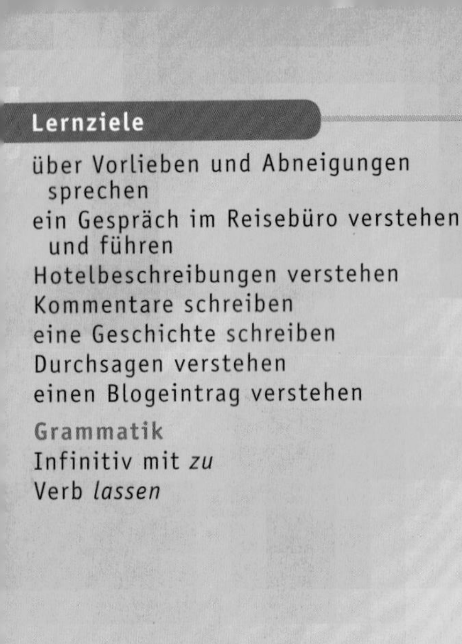

Lernziele

über Vorlieben und Abneigungen sprechen
ein Gespräch im Reisebüro verstehen und führen
Hotelbeschreibungen verstehen
Kommentare schreiben
eine Geschichte schreiben
Durchsagen verstehen
einen Blogeintrag verstehen

Grammatik
Infinitiv mit *zu*
Verb *lassen*

1

St. Peter-Ording, Nordsee

2

der Thüringer Wald

Gute Reise!

1 a Sehen Sie die Fotos an. Wohin würden Sie gern fahren? Warum? Wählen Sie ein Foto und erzählen Sie.

b Arbeiten Sie zu zweit und notieren Sie zu jedem Foto fünf passende Wörter. Sammeln Sie dann an der Tafel.

Wortschatz AB **c Welche Wörter aus 1b sind in Ihrer oder einer anderen Sprache ähnlich?**

2 Urlaubsgrüße. Welche Nachricht passt zu welchem Bild? Ordnen Sie zu.

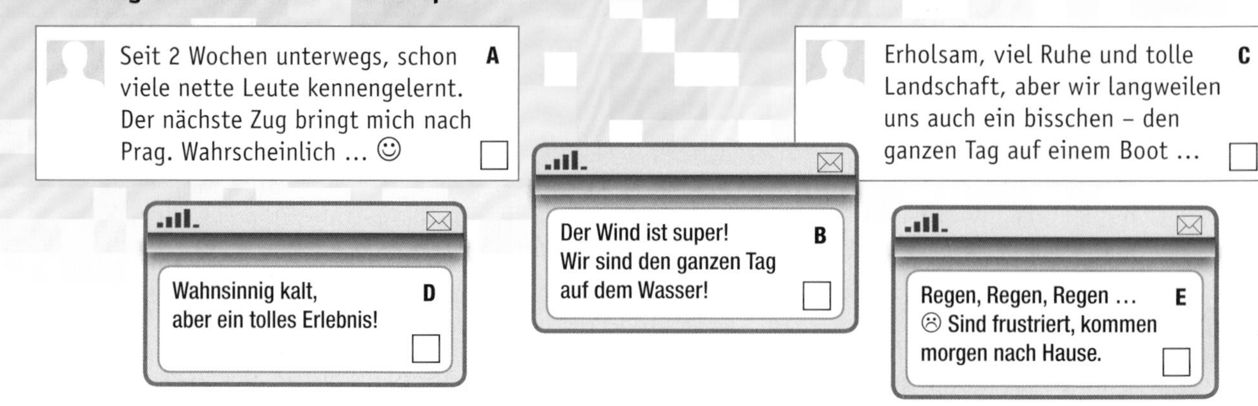

Seit 2 Wochen unterwegs, schon viele nette Leute kennengelernt. Der nächste Zug bringt mich nach Prag. Wahrscheinlich … ☺ **A** ☐

Erholsam, viel Ruhe und tolle Landschaft, aber wir langweilen uns auch ein bisschen – den ganzen Tag auf einem Boot … **C** ☐

Der Wind ist super! Wir sind den ganzen Tag auf dem Wasser! **B** ☐

Wahnsinnig kalt, aber ein tolles Erlebnis! **D** ☐

Regen, Regen, Regen … ☹ Sind frustriert, kommen morgen nach Hause. **E** ☐

der Harz

Wien

die Mecklenburgische Seenplatte

3

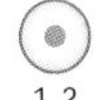

a Hören Sie das Gespräch. Wer spricht über welche Reise? Notieren Sie die Fotonummer.

Maja: _____ David: _____ Thomas: _____

b Hören Sie noch einmal. Wie unterscheiden sich die drei Personen in ihrer Urlaubsplanung? Welcher Urlaubstyp passt zu ihnen? Sprechen Sie im Kurs.

Urlaubstyp 1: Ganz spontan	**Urlaubstyp 2: Gerne zu Hause**	**Urlaubstyp 3: Gut geplant**	**Urlaubstyp 4: Immer gleich**
Sie fahren einfach los, einen Platz zum Übernachten finden Sie sicher irgendwo. Sie wollen nicht planen, sondern einfach sehen, was passiert. Das ist am spannendsten.	Reisen finden Sie anstrengend. Sie bleiben am liebsten zu Hause, da können Sie sich am besten entspannen.	Sie suchen immer neue Urlaubsziele. Ihre Reisen planen Sie sehr früh und sehr genau. Schöne Ferienhäuser oder Hotels bekommt man eben nur, wenn man sie rechtzeitig bucht.	Sie fahren immer an den gleichen Ort. Da kennen Sie alle Leute und alle schönen Plätze. Sie wissen, was Sie erwartet, und Sie fühlen sich gleich wie zu Hause.
____________	____________	____________	____________

c Und Sie? Machen Sie Urlaub? Wo und wie? Welcher Urlaubstyp passt am besten zu Ihnen? Erzählen Sie.

Die Urlaubsplanung

4 a Lesen Sie den Skype-Dialog von Anna und Paula. Was für einen Urlaub wünscht sich Anna? Wie möchte Paula Urlaub machen?

Paula Hey Anna, hast du vergessen, mich anzurufen? Wir wollten doch über unseren Urlaub sprechen.
Anna Sorry, ich hab's total vergessen! Du, Maria hat vor, im Juni für eine Woche nach Berlin zu fahren. Das wäre doch auch was für uns, oder?
Paula Ach, nee. Zu stressig. Habe schon genug Stress im Büro.
Anna Aber in Berlin können wir total viel machen. Museen, Konzerte, ... Und jeden Abend tanzen!
Paula Ich will mich erholen. Es ist so schön, am Strand im Sand zu liegen, zu lesen oder zu schlafen ☺.
Anna Wie langweilig!
Paula Und an die Ostsee? Tolle Strände, super Natur! Wir können lange Spaziergänge machen.
Anna Wie zwei Omas??? Mir macht es einfach mehr Spaß, viel zu unternehmen. Kultur, Ausgehen, Sport.
Paula Wir brauchen Hilfe ;-)! Heute Nachmittag Reisebüro? Ich versuche, um 4 Feierabend zu machen.
Anna Reisebüro ist okay. Muss aber heute bis 20 Uhr arbeiten. Morgen um 5 ist besser.

b Lesen Sie den Dialog noch einmal. Was passt zusammen? Verbinden Sie.

1 Anna und Paula planen,
2 Paula hat keine Lust,
3 Für Paula ist es wichtig,
4 Anna findet es toll,
5 Anna findet es langweilig,
6 Anna hat heute keine Zeit,

A aktiv zu sein.
B sich im Urlaub auszuruhen.
C ins Reisebüro zu gehen.
D nach Berlin zu fahren.
E zusammen Urlaub zu machen.
F am Strand spazieren zu gehen.

c Infinitiv mit *zu*. Markieren Sie in 4a und b Ausdrücke, nach denen der Infinitiv mit *zu* steht, und erstellen Sie eine Tabelle.

Verben	Adjektiv + *sein/finden*	Substantiv + *haben/machen*
vergessen, ...	*toll finden*	

Infinitiv mit *zu* steht nach manchen ...
Verben: Sie **plant**, nach Berlin **zu** fahren.
Adjektiven: **Es ist gut**, sich im Urlaub aus**zu**ruhen.
Substantiven: Anna **hat keine Zeit**, ins Reisebüro **zu** gehen.

5 a Vorlieben. Bilden Sie sechs Fragen mit Infinitiv mit *zu*.

Ist es für dich wichtig, ...?
Macht es dir Spaß, ...?
Findest du es toll/langweilig/anstrengend/schön/interessant/entspannend, ...?
Hast du Lust, ...?
Hast du vor, ...?
Planst du, ...?
Versuchst du, ...?

Findest du es auch langweilig, am Strand zu liegen?

im Urlaub faulenzen • viele Bücher lesen • Sport machen • mit der Familie zusammen sein • eine Stadt besichtigen • in der Natur sein • ausschlafen • jeden Tag etwas Neues erleben • am Strand liegen • netten Leuten begegnen

b Gehen Sie durch den Kursraum und stellen Sie jede Frage einer anderen Person.

Findest du es langweilig, eine Stadt zu besichtigen?

Nein, ich finde das interessant.

c Arbeiten Sie zu zweit. Berichten Sie sich gegenseitig, was Sie über die anderen Kursteilnehmer erfahren haben.

Pablo findet es toll, eine Stadt zu besichtigen.

Im Reisebüro

6

1.3

a **Hören Sie den ersten Teil vom Gespräch im Reisebüro und ergänzen Sie die Informationen.**

Ferienwohnung auf Rügen

Preis: ____________

Lage: ____________

Wellnesshotel in Berlin

Preis: ____________

inklusive: ____________

Fluss-Kreuzfahrt im Spreewald

Preis: ____________

Dauer: ____________

1.3

b **Hören Sie noch einmal. Was kann man auf den Reisen machen? Notieren Sie.**

Rügen: am Strand entspannen, auf dem Weg Stopp in Berlin
Berlin: ...
Spreewald: ...

1.4

c **Für welchen Urlaub entscheiden sich Anna und Paula? Sprechen Sie im Kurs über Ihre Vermutungen. Hören Sie dann das Ende des Gesprächs. War Ihre Vermutung richtig?**

d **Bilden Sie drei Gruppen. Jede Gruppe wählt ein Reiseziel aus 6a. Recherchieren Sie Informationen (Lage, Einwohner, Aktivitäten, Sehenswürdigkeiten, ...) und erstellen Sie ein Plakat. Jede Gruppe präsentiert ihr Reiseziel im Kurs.**

7

Gespräche im Reisebüro. Arbeiten Sie zu zweit und spielen Sie die Dialoge.

A Kunde
Sie möchten mit Ihrer Familie eine Woche Urlaub in Süddeutschland machen. Sie suchen ein ruhiges Hotel an einem See. Gute Sportangebote sind Ihnen wichtig, aber der Urlaub soll nicht mehr als 600 Euro pro Person kosten.

B Reisebüro
Sie haben zwei Angebote: Hotel „Alpenblick", in den Bergen, Schwimmbad, kein Sportprogramm, mit Halbpension 580 Euro pro Person/Woche.
Hotel „Zur Sonne", sehr groß, am See, mit Sportprogramm + Vollpension, 890 Euro.

Kunde
Ich möchte eine Reise buchen, und zwar nach ...
Was können Sie mir empfehlen?
Haben Sie noch andere Angebote?
Wo liegt das Hotel?
Wie lange dauert die Fahrt / der Flug?
Was kostet die Reise? Was ist im Preis inbegriffen?
Das muss ich mir noch mal überlegen.
Dann würde ich die Reise nach ... nehmen.

Reisebüro
Wohin/Wann/Wie lange möchten Sie denn fahren?
Waren Sie schon mal in ...?
Wie wäre es mit ...? Das kann ich sehr empfehlen.
Wir haben da ein gutes Angebot: ...
Der Aufenthalt kostet ...
Der Preis ist inklusive Frühstück/Halbpension/Vollpension.

Service im Hotel

8 a Welchen Service bietet das Hotel? Ordnen Sie die Fotos den Beschreibungen zu.

Home | Zimmer | Reservierung | Service | Fotogalerie | Kontakt

Erholung pur im HOTEL SEEBLICK

Sie wollen sich im Urlaub um nichts kümmern? Dann sind Sie bei uns ganz richtig.

A B C D

1 Lassen Sie sich im Restaurant von unseren Top-Köchen und dem perfekten Service verwöhnen!
2 Sie wollen Ausflüge machen? Lassen Sie sich von uns beraten – wir haben viele Tipps für Sie! Sie können gerne auch komplette Touren von uns organisieren lassen!
3 Nutzen Sie unseren 24-Stunden-Service: Sie ruhen sich aus und lassen z. B. Ihre Hemden reinigen und bügeln!
4 Lassen Sie Ihre Kinder im Kinderland betreuen und genießen Sie ein paar ruhige Stunden!

b *lassen*: Wie sagt man das in Ihrer Sprache?

Ich bügle mein Hemd.

Ihre Sprache: ____________________

____

Ich **lasse** mein Hemd **bügeln.**

Ihre Sprache: ____________________

____

c Luxus im Hotel. Was lassen Sie machen? Sprechen Sie zu zweit.

9 a Bewertung für das Hotel Seeblick. Was konnten die Gäste machen lassen, was nicht?

Wir waren im Mai im Hotel Seeblick und waren leider nicht zufrieden. Das Kinderland war geschlossen, man kann Kinder nur im Sommer betreuen lassen. Dann wollten wir uns Tipps für Ausflüge geben lassen, aber die Mitarbeiter wussten selbst nicht Bescheid. Immerhin haben wir im Restaurant gut, aber teuer gegessen – wir haben uns also wenigstens kulinarisch verwöhnen lassen. ★★☆☆☆

b Lesen Sie die Bewertung in 9a noch einmal und ergänzen Sie die Sätze in der Tabelle.

lassen				
im Präsens	Ich	lasse	mein Hemd	bügeln.
im Perfekt	Wir	________	uns verwöhnen	________.
mit Modalverb	Man	________	Kinder nur im Sommer	________.
		Position 2		**Satzende**

c Urlaub im Traumhotel? Was konnte man dort (nicht) machen? Was haben Sie machen lassen? Was hat Ihnen besonders gut oder nicht gefallen? Schreiben Sie eine Bewertung.

Glück gehabt

10 a Was haben Sie schon mal verloren? Haben Sie es wiederbekommen? Wie? Erzählen Sie in Gruppen.

1.5

> **Gut gesagt:**
> **Glück gehabt!**
> Da hast du Schwein/Massel gehabt!
> So ein Dusel!
>
> **Pech gehabt!**
> So ein Pech!
> Das war Pech!

Wortschatz AB **b Wo ist meine Tasche? Sehen Sie die Geschichte an und ordnen Sie die Ausdrücke zu.**

sich entspannen _1_ • der Beamte ___ • sich bedanken ___ • die Tasche ___ • bringen ___ • einladen ___ • erleichtert sein ___ • erschrecken ___ • die Flugbegleiterin ___ • der Gang ___ • das Gepäckfach ___ • die Passkontrolle ___ • der Reisepass ___ • etwas peinlich finden / verlegen sein ___ • die Sitzreihe ___ • ungeduldig ___ • verhaften ___ • verzweifelt ___ • aussteigen ___ • Musik hören ___

c Arbeiten Sie zu zweit. Einer/Eine wählt die Bilder 1, 3, 5 aus 10b, der/die andere 2, 4 und 6. Erzählen Sie abwechselnd.

Ein Mann reist in einem Flugzeug. Er ...

d Arbeiten Sie zu zweit. Jeder wählt eine Perspektive – Mann oder Frau – und schreibt die Geschichte aus dieser Perspektive. Lesen Sie sich Ihre Geschichte gegenseitig vor. Was sind die Unterschiede?

Endlich hat mein Urlaub begonnen! Im Flugzeug habe ich gemütlich Musik gehört und von den nächsten Tagen geträumt. Vor mir ... .

11 a n – ng – nk. Wie heißen die Orte? Hören Sie und kreuzen Sie an.

1.6

1	2	3	4	5	6
[a] Affin	[a] Finenstein	[a] Dinlage	[a] Haren	[a] Lienen	[a] Sinhofen
[b] Affing	[b] Fingenstein	[b] Dinglage	[b] Hareng	[b] Liengen	[b] Singhofen
[c] Affink	[c] Finkenstein	[c] Dinklage	[c] Harenk	[c] Lienken	[c] Sinkhofen

1.7 **b Hören Sie und sprechen Sie nach.**

1. peinlich	Kontrolle	reisen	entspannen
2. Ausgang	bringen	langweilig	Wohnung
3. krank	denken	bedanken	Frankreich

c Arbeiten Sie zu zweit. Schreiben Sie drei Sätze mit Wörtern aus 11b. Suchen Sie dann ein anderes Team und diktieren Sie Ihre Sätze.

Unterwegs: Ohren auf!

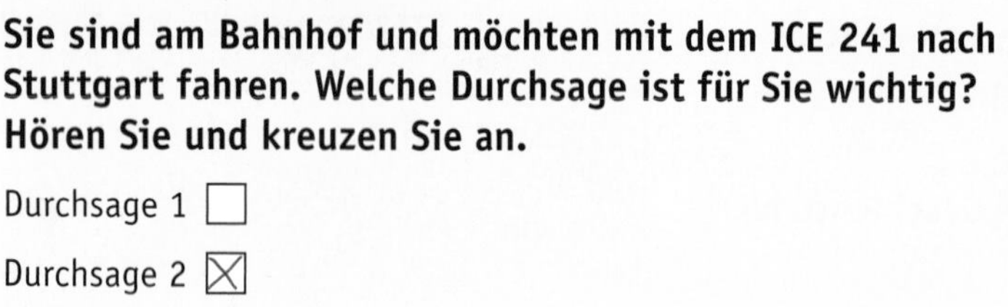

12 a **Sie sind am Bahnhof und möchten mit dem ICE 241 nach Stuttgart fahren. Welche Durchsage ist für Sie wichtig? Hören Sie und kreuzen Sie an.** (1.8)

Durchsage 1 ☐

Durchsage 2 ☒

Durchsage 3 ☐

> **Durchsagen verstehen**
> 1. Welche Durchsage ist für Sie? Achten Sie auf die wichtigen Informationen zu Beginn von einer Durchsage, z. B. Zugnummern und Orte.
> 2. Sie hören „Ihre" Durchsage? → Sie müssen nicht alles verstehen. Überlegen Sie vorher, welche Informationen wichtig für Sie sind (z. B. am Bahnhof: Gleis und Uhrzeit). Achten Sie nur auf diese Informationen.

b **Hören Sie die passende Durchsage noch einmal und notieren Sie die Informationen zu Ihrem Zug.** (1.9)

Gleis ________ Verspätung ________

13 a **Wo hört man noch Durchsagen, wenn man unterwegs ist? Welche Informationen sind dann meistens wichtig? Sammeln Sie im Kurs.**

Im Zug bekommt man Informationen über Verspätungen und …

b **Liz reist durch Deutschland und hört verschiedene Durchsagen. Lesen Sie jeweils zuerst die Aufgabe und hören Sie dann die Durchsage.** (1.10–13)

1. Am Flughafen

An welchem Gepäckband findet sie ihren Koffer?

15

2. Am Bahnhof

Wann fährt der nächste Zug nach Nürnberg?

a ☐ 17.11 Uhr

b ☐ 17.26 Uhr

c ☒ 17.44 Uhr

3. Im Zug

Man kann sich Essen aus dem Restaurant bringen lassen.

richtig ☐

falsch ☒

4. An der Bushaltestelle

Wie kommt man heute zum Tiergarten?

a ☐ Mit der Straßenbahn.

b ☐ Mit dem Bus.

c ☒ Mit dem Bus und der Straßenbahn.

Urlaub oder Arbeit?

14 a Lesen Sie den Blog von Timo. Welches Foto passt zum Text?

A 

B 

C 

Timos Blog von der Alm

12. September | 4 Kommentare | geschrieben von Timo Williams

Ich kann es kaum fassen – schon sind fast drei Monate vorbei und nächste Woche geht es wieder in die Heimat zurück. Zeit also für einen Rückblick. Wie ihr wisst, habe ich mich für diesen Aufenthalt entschieden, weil Freunde den ganzen Winter begeistert von ihrem Almsommer erzählt haben. Es war gar nicht leicht, einen Platz zu finden, denn viele wollen im Moment so einen „Almurlaub" machen.

Am liebsten wollte ich ja auf eine Alm mit Käserei – also wo man selbst Käse macht. Da habe ich aber keinen Platz mehr bekommen, und so bin ich auf der Bergner-Alm auf 1600m Höhe gelandet. Es ist toll, hier oben zu sein. Ich habe meinen stressigen Alltag komplett vergessen. Natürlich mache ich hier nicht richtig Urlaub, trotzdem fühle ich mich jetzt besser erholt als nach einem normalen Urlaub! Auf der Alm lebt das Ehepaar Bergner, Peter und Theresia, mit zwei Kindern, und im Sommer gibt es noch Marlene. Sie ist hier schon den fünften Sommer auf der Alm und konnte mir oft helfen.

Ansonsten ist es eher einsam hier, Wanderer kommen nur selten vorbei, mein Handy hat meistens keinen Empfang und das Internet funktioniert nur selten. Aber hier war ja alles für mich neu, und so hat mich die Einsamkeit gar nicht gestört. Morgens um vier müssen wir schon aufstehen, um die Kühe zu melken, und danach sind wir eigentlich die ganze Zeit draußen. Im Gegensatz zu meinem „normalen" Leben stehe ich hier total gern früh auf – die Sonnenaufgänge hier sind einfach großartig! Und außerdem gehe ich ja auch früh ins Bett und schlafe super. Es gibt immer viel zu tun: Kühe auf den Weiden zählen, etwas reparieren, ... Feierabend ist eigentlich erst so gegen 9 Uhr abends. Und das alles an sieben Tagen die Woche!

Letzte Woche hat es dann sogar geschneit (Anfang September!) und ich habe mich gleich erkältet. Eigentlich wollte ich nur im Bett bleiben und schlafen, aber hier braucht man jede Hand. Also bin ich aufgestanden und habe mitgeholfen. Theresia hat mir dann noch ihren Wunderkräutertee gebracht und am zweiten Tag war ich schon wieder fast fit. Jetzt muss ich nur gesund bleiben und dann geht es nach Hause. Um ehrlich zu sein, freue ich mich auch schon wieder auf zu Hause. Aber vor dem Stress in der Arbeit habe ich doch auch etwas Angst ... Und falls ihr Lust habt, euren Sommer auf der Alm zu verbringen, dann meldet euch bei mir – ich gebe euch gern Tipps!

b Lesen Sie den Blog noch einmal und kreuzen Sie an: Sind die Aussagen richtig oder falsch?

	r	f
1. Für Timos Freunde war der Almaufenthalt eine positive Erfahrung.	☐	☐
2. Auf der Bergner-Alm macht man Käse selbst.	☐	☐
3. Auf der Alm gibt es selten Gäste.	☐	☐
4. Timo steht gern früh auf, weil er die Sonnenaufgänge so schön findet.	☐	☐
5. Als Timo krank war, hat er trotzdem mitgearbeitet.	☐	☐
6. Timo findet, dass das Leben auf der Alm stressig ist.	☐	☐

c Können Sie sich auch vorstellen, im Urlaub zu arbeiten? Kennen Sie ähnliche Angebote in Ihrem Land? Sprechen Sie in Kleingruppen.

Verrückte Hotels

15 **Was könnte ein „verrücktes“ Hotel sein? Was ist dort anders als in anderen Hotels? Sprechen Sie im Kurs.**

Ich glaube, da gibt es ...

Ich habe mal im Fernsehen ein Hotel gesehen, das ...

16 a Sehen Sie den Film an. Welche Aussagen sind richtig? Kreuzen Sie an.

1

Propeller Island City Lodge Hotel

1 Das Hotel hat nur drei Zimmer.
2 Alle Zimmer sind verschieden.
3 Für die Zimmer gibt es spezielle Musik.
4 Bisher kommen wenig Gäste aus dem Ausland.

Kran-Hotel

1 Das Hotel ist in Deutschland.
2 In dem Hotel übernachten nur zwei Personen.
3 Das Apartment ist sieben Meter über dem Meer.
4 Die Gäste bewegen den Kran.

b Sehen Sie den Film noch einmal. Welche Ausdrücke passen zu welchem Hotel oder Zimmer? Verbinden Sie.

1

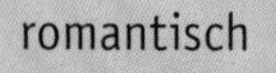

romantisch
ein bewohnbares Kunstwerk
grandioser Weitblick
verrücktes Design
in einem Sarg übernachten
man sieht den Leuchtturm und das Meer
manche Zimmer erinnern an ein Computerspiel
man fühlt sich wie der König und die Königin
auf einem Holzhaufen schlafen

A

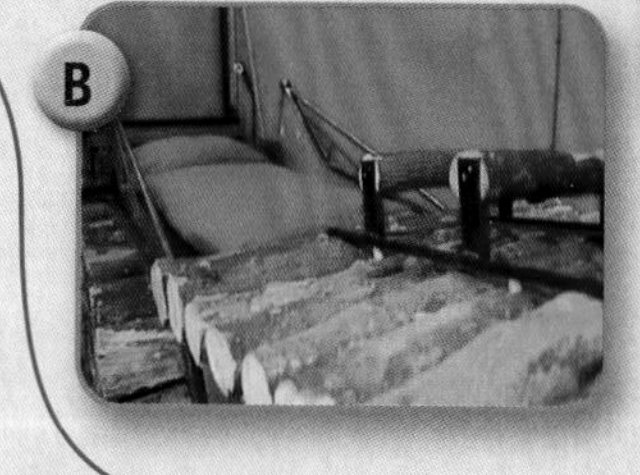

B

C

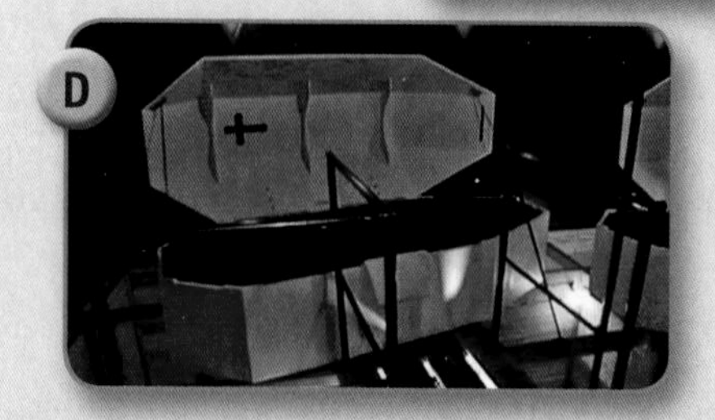

D

17 a Wo würden Sie am liebsten übernachten? Überreden Sie Ihren Partner / Ihre Partnerin zu einem gemeinsamen Wochenende. Verwenden Sie auch die Ausdrücke aus 16b.

Wie wäre es, wenn wir im Kran-Hotel Urlaub machen? Da können wir ...

b Erfinden Sie ein verrücktes Hotel. Arbeiten Sie zu dritt und sammeln Sie Ideen. Erstellen Sie ein Werbeplakat für Ihr Hotel und präsentieren Sie es im Kurs.

Wir könnten ein Hotel in einem Zirkus machen. Da kann man dann ...

Kurz und klar

über Vorlieben und Abneigungen sprechen

Ist es für dich wichtig, dich im Urlaub auszuruhen? – Ja, ich will mich immer im Urlaub ausruhen.
Macht es dir Spaß, eine Stadt zu besichtigen? – Nein, das finde ich langweilig.
Findest du es toll/langweilig/anstrengend/schön/interessant/entspannend, am Strand zu liegen? – Ich finde es schön, den ganzen Tag am Strand zu sein.
Hast du Lust, Sport zu machen? – Nein, keine Lust.
Hast du vor, jeden Tag auszuschlafen? – Ja, ich versuche jeden Tag auszuschlafen.

ein Gespräch im Reisebüro führen

Kunde
Ich möchte eine Reise nach ... buchen.
Was können Sie mir empfehlen?
Haben Sie noch andere Angebote?
Wo liegt das Hotel?
Wie lange dauert die Fahrt / der Flug?
Was kostet die Reise?
Was ist im Preis inbegriffen?
Das muss ich mir noch mal überlegen.
Dann würde ich die Reise nach ... nehmen.

Reisebüro
Wohin/Wann/Wie lange möchten Sie denn fahren?
Waren Sie schon mal in ...?
Wie wäre es mit ...? Das kann ich sehr empfehlen.
Wir haben da ein gutes Angebot: ...
Der Aufenthalt kostet ...
Der Preis ist inklusive Frühstück/Halbpension/Vollpension.

Grammatik

Infinitiv mit *zu*

nach Verben	anfangen, aufhören, sich entscheiden, planen, vergessen, versuchen, vorhaben, ...	Ich habe vergessen, dich **anzurufen**.
nach Adjektiven (+ *sein/finden/...*)	anstrengend, interessant, ... sein gut, langweilig, spannend, ... finden	Es ist langweilig, den ganzen Tag am Strand **zu liegen**.
nach Substantiven (+ *haben/machen*)	(keine) Lust haben, (keine) Zeit haben, Spaß machen, ... finden	Ich habe keine Zeit, ins Reisebüro **zu gehen**.

Verb *lassen*

Ich bügle mein Hemd.
= Ich mache das selbst.

Ich lasse mein Hemd bügeln.
= Jemand macht das für mich.

ich lass**e**	wir lass**en**
du läss**t**	ihr lass**t**
er/es/sie läss**t**	sie lass**en**

Präsens:	Ich	**lasse**	das	**machen.**
Perfekt:	Ich	**habe**	das	**machen** lassen.
mit Modalverb:	Ich	**kann**	das	**machen lassen.**
	Ich	**konnte**	das	**machen lassen.**

Lernziele

über Kaufentscheidungen sprechen
Gründe und Gegengründe ausdrücken
etwas reklamieren
Informationen über neue Technik verstehen
einen Kommentar schreiben
Werbeanzeigen vergleichen
Meinungen zu Werbung äußern
über Werbung sprechen

Grammatik

Nebensatz mit *obwohl*
Genitiv
Präpositionen: *wegen, trotz*

die Zeitschaltuhr mit einer Kaffeemaschine

Alles neu!

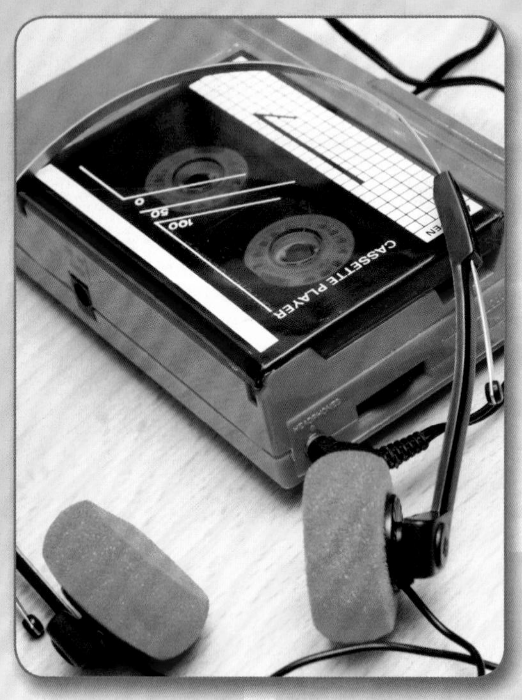

der Walkman mit Kassette und Kopfhörer

die Einparkhilfe

1 a **Technische Neuerungen. Sehen Sie die Fotos an. Was war oder ist mit dieser Technik möglich?**

Das gibt es beim Tennis, aber auch beim Fußball. Es ist eine Hilfe für den Schiedsrichter.

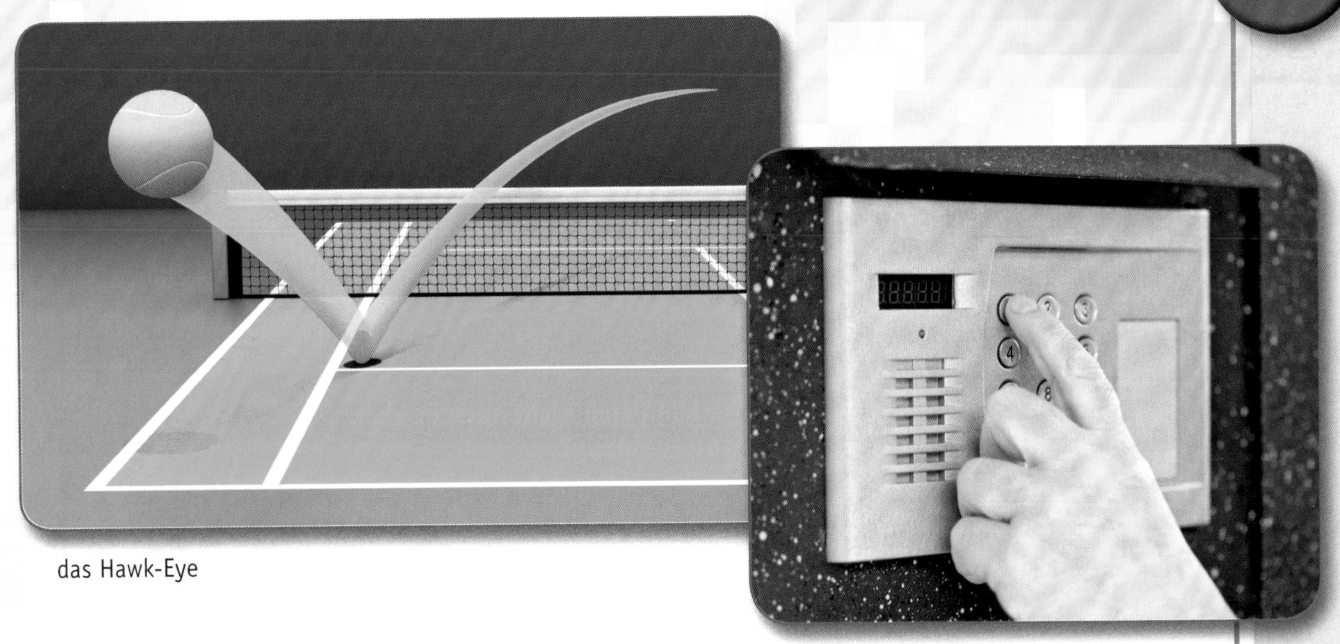

das Hawk-Eye

der Türöffner mit Zahlencode

b Was kann man mit … machen? Warum ist das den Personen wichtig? Lesen Sie die Einträge und notieren Sie die Informationen in der Tabelle.

Susi64

Schaut mal, was ich gefunden habe: meinen alten Walkman. Das war einfach super damals, 1979!!! Zum ersten Mal konnte man Musik hören, egal, wo man war. Ein irres Ding, fast so groß wie ein Taschenbuch, nur viel schwerer. Zweimal 45 Minuten Musik auf einer Kassette. Echt, ich mach keine Witze. Es war einfach ein Muss! Und kein Mensch konnte mehr sagen: „Mach die Musik leiser!"

WoWa

☹ Das darf doch nicht wahr sein, schon wieder zwei Schiedsrichterfehler! Und genau darum habe ich gestern verloren! Der Ball war nicht im Aus, ich weiß es ganz genau. Aber natürlich haben wir in Zorneding kein Hawk-Eye, das haben nur die Profis bei ihren Spielen. Dabei bin ich doch fast so gut wie die! ☺ Der Schiedsrichter hat nur meinem Gegner geholfen. So unfair.

	Was kann man damit machen?	Warum war/ist das den Personen wichtig?
Walkman	Musik hören überall	tragbar
Hawk-Eye		

c Hören Sie die Interviews. Was benutzen die Personen? Was kann man damit machen? Warum ist das den Personen wichtig? Ergänzen Sie noch mehr Informationen in der Tabelle aus 1b.

1.14

2

a Welche technischen Geräte haben Sie in Ihrer Kindheit oder Jugend benutzt? Wie haben sie sich seitdem verändert? Was hat es in Ihrer Kindheit oder Jugend noch nicht gegeben?

Ich benutze heute keinen CD-Player mehr, …

Früher …

b Was machen Sie mit Ihrem Handy? Welche anderen Geräte ersetzt Ihr Handy? Sammeln Sie.

Welches Handy nehme ich nur?

3 1.15

a Hören Sie das Gespräch. Welche Aussagen sind richtig? Kreuzen Sie an.

- [ ] 1. Samira hat ein neues Handy.
- [x] 2. Das Handy geht oft aus.
- [ ] 3. Der Akku ist schnell leer.
- [ ] 4. Samira sucht im Internet ein neues Handy aus.
- [x] 5. Samiras Freundin empfiehlt ihr ein Handy.

b Samira braucht ein neues Handy, aber sie kann sich nicht entscheiden. Was kann sie tun? Geben Sie Tipps. Was hilft bei der Kaufentscheidung?

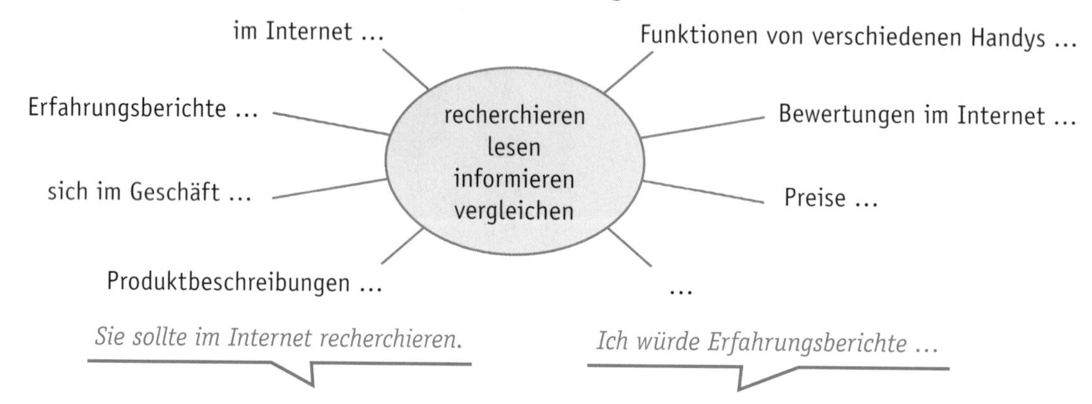

4

a Sehen Sie die Grafik zum Thema „Wie treffen viele Leute ihre Kaufentscheidung?" an und lesen Sie die Sätze. Welcher Satz beschreibt die Grafik korrekt? Kreuzen Sie an.

Elektronische Geräte kaufen

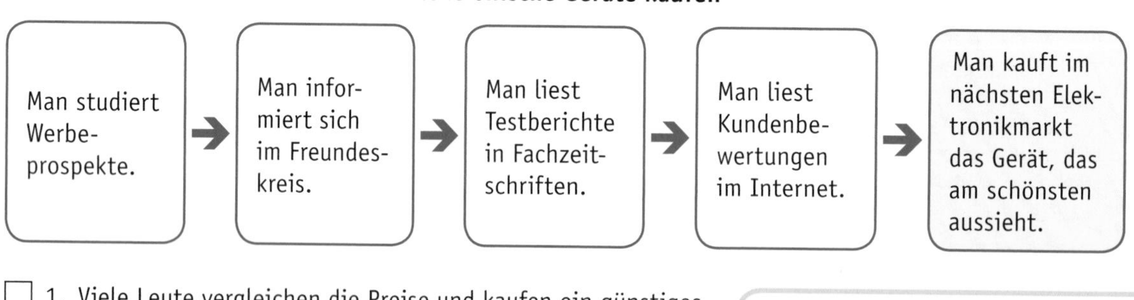

- [ ] 1. Viele Leute vergleichen die Preise und kaufen ein günstiges Gerät, weil sie Geld sparen wollen.
- [x] 2. Obwohl viele Leute sich lange informiert haben, gehen sie ins Geschäft und kaufen das Gerät, das sie am schönsten finden.
- [ ] 3. Viele Leute können sich nicht entscheiden, weil es ständig neue Geräte auf dem Markt gibt.
- [ ] 4. Viele Leute kaufen ein Sonderangebot, obwohl sie dazu keine Kundenbewertungen gelesen haben.

Nebensatz mit *weil* und *obwohl*

Nebensätze mit *weil* drücken einen Grund aus:
Er kauft das Gerät, **weil** es ihm gut **gefällt**.

Nebensätze mit *obwohl* drücken einen Gegengrund aus:
Er kauft das Gerät, **obwohl** es sehr teuer **ist**.
Obwohl er wenig Geld **hat**, kauft er das teure Gerät.

b Arbeiten Sie zu zweit. Jeder notiert fünf kurze Hauptsätze. Person A sagt den ersten Satz und wirft eine Münze: Kopf = *obwohl*, Zahl = *weil*. Person B spricht den Satz zu Ende.

Ich sehe mir gern neue Smartphones an, …

… obwohl ich gar kein neues Smartphone brauche.

Das neue Handy

5 a **Lesen Sie die SMS von Samira und antworten Sie ihr.**

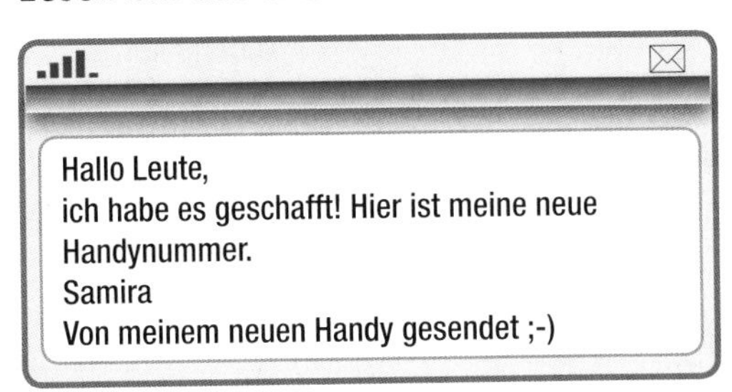

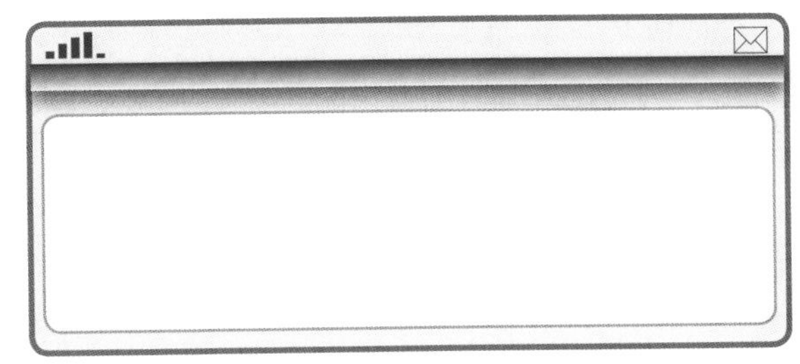

b **Handy-Probleme. Hören Sie das Gespräch und machen Sie Notizen zu den Fragen.**

1.16

1. Welches Problem hat Samira jetzt?
2. Welche Fragen stellt der Verkäufer?
3. Was schlägt die Chefin zuerst vor?
4. Was bekommt Samira am Ende?
5. Welchen Service bietet die Chefin Samira noch an?

c **Hören Sie noch einmal und arbeiten Sie zu zweit. Einer/Eine achtet auf Samira, der/die andere auf den Verkäufer und die Chefin. Welche Sätze hören Sie? Kreuzen Sie an.**

1.16
Wortschatz AB

Kundin
1 ... funktioniert nicht (richtig).
2 So kann ich ... nicht gebrauchen.
3 Kann ich ... bitte umtauschen?
4 Ich bin mit ... leider gar nicht zufrieden.
5 Und was kann man da jetzt machen?
6 Das geht doch so nicht.
7 Ich finde das wirklich sehr ärgerlich!
8 Kann ich ... haben?
9 Ich habe noch Garantie.

Verkäufer/Chefin
1 Kann ich Ihnen helfen?
2 Haben Sie ... kontrolliert/eingesetzt/geladen/...?
3 Kann ich das Gerät bitte mal sehen?
4 Oh, das tut mir leid.
5 Ich kann verstehen, dass Sie verärgert sind.
6 Was ist denn das Problem?
7 Das wundert mich.
8 Ich brauche noch Ihren Kassenzettel.
9 Ich gebe Ihnen ein neues Gerät.

6 a **Freundlich und unfreundlich. Hören Sie die Sätze und kreuzen Sie an: Was klingt freundlich: A oder B?**

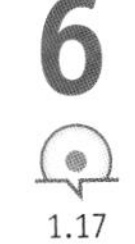
1.17

	A	B
1. Kann ich Ihnen helfen?	☐	☐
2. Ich bin mit dem Gerät leider nicht zufrieden.	☐	☐
3. Kann ich das Handy umtauschen?	☐	☐
4. Ich gebe Ihnen ein neues Gerät.	☐	☐

b **Arbeiten Sie zu zweit. Jeder wählt vier Sätze aus dem Kasten in Aufgabe 5c und spricht sie freundlich oder unfreundlich. Der Partner / Die Partnerin rät.**

7 **Reklamation. Spielen Sie zu zweit. Verwenden Sie die Sätze aus dem Kasten in Aufgabe 5c.**

A Sie haben gestern einen neuen, teuren Farbdrucker gekauft. Leider druckt er nur schwarz-weiß. Sie haben die Farbpatronen kontrolliert und richtig eingesetzt.

B Sie sind Verkäufer in einem Elektrogeschäft. Oft sagen Kunden, ein Gerät funktioniert nicht. Aber sie haben nur etwas vergessen, z. B.: farbige Tintenpatronen einsetzen / den Drucker anschalten / leere Tintenpatronen wechseln / Drucker an Computer anschließen ...

Smart wohnen

8 **a** **Sehen Sie das Foto an. Was können Häuser und Wohnungen in der Zukunft? Sammeln Sie Ihre Vorstellungen und Ideen.**

b **Lesen Sie den Text. Welche Möglichkeiten gibt es? Welche gefallen Ihnen am besten? Notieren und vergleichen Sie mit Ihrem Partner / Ihrer Partnerin.**

Neue Techniken verändern das Wohnen. Wir haben uns umgesehen und zwei Familien in Deutschland besucht. Vieles ist möglich, wenn man nicht auf die Kosten achten muss.

Smartes Wohnen

Es klingelt an der Tür von Familie Singer, in einem Neubau in Berlin Tegel. Die Bewohner des Hauses sehen in jedem Raum auf einem Monitor, wer vor der Tür steht. Wenn der Besucher hereinkommen soll, öffnen sie die Haustür durch Berühren des Bildschirms. Wenn niemand zu Hause ist, bittet eine Computerstimme den Besucher um eine Videonachricht. Herr und Frau Singer bekommen die Nachricht des Besuchers direkt auf ihr Smartphone. Apropos Smartphone: Damit können die Singers im Supermarkt den Inhalt des Kühlschranks kontrollieren. Sie sehen, was da ist und was sie noch kaufen müssen.
Im Flur des Hauses fällt ein großer Bildschirm auf. „Alle haben ja einen anderen Tagesablauf, und hier findet der Austausch der Informationen statt", erklärt Frau Singer. „Das ist die Zentrale der Familie", lacht sie. Wenn der Adressat der Nachricht die Tür öffnet, sieht er sofort die Nachrichten der Mitbewohner – und zwar nur die Nachrichten für ihn.

Wir wechseln nach Bremen. Frau Schröder wohnt in einem Altbau in der Nähe des Marktes. Im Flur der Wohnung ist alles ganz normal, aber dann zeigt uns Frau Schröder ihr Wohnzimmer. Drei große Bilder an den Wänden fallen sofort auf. Wenn man genau hinsieht, bemerkt man, dass die Bilder Bildschirme sind. Frau Schröder klickt ein paar Mal und wir sitzen in einem ganz anderen Raum, obwohl wir uns nicht bewegt haben. „Ich finde es toll, dass ich die Atmosphäre der Wohnung ändern kann. Die Farbe des Lichts, die Musik und die Bilder kann ich an meine Stimmung anpassen." Frau Schröder möchte sich im Moment wohl entspannen, sie hat ruhige Musik, weiches Licht und romantische Bilder gewählt. „Das habe ich vor ein paar Tagen ausgesucht und gespeichert", sagt sie.

c **Was fehlt? Lesen Sie die Sätze 1 bis 5 und suchen Sie die fehlenden Informationen im Text. Ergänzen Sie die Lücken. Markieren Sie dann weitere Genitive im Text.**

1. Herr und Frau Singer sehen in jedem Raum *des Hauses*, wer vor der Tür steht.
2. Sie bekommen die Videonachricht ________________ auf ihr Smartphone.
3. Wenn man heimkommt, sieht man sofort die Nachrichten ________________.
4. Frau Schröders Wohnung liegt in Bremen in der Nähe ________________.
5. Frau Schröder kann Musik, Bilder und die Farbe ________________ mit einem Klick ändern.

Genitiv

der Kühlschrank	der Inhalt **des** Kühlschranks
das Haus	die Bewohner **des** Hauses
die Wohnung	die Atmosphäre **der** Wohnung
die Informationen	der Austausch **der** Informationen

der Inhalt des Kühlschranks = der Inhalt vom Kühlschrank

9 Was sollte Ihre Hightech-Wohnung können? Notieren Sie fünf Möglichkeiten. Wählen Sie die fünf besten Ideen im Kurs.

Ich möchte …	die Nachricht der Inhalt die Farbe die Stimmung die Temperatur das Licht …	die Wohnung das Haus das Zimmer die Wand der Kühlschrank …	die Heizung der Mitbewohner der Gast der Besucher der Herd …	sehen ändern bekommen anpassen einschalten steuern …

2

Ich möchte die Stimmung der Mitbewohner steuern.

Fragewort im Genitiv:
Wessen?
Wessen Idee ist das?

10 a Lesen Sie Kommentare im Gästebuch. Welche sind positiv, welche kritisch?

Claudia C.	Finde die Wohnung von Frau Schröder wegen der tollen Möglichkeiten super. Ich möchte auch eine Wohnung, die ich an meine Stimmung anpassen kann.	____
Niko Berger	Ich sehe bei mir zu Hause auch, wer vor der Tür steht. Aber ich fühle mich trotz der Kamera nicht sicher, wenn ich die Tür öffne.	____
A. Schwab	Das ist alles sehr schön, aber wegen der hohen Kosten nur für Leute mit viel, viel Geld. Nichts für mich und mein Gehalt! Und was ist, wenn es einmal keinen Strom gibt?	____
Julius M.V.	Ich habe gedacht, so viel Technik macht eine Wohnung kühl und streng. Aber es sieht trotz der vielen Technik sehr gemütlich aus. Aber ist das nicht viel zu kompliziert?	____

b *Wegen* oder *trotz*? Welcher Nebensatz entspricht den markierten Ausdrücken in 10a?

A obwohl es eine Kamera gibt
B weil es viel kostet
C weil es tolle Möglichkeiten gibt
D obwohl es viel Technik gibt

c Technik im Alltag. Sehen Sie die Bilder an und ergänzen Sie die Sätze mit *wegen* oder *trotz* und einem Substantiv.

die neue Spülmaschine

große Tasten

die praktische Einparkhilfe

der kleine Monitor

Adjektive im Genitiv nach Artikelwort immer mit Endung *-en*:
die Möglichkeiten der moderne**n** Technik

1. Herr Knapp spült das Geschirr von Hand …
2. Frau Brem nimmt das alte Telefon …
3. Frau Simic fährt … wieder gern Auto.
4. Herr Ortner arbeitet mit seinem Laptop …

Präpositionen: *wegen, trotz* + Genitiv

Claudia C. ist beeindruckt,	weil es tolle Möglichkeiten gibt.
Claudia C. ist	**wegen der** tolle**n** Möglichkeiten beeindruckt.
Niko B. fühlt sich nicht sicher,	obwohl es eine moderne Kamera gibt.
Niko B. fühlt sich	**trotz der** modernen Kamera nicht sicher.

d „Smartes Wohnen". Schreiben Sie einen Leserkommentar zu folgenden Aspekten: Möglichkeiten, Kosten, Vor- und Nachteile.

Schöne bunte Welt der Werbung

11 a Wo und für welche Produkte haben Sie in den letzten Tagen Werbung gesehen? Sammeln Sie im Kurs.

Wo? im Radio, in der Luft (an Flugzeugen ...), ...
Wofür? Lebensmittel, Handy, ...

b Sehen Sie die Werbeanzeigen an. Was denken Sie: Für welche Produkte werben diese Anzeigen? Sprechen Sie im Kurs.

c Was passt zu welcher Werbung? Ordnen Sie zu.

Der Golf TDI. Unglaubliche Beschleunigung. • Bionade (eine Bio-Limonade) • Brillen machen das Gesicht. Krass Optik • Tierpark Hellabrunn (Zoo)

d Welche Anzeige gefällt Ihnen am besten, welche am wenigsten? Begründen Sie Ihre Meinung.

⊕

Ich finde Anzeige ... am lustigsten/besten/interessantesten, weil ...
Anzeige ... gefällt mir am besten, weil/obwohl ...
Ich mag die Anzeige am liebsten, weil ...
Sie ist am modernsten/kreativsten.
Ich finde den Werbetext / die Idee sehr lustig/witzig/frech.

⊖

Ich finde Anzeige ... sehr langweilig / nicht interessant / geschmacklos, weil ...
Anzeige ... gefällt mir am wenigsten, weil/obwohl ...
Ich finde sie unmodern/altmodisch.
Ich mag bei dieser Werbung das Foto / die Farbe / den Text nicht.

12 a **Welche andere gute Werbung kennen Sie? Bringen Sie sie mit oder machen Sie ein Foto davon und stellen Sie sie vor. Warum gefällt sie Ihnen? Erzählen Sie.**

b **Lesen Sie die Informationen über Werbung. Was ist wichtig? Notieren Sie Stichpunkte.**

1.18

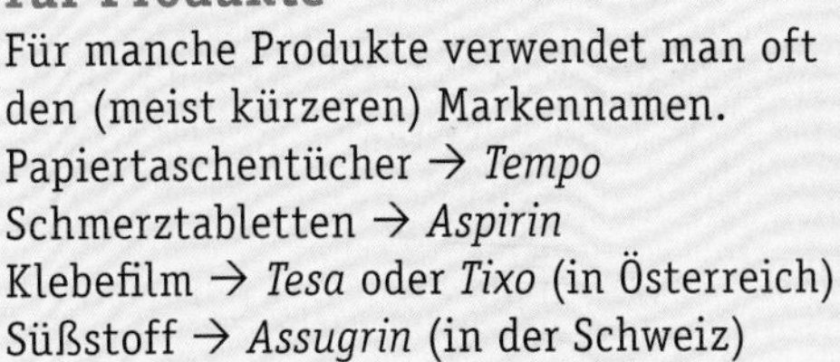
Gut gesagt: Markennamen für Produkte
Für manche Produkte verwendet man oft den (meist kürzeren) Markennamen.
Papiertaschentücher → *Tempo*
Schmerztabletten → *Aspirin*
Klebefilm → *Tesa* oder *Tixo* (in Österreich)
Süßstoff → *Assugrin* (in der Schweiz)

Wie funktioniert Werbung?

Werbung will, dass wir ein bestimmtes Produkt kaufen oder nutzen. Werbung will gefallen oder zumindest auffallen und den Konsum fördern. Dafür gibt es ein paar typische Tricks in der Werbebranche:
Um in Erinnerung zu bleiben, spricht Werbung sehr oft Gefühle an. Sie versucht, Menschen zum Lachen zu bringen oder zu überraschen. Oder es geht darum, neugierig zu machen. Eine Autofirma aus Korea hat einmal über Wochen nur mit ihrem Firmennamen geworben. Keiner kannte diesen Namen und alle haben darüber gesprochen und sich gefragt, welches Produkt diese Firma wohl produziert. Ein gutes Beispiel dafür, wie Werbung uns neugierig macht. Natürlich will Werbung auch Wünsche wecken – zum Beispiel Wünsche nach schnelleren Autos, nach Schönheit, Glück und Liebe oder auch einfach nach Genuss, wie z. B. nach gutem Essen.
Auch für die Sprache in der Werbung gelten bestimmte Merkmale: Oft ist die Sprache witzig. Häufig findet man Reime oder Slogans, Wortspiele oder auch neue Wörter. Werbung will uns direkt ansprechen und arbeitet oft mit persönlichen Anreden und mit Fragen, z. B. „Haben Sie heute schon …?". Ebenfalls typisch für die Werbesprache ist, dass sie leicht verständlich ist. Deswegen sind die Sätze oft einfach und kurz.
Und natürlich arbeitet Werbung mit Bildern, die nicht nur Informationen geben, sondern auch Emotionen wecken. Das große Ziel der Werbung: Sie will uns in Erinnerung bleiben und so unser (Kauf-)Verhalten steuern.

Ziele der Werbung	
Werbetricks	
Sprache	

Stichpunkte notieren
Informationen notiert man am besten in Stichpunkten. Oft genügen wenige Wörter.
zwei Verben: *will gefallen/auffallen*
Substantiv und Verb: *in Erinnerung bleiben*
Adjektiv und Verb: *neugierig machen*

c **Welche Merkmale aus dem Text finden Sie in den Anzeigen von Aufgabe 11? Sprechen Sie im Kurs.**

13 a **Werbung hier und dort. Sprechen Sie im Kurs über die folgenden Punkte.**

- Wofür gibt es in Ihrem Land/Ort oft Werbung? (Beispiel: Im italienischen Radio hört man sehr oft Werbung für Restaurants, im deutschen Radio ist das selten.)
- Wofür darf man in Ihrem Land (keine) Werbung machen? Wie denken Sie darüber? (Beispiel: Im deutschen Fernsehen ist Werbung für Zigaretten verboten.)

b **Arbeiten Sie in Gruppen. Wählen Sie ein Produkt oder erfinden Sie ein neues Produkt und entwerfen Sie ein Werbeplakat oder einen Radiospot.**

Schokolade, die nie schmilzt

Handy, das klingelt, wenn man es ruft (damit man es finden kann)

Joghurt mit Pfeffer-Orange-Ingwer-Geschmack

?

Menschliche Netzwerke

14 a Wie heißt der Begriff *Netzwerk* in Ihrer Sprache? Was assoziieren Sie damit?

Netz|werk, das, -e
[1] *soziales Netzwerk*: die Beziehungen einer Person, Kontakte zu Bekannten und Freunden (auch digital)
[2] *Netzwerk*: Verschiedene Computer sind zusammengeschlossen, damit Personen an verschiedenen Orten zusammenarbeiten können.
[3] *menschliches Netzwerk*: das für jede Person spezifische elektromagnetische Feld, das die Person umgibt, ähnlich wie eine Aura.

b Sehen Sie das Bild an und lesen Sie. Welche Beschreibung von *Netzwerk* passt zum Bild? Kreuzen Sie an.

15 a Sehen Sie den Film an. Was kann man in Zukunft mit menschlichen Netzwerken steuern? Ordnen Sie die Beschreibungen den Bildern zu.

2

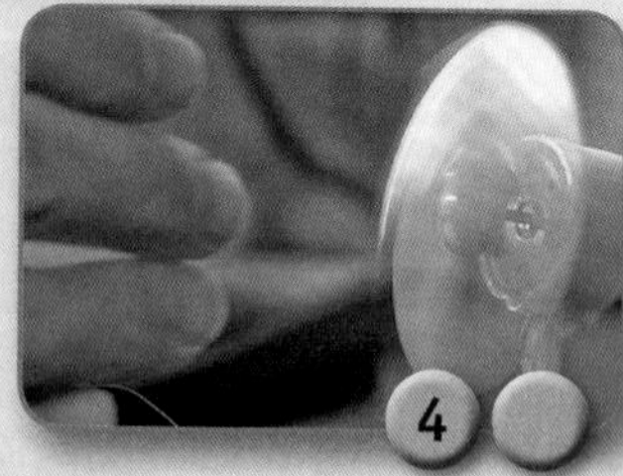

A Ein Sensor erkennt die Hand und stoppt das Schließen des Autodaches.

B Man steuert mit der Bewegung des Fingers den Ventilator.

C Man muss den Monitor nicht berühren, die Software reagiert auf die Bewegung der Finger.

D Das Fahrradschloss erkennt den Besitzer und öffnet sich.

2

b Sehen Sie den Film noch einmal. Beantworten Sie die Fragen.

1. Was braucht man in Zukunft nicht mehr?
2. Für welche Bereiche sind menschliche Netzwerke interessant?
3. Wie kann man in Zukunft Geräte steuern?

16 a Was denken Sie über diese Möglichkeiten? Kennen Sie andere technische Neuerungen dieser Art?

b Ihre Netzwerke. Welche Netzwerke kennen und benutzen Sie? Wofür sind sie nützlich? Sammeln Sie in Gruppen und vergleichen Sie im Kurs.

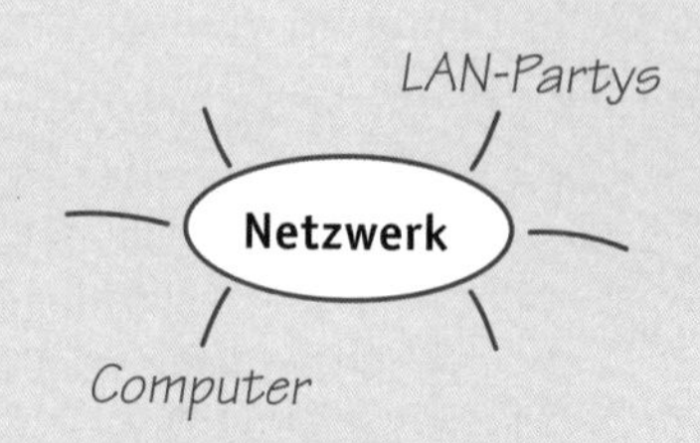

Kurz und klar

etwas reklamieren

Kunde
Ich bin mit ... leider gar nicht zufrieden.
... funktioniert nicht (richtig).
So kann ich ... nicht gebrauchen.
Ich finde das wirklich sehr ärgerlich!
Das geht doch so nicht.
Und was kann man da jetzt machen?
Kann ich ... bitte umtauschen?
Ich habe noch Garantie.

Verkäufer
Kann ich Ihnen helfen?
Was ist denn das Problem?
Ich kann verstehen, dass Sie verärgert sind.
Haben Sie ... kontrolliert/eingesetzt/geladen/...?
Kann ich das Gerät bitte mal sehen?
Vielleicht ist ... kaputt.
Das wundert mich.
Selbstverständlich. Haben Sie noch den Kassenzettel?

Meinungen zu Werbung äußern

⊕
Ich finde Anzeige ... am lustigsten/besten/interessantesten, weil ...
Anzeige ... gefällt mir am besten, weil/obwohl ...
Ich mag die Anzeige am liebsten, weil ...
Sie ist am modernsten/kreativsten.
Ich finde den Werbetext / die Idee sehr lustig/witzig/frech.

⊖
Ich finde Anzeige ... sehr langweilig / nicht interessant / geschmacklos, weil ...
Anzeige ... gefällt mir am wenigsten, weil/obwohl ...
Ich finde sie unmodern/altmodisch.
Ich mag bei dieser Werbung das Foto / die Farbe / den Text nicht.

Grammatik

Nebensatz mit *obwohl* und *weil*

Er kauft das Gerät,	**obwohl**	es sehr teuer	**ist.**	
	Obwohl	das Gerät sehr teuer	**ist,**	kauft er es.
	Weil	der Akku leer	**ist,**	geht das Handy oft aus.
	Konnektor		Verb	

Nebensätze mit *weil* drücken einen Grund aus. Nebensätze mit *obwohl* drücken einen Gegengrund aus.

Genitiv

maskulin	**des**	eines	keines	meines	Kühlschranks
neutrum	**des**	eines	keines	meines	Hauses
feminin	**der**	einer	keiner	meiner	Wohnung
Plural	**der**		keiner	meiner	Informationen

der Inhalt des Kühlschranks
= der Inhalt vom Kühlschrank
Das Fragewort im Genitiv:
Wessen? → **Wessen** Idee war das?

Einsilbige maskuline und neutrale Substantive: oft mit Endung *-es* → das Haus, des Hauses
Substantive auf *-s, -ß, -(t)z, -sch, -st*: oft mit Endung *-es* → der Fuß, des Fuß**es**, der Tisch, des Tisches
Adjektive mit Artikelwort im Genitiv haben immer die Endung ***-en***: trotz der modern**en** Kamera
Statt dem unbestimmten Artikel Genitiv Plural verwendet man immer *von* + Dativ.

Präpositionen: *wegen, trotz* mit Genitiv

Claudia C. ist beeindruckt,	weil es tolle Möglichkeiten gibt.	
Claudia C. ist	**wegen** der toll**en** Möglichkeiten	beeindruckt.
Niko B. fühlt sich nicht sicher,	obwohl es eine moderne Kamera gibt.	
Niko B. fühlt sich	**trotz** der modern**en** Kamera	nicht sicher.

wegen/trotz auch mit Dativ, besonders bei Personalpronomen und in der gesprochenen Sprache:
Ich habe **wegen dir** den Bus verpasst. Das Fest war **trotz dem** schlechten Wetter cool.

Lernziele

- Texte über Wendepunkte im Leben verstehen
- über Vergangenes berichten
- über Zitate sprechen
- eine Radiosendung verstehen
- eine E-Mail mit Tipps schreiben
- Informationen über historische Ereignisse verstehen

Grammatik

- Präteritum
- temporale Präpositionen: *vor, nach, während*
- Folgen ausdrücken: *deshalb, darum, deswegen, so ... dass, sodass*

die Disziplin

der Unterricht

die Schulbildung

das Klassenzimmer

Wendepunkte

4

die Arbeitszeit

die Arbeitskraft

die Arbeitsbedingungen

die Technik

automatisiert

die Pause

die Fabri

1 **a** **Früher und heute. Arbeiten Sie in Gruppen mit drei Paaren. Jedes Paar wählt ein Fotothema und notiert wichtige Unterschiede zwischen früher und heute. Die Stichpunkte helfen.**

b **Berichten Sie den beiden anderen Paaren von den Unterschieden.**

die Kleinfamilie

die Kindererziehung

berufstätig

alleinerziehend

die Großfamilie

autoritär

2 **a** **Hören Sie die Radiosendung über „Veränderungen". Über welche Themen sprechen die Anrufer?**

1.19

Ernst Lüdke	Isabel Eickhoff	Ursula Eickhoff
· Schule	· Famalie	

1.20–22

b **Hören Sie die Radiosendung in Abschnitten. Was sagen die Personen zu ihrem Thema? Notieren Sie zu jedem Abschnitt zwei bis drei Informationen. Vergleichen Sie Ihre Notizen mit einem Partner / einer Partnerin.**

c **Wie sehen Sie das? Wie haben sich Arbeit, Familie, Freizeit oder Schule in den letzten 50 Jahren in Ihrem Heimatland verändert? Was finden Sie gut, was schlecht? Berichten Sie.**

... hat sich stark/wenig verändert. • Im Gegensatz zu heute/früher ... •
Zum Glück ... • Leider ... • Im Vergleich zu früher gibt es heute ... •
Ich habe gehört, dass früher ... • Ich bin froh/traurig, dass jetzt ... •
Ich finde, früher war / heute ist ... besser/schlechter.

Plötzlich war alles anders

3 Wortschatz AB

a Welche positiven oder negativen Ereignisse können ein Leben verändern? Sammeln Sie im Kurs.

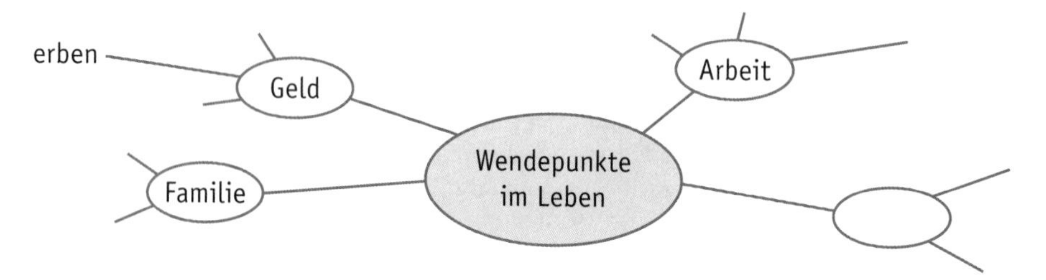

b Lebenswende. Lesen Sie die Einleitung zu einem Zeitschriftenartikel. Kennen Sie Beispiele, die zu der Einleitung passen? Erzählen Sie im Kurs.

Alles anders

Raus aus dem – oft gut situierten, sicheren – Alltag und ein neues Leben beginnen. Andere Dinge im eigenen Leben wichtig finden und sein Leben verändern. Warum machen Menschen das? Warum schlagen sie zum Beispiel (scheinbar) plötzlich einen ganz anderen beruflichen Weg ein? Ein Unfall, eine Trennung, plötzliche Krankheit oder gar ein Todesfall – oft sind solche Krisensituationen Wendepunkte im Leben. Aber auch langsamere, längere Prozesse können zu so einem Lebenswandel führen. Lesen Sie zwei Lebensgeschichten über Menschen, deren Leben sich sehr stark geändert hat.

c Arbeiten Sie zu zweit. Jeder liest einen Text über eine Person. Beantworten Sie die Fragen und informieren Sie dann Ihren Partner.

1. Was hat die Person früher gemacht?
2. Was macht sie jetzt?
3. Was war der Grund für die Lebenswende?
4. Wie hat die Person die Krise überwunden?

„Gelähmt sind wir nur im Kopf!"

Das ist das Motto von Markus Holubek und auch der Titel des Buches, das er geschrieben hat. Holubek bewies, dass man Dinge schaffen kann, die vorher unmöglich schienen. 2007 passierte es: Holubek stürzte bei einem Skirennen und brach sich die Wirbelsäule. Von einer Sekunde auf die andere war er gelähmt. „Unterhalb des Bauchnabels konnte ich nichts bewegen. Ein unglaubliches Gefühl, irreal." Von einem Tag auf den anderen veränderte sich sein Leben: Der sportliche Fernsehredakteur saß im Rollstuhl. Aber Markus Holubek ist ein Mensch, der nie aufgibt. Er dachte: Ich will das schaffen!

Mit sehr viel Training, seinem starken Willen und mit viel Optimismus überwand er alle Blockaden. Er schaffte das Unglaubliche: Er kann wieder gehen. Natürlich ist er noch gelähmt, er kann den größten Teil seiner Beine auch heute nicht spüren. Aber er hatte Glück: Die Art der Verletzung – es waren nicht alle Nerven kaputt – und sein starker Wille machten es möglich und befreiten ihn vom Rollstuhl. Heute arbeitet Holubek als Therapeut und hat es sich zur Aufgabe gemacht, Menschen, die in Krisensituationen sind, Optimismus zu vermitteln. Er hilft ihnen, Ängste abzubauen und aus der Passivität in die Aktivität zu kommen.

Es ging immer um die Wurst.

In den 50er-Jahren übernahm Karl Ludwig Schweisfurth das Familienunternehmen, eine Metzgerei. Er machte daraus die größte und modernste Fleisch- und Wurstwarenfabrik in Europa. Schon nach wenigen Jahren hatte er es geschafft: Er war ein reicher und erfolgreicher Mann. Aber Anfang der 80er-Jahre bekam er durch viele Gespräche mit seinen drei Kindern Zweifel. Tat er das Richtige? Die Kinder wollten die Firma nicht übernehmen, weil sie den Umgang mit den Tieren und die automatisierte Massenproduktion nicht gut fanden.
Irgendwann wusste Schweisfurth, was er wollte: „Ich steige aus und beginne noch mal von vorne – mit ökologischer Landwirtschaft!"
Er verkaufte sein erfolgreiches Unternehmen und begann tatsächlich ganz von vorn. 1986 gründete er die Herrmannsdorfer Landwerkstätten. Die Tiere haben hier genug Platz und Bewegung, bekommen kein künstliches Futter und kommen schließlich – ohne den Stress langer Transporte – zum Schlachthof auf dem eigenen Hof. Das Fleisch kommt direkt in die eigene Metzgerei. „Fleisch muss wieder kostbar und wertvoll werden. Lieber halb so viel, aber doppelt so gut!", das war die Grundidee seines neuen Unternehmens.

d Welche Person finden Sie interessanter? Sprechen Sie im Kurs und begründen Sie Ihre Wahl.

4

a Lesen Sie noch einmal Ihren Text aus Aufgabe 3 und markieren Sie die Verben im Präteritum. Ordnen Sie die Verben: Regelmäßig oder unregelmäßig?

regelmäßige Verben	unregelmäßige Verben
stürzen – er stürzte, ...	*beweisen – er ...*

Präteritum
regelmäßige Verben
im Präteritum immer: **-t-** + Endung → *hören – er hörte*
unregelmäßige Verben
1. und 3. Person Singular (*ich* und *er/es/sie*): keine Endung, der Vokal verändert sich → *beweisen – er bewies*
Achtung: *denken – er dachte, wissen – er wusste, ...*

b Perfekt oder Präteritum? Lesen Sie die Regel im Kasten und vergleichen Sie mit Ihrer Sprache. Gibt es auch verschiedene Vergangenheitsformen? Wann verwendet man welche Form?

Über Vergangenes berichten
1. Beim Sprechen oder in Texten wie E-Mails oder SMS verwendet man meistens das **Perfekt.**
2. In der geschriebenen Sprache (offizielle Briefe, Zeitungen, Berichte, ...) verwendet man häufig das **Präteritum.**
3. Einige Verben verwendet man fast immer im Präteritum (*sein, haben* und die Modalverben).

Ihre Sprache:

____

____

____

____

____

____

____

c Arbeiten Sie zu zweit. Jeder schreibt eine Überschrift für einen Zeitungsartikel. Tauschen Sie dann Ihre Überschriften und schreiben Sie einen passenden Text. Nutzen Sie auch die Liste der unregelmäßigen Verben im Arbeitsbuch, Seite 150 f. und auf unserer Internetseite. Tauschen Sie Ihre Artikel und korrigieren Sie sich gegenseitig.

Schwerer Unfall mit Trambahn
Vor drei Tagen gab es einen schweren Autounfall in der Innenstadt. Ein Autofahrer fuhr über eine rote Ampel und ...

Die Sache mit dem Glück

5 a „Glück ist …" Welches Zitat gefällt Ihnen am besten? Suchen Sie zwei Personen, die ein anderes Zitat gewählt haben, und sprechen Sie über Ihre Wahl.

Glücklich allein ist das Herz, das liebt.
Johann Wolfgang von Goethe (1749–1832)

Die Glücklichen sind neugierig.
Friedrich Nietzsche (1844–1900)

Glücklich ist, wer alles hat, was er will.
Aurelius Augustinus (354–430)

Glück ist Übungssache. Wir machen oft nur die falschen Übungen.
Eckart von Hirschhausen (*1967)

Glück ist das Zusammentreffen von Fantasie und Wirklichkeit.
Alexander Mitscherlich (1908–1982)

b Was macht glücklich? Sammeln Sie im Kurs. Erstellen Sie Ihre persönliche Top-5-Liste und vergleichen Sie.

6 a „Neue Liebe, neues Glück". Lesen Sie die Einführung zur Radiosendung und die Sätze 1 bis 5. Markieren Sie zu jedem Satz die passende Stelle im Text und notieren Sie die Satznummer.

NEWS

„Neue Liebe, neues Glück"

Heute ist in der Sendung Selina Giachero zu Gast. Während ihres Studiums lernte sie in Italien ihren Mann kennen. Nach ihrem Studium arbeitete sie für einige Jahre freiberuflich als Grafikerin in Frankfurt. Ihr Mann war während dieser Zeit als Lehrer in Florenz tätig. Nun lebt Selina seit drei Jahren mit ihrem Mann in Florenz. Vor ihrem Umzug haben ihr viele Freunde abgeraten①, aber Selina Giachero ist glücklich mit ihrer Entscheidung. Während des Sommers bekommt sie häufig Besuch aus Deutschland und sie selbst reist regelmäßig nach Frankfurt, um Kunden zu treffen. mehr

1. Bevor Selina nach Italien umzog, waren viele Freunde dagegen.
2. Als sie in Frankfurt arbeitete, war Selinas Mann in Florenz tätig.
3. Viele Freunde besuchen sie im Sommer.
4. Als sie mit ihrem Studium fertig war, arbeitete sie in Deutschland.
5. Selina lernte ihren Mann kennen, als sie noch studierte.

Temporale Präpositionen
vor + Dativ: **Vor dem** Umzug musste sie …
nach + Dativ: **Nach dem** Umzug ist sie …
während + Genitiv: **Während des** Studiums lernte sie …

1.23 **b Lesen Sie zuerst die Aussagen aus der Radiosendung und hören Sie dann einen Ausschnitt. In welcher Reihenfolge kommen die Aussagen vor? Nummerieren Sie.**

A. Es ist wichtig, dass man auch im Ausland berufstätig sein kann. ____
B. Oft gibt es einige Monate nach dem Umzug eine Krise. ____
C. Alte Freundschaften muss man nicht aufgeben. ____
D. Bei einem Neuanfang gibt es auch Probleme. ____
E. Die Beziehung kann schwierig werden, wenn einer sich langweilt. ____

1.23 **c Vergleichen Sie Ihre Lösungen aus 6b im Kurs. Hören Sie noch einmal zur Kontrolle.**

d Kennen Sie ähnliche Liebesgeschichten? Was würden Sie für einen Partner / eine Partnerin aufgeben? Sprechen Sie in Kleingruppen.

Also ich kann mir nicht vorstellen, weit wegzuziehen. Ich würde niemals …

1.24

Gut gesagt: verliebt sein
Ben ist in Maria verknallt.
Es hat ihn sofort erwischt.
Ben hat Schmetterlinge im Bauch, wenn er sie sieht.
Maria steht auch auf Ben.

7

a Wegen der Liebe nach Spanien: Bens erste drei Monate. Lesen Sie die Sätze im Grammatikkasten und ordnen Sie sie den Bildern zu.

A ☐ B ☐ C ☐ D ☐ E ☐

Últimas noticias de Madrid...

Folge ausdrücken: deshalb, darum, deswegen

Hauptsatz 1	Hauptsatz 2		
1. Bens Freunde sind weit weg,	**deshalb**	ist	er manchmal traurig.
2. Ben vermisst seine Geschwister,	**darum**	ruft	er sie oft an.
3. Seine Freundin hat viele Freunde,	**deswegen**	gehen	sie oft aus.

so ... dass, sodass

Hauptsatz	Nebensatz		
4. Ben spricht **so** wenig Spanisch,	**dass**	er fast nichts	**versteht.**
5. Der Spanischkurs macht Spaß,	**sodass**	er gern	**lernt.**

b Und Sie? Ergänzen Sie die Sätze. Vergleichen Sie dann in Kleingruppen Ihre Lösungen.

1. Meine Arbeit gefällt mir (nicht mehr), deshalb ______
2. Meine Freunde sind mir (nicht) so wichtig, dass ______
3. Ich möchte (nicht) gern wegziehen, deswegen ______
4. Ein neuer Wohnort muss ganz toll sein, sodass ______

8

a Hast du einen Tipp für mich? Lesen Sie die Mail von Ben. Wofür braucht er Ratschläge?

Hallo Leute,
heute brauche ich mal euren Rat, ich bin in einem Dilemma. Jetzt bin ich seit drei Monaten bei meiner Freundin Maria in Sevilla. Ich spreche nicht gut Spanisch und die Kommunikation ist schwierig!!! Deshalb ist es mit Marias Freunden auch nicht so einfach – sie sind total nett, aber sie sprechen so schnell. Eine Arbeit habe ich auch noch nicht gefunden. Im Moment könnte ich noch meinen alten Job in Deutschland bekommen – soll ich lieber wieder zurück? Meldet euch!
Ben

b Schreiben Sie Ben eine Antwort. Was raten Sie ihm?

9

a *ts* und *tst*. Hören Sie die Wörter und markieren Sie: Hören Sie *ts* oder *tst*?

1.25

1. ☐ [ts] ☐ [tst] 3. ☐ [ts] ☐ [tst] 5. ☐ [ts] ☐ [tst]
2. ☐ [ts] ☐ [tst] 4. ☐ [ts] ☐ [tst] 6. ☐ [ts] ☐ [tst]

[ts] Arbeit**s**kraft, **Z**weifel, stür**z**en. ...
[tst] je**tzt**, stür**zt**e, ...

b Hören Sie noch einmal und sprechen Sie nach.

1.25

1. Arbeitskraft 2. Erziehung 3. jetzt 4. stürzte 5. Zweifel 6. verletzt

c Lesen Sie die Sätze laut – erst langsam, dann immer schneller.

1. Um zehn stürzt der Arzt und verletzt sich. 2. Zwei Zebras zeichnen zusammen einen Zitronenbaum.

Die Wende

10 a Sehen Sie die drei Karten rechts an. Was sehen Sie dort? Sprechen Sie über die Karten im Kurs.

Auf der linken Karte sieht man das geteilte Deutschland: die Bundesrepublik und …

b Sehen Sie die Fotos an. Was sehen Sie auf den Bildern? Was passiert hier? Lesen Sie auch die Informationen. Was wissen Sie über die Ereignisse? Sprechen Sie im Kurs.

1945 Ende des 2. Weltkriegs

1949 Gründung der Bundesrepublik Deutschland und der DDR

1961 Die Deutsche Demokratische Republik lässt in Berlin die Mauer zwischen Ost- und Westberlin errichten.

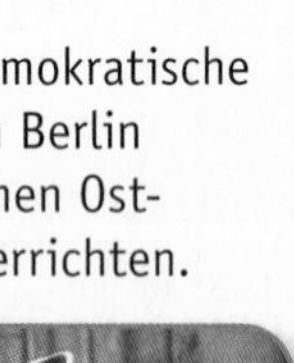

1961 bis 1989 Von 1961 bis 1989 fliehen viele Menschen aus der DDR nach West-Deutschland. Viele sterben beim Versuch zu fliehen.

Die Mauer in Westberlin

1965 Leben in der DDR – anstehen für einen Kaffee

Ein Café in der BRD

1989

c Lesen Sie den Bericht. Zu welchem Datum bei den Fotos passt der Text?

… An diesem Tag ging ich früh ins Bett und erfuhr erst am nächsten Morgen, was passiert war. Ich hatte Berufsschule und wir hatten als Erstes Sozialkundeunterricht. Unser Lehrer sagte, dass es nichts Besseres geben kann, als Geschichte live zu erleben. Gesagt getan! Ausgestattet mit Plastikbechern und Sektflaschen rannten wir zum Grenzübergang am heutigen Hauptbahnhof. Dort strömten uns die Menschenmassen entgegen. In den Trabis* und zu Fuß. Alle jubelten, wir reichten die Sektbecher weiter und es war eine einzigartige grandiose Stimmung. Wir klopften auf die Trabis und umarmten wildfremde Menschen. Es war ein Ereignis, das ich in meinem Leben nie vergesse. Die Situation war mit keiner vergleichbar, die ich je erlebt habe. Immer wenn ich die Bilder im Fernsehen sehe, erinnere ich mich mit Stolz daran, dass ich an diesem Tag dabei war.

> **Bilder zum Textverstehen nutzen**
> Sehen Sie vor dem Lesen die Bilder zu einem Text genau an. Was sehen Sie auf den Bildern? Worum kann es im Text gehen? So kennen Sie schon vor dem Lesen viele Informationen. Der Text wird leichter.

* Automarke aus der ehemaligen DDR

Herbst 1989

Hunderttausende Menschen in der DDR fordern freie Wahlen, mehr Freiheit und Demokratie.

Westdeutsche vor den Nachrichten

9. November 1989

Die Mauer fällt.

3. Oktober 1990

Wiedervereinigung Deutschlands

d Beantworten Sie die Fragen zum Text auf der linken Seite.

1. Warum wusste der Erzähler erst am 10. November, was passiert ist?
2. Warum ging er mit seinen Mitschülern zur Grenze?
3. Was machten die Menschen an der Grenze?
4. Was denken Sie: Warum ist der Erzähler stolz, wenn er an diesen Tag denkt?

3

11 Recherchieren Sie Informationen über einen historischen Tag, z.B. in Ihrem Land. Berichten Sie im Kurs.

Ich möchte über den ... (Datum) berichten.
An diesem Tag war / gab es / begann / hat ...
Dieser Tag ist wichtig, weil ...
Vor diesem Tag war ..., danach ...
Jedes Jahr feiern die Menschen diesen Tag. Die Feier beginnt ... Die Menschen machen ... / essen ... / ...

Die Grenze ist offen

12 a Sehen Sie das Foto an. Was fällt Ihnen dazu ein? Die Ausdrücke helfen.

die Mauer
der Sozialismus
die Meinungsfreiheit
die Bundesrepublik Deutschland (BRD) im Westen
der Konsum

Mauer am Brandenburger Tor in Berlin

die soziale Marktwirtschaft
die Deutsche Demokratische Republik (DDR) im Osten
die Reisefreiheit
staatliche Kontrollen
der Kapitalismus
die Pressefreiheit
die Grenze

In der DDR gab es keine Reisefreiheit. Die Grenze zwischen …

b Sehen Sie die Schlagzeilen. Was bedeuten die Sätze?

Die Mauer ist weg!
Berlin ist wieder Berlin!
JEDER darf ab sofort durch!
Deutschland weint vor Freude.
Die Ersten sind schon da!
Wir reichen uns die Hände!

13 a Lesen Sie das Zitat und sehen Sie die erste Szene. Was ist das Problem? Wie ist die Situation?

3.1

„Ich kann nicht mehr. Ich habe mir einmal in meinem Leben gewünscht, durch dieses Brandenburger Tor zu gehen." – „Man hatte die Grenzsoldaten ja vollkommen im Stich gelassen. Er wusste ja auch nicht: Was mache ich jetzt richtig?"

b Was passiert wohl? Kann die Frau durch das Brandenburger Tor gehen oder nicht?

3.2

c Sehen Sie nun den Film bis zum Ende. Sprechen Sie über die Szenen.

A 

B 

C 

D 

d Bei welchen anderen Ereignissen reagieren Menschen so emotional? Sprechen Sie im Kurs.

Kurz und klar

über einen historischen Tag sprechen

Ich möchte über den ... (Datum) berichten.
An diesem Tag war / gab es / begann / ...
Dieser Tag ist wichtig, weil ...

Vor diesem Tag war ..., danach ...
Jedes Jahr feiern die Menschen diesen Tag. Die Feier beginnt ... Die Menschen machen ... / essen ... / ...

Grammatik

Präteritum: Formen

regelmäßige Verben: suchen			**unregelmäßige Verben: geben, gehen**			
ich	such**te**	**-e**	ich	gab	ging	--
du	such**test**	**-est**	du	gab**st**	ging**st**	**-st**
er/es/sie	such**te**	**-e**	er/es/sie	gab	ging	--
wir	such**ten**	**-en**	wir	gab**en**	ging**en**	**-en**
ihr	such**tet**	**-et**	ihr	gab**t**	ging**t**	**-t**
sie	such**ten**	**-en**	sie	gab**en**	ging**en**	**-en**
Sie	such**ten**	**-en**	Sie	gab**en**	ging**en**	**-en**

Regelmäßige Verben haben im Präteritum ein „t" vor der Endung.
Unregelmäßige Verben haben in der 1. und 3. Person keine Endung, es gibt einen Vokalwechsel.
Verben mit Vokalwechsel und regelmäßiger Endung: *bringen – er brachte, kennen – er kannte, denken – er dachte, mögen – er mochte, nennen – er nannte, rennen – er rannte, wissen – er wusste*

Über Vergangenes berichten

1. Beim Sprechen oder in Texten wie E-Mails oder SMS verwendet man meistens das **Perfekt**.
2. In der geschriebenen Sprache (offizielle Briefe, Zeitungen, Berichte, ...) verwendet man häufig das **Präteritum**.
3. Einige Verben verwendet man fast immer im Präteritum: *sein, haben* und Modalverben.

Temporale Präpositionen *vor, nach, während*

vor + Dativ	**Vor** dem Umzug musste sie lange überlegen.
nach + Dativ	**Nach** der Sendung bekam sie viele Mails.
während + Genitiv	**Während** ihr**es** Studium**s** lernte Selina ihren Mann kennen.

Folgen ausdrücken
deshalb, darum, deswegen

Hauptsatz 1			**Hauptsatz 2**		
Bens Freunde	sind	weit weg,	**deshalb**	ist	er manchmal traurig.
Ben	vermisst	seine Geschwister,	**darum**	ruft	er sie oft an.
Seine Frau	hat	viele Freunde,	**deswegen**	gehen	sie oft aus.

so ... dass, sodass

Hauptsatz			**Nebensatz**		
Ben	spricht	**so** wenig Spanisch,	**dass**	er fast nichts	**versteht.**
Der Spanischkurs	macht	Spaß,	**sodass**	er gern	**lernt.**

Wiederholungsspiel

1 **Arbeiten Sie zu zweit und bearbeiten Sie alle Stationen. Sammeln und ergänzen Sie an jeder Station zuerst passende Sätze und Wörter und spielen Sie dann die Situation. Einigen Sie sich am Ende auf Ihre Lieblingsstation und spielen Sie sie im Kurs vor.**

Station 1

Die Reiseplanung
Einigen Sie sich gemeinsam auf ein Reiseziel.

Vorschläge machen
Hast du Lust, ...?
Planst du, ...?
Sollen wir ...?
Ist es für dich wichtig, ...?
Findest du es toll/langweilig/anstrengend/schön/interessant, ...?
...

auf Vorschläge reagieren
Nein, keine Lust. / Ja, ich habe ...
Nein, ich finde ... schöner/lustiger.
Ich finde es schön, den ganzen Tag ....
Ja, ich versuche jeden Tag, ...
Wir könnten doch auch ...
Wollen wir nicht lieber ...?
...

Station 2

Im Reisebüro
Gehen Sie ins Reisebüro und buchen Sie eine Städtereise nach Salzburg. Ihr Partner / Ihre Partnerin arbeitet im Reisebüro und präsentiert Ihnen zwei Angebote.

Frühling im Salzburger Land

- Fahrt im modernen Reisebus
- 6 Übernachtungen in 3 Hotels im Salzburger Land
- alle Zimmer mit Bad oder Dusche/WC
- 6-mal Frühstücksbüfett
- 5-mal 3-Gang-Abendessen
- 1-mal Schweinshaxen-Abendessen
- Stadtführung Salzburg
- Tagesausflug Großglockner mit örtlicher Reiseleitung
- 2 Tanzabende im Hotel
- Schifffahrt auf dem Wolfgangsee

ab 409,-

Salzburg mit Salzburger Land

ab 429,-

- ◇ Fahrt im modernen Reisebus
- ◇ 3 Übernachtungen mit Halbpension – direkt in Salzburg
- ◇ alle Zimmer mit Dusche/WC
- ◇ 1-mal Salzburger-Nockerl-Essen
- ◇ kostenfreie Nutzung des Wellnessbereichs
- ◇ Reiseleitung während der Reise
- ◇ Stadtführung in Salzburg
- ◇ Besichtigung von Schloss Hellbrunn

Kunde
Ich möchte eine Reise nach ... machen.
Könnten Sie ...?
Haben Sie noch andere Angebote?
Wo liegt das Hotel?
Wie lange dauert die Fahrt / der Flug?
Was ist im Preis inbegriffen?
Das muss ich mir noch mal überlegen.
...

Reisebüro
Wohin / Wann / Wie lange möchten Sie ...?
Wie wäre es mit ...?
Das kann ich sehr empfehlen.
Wir haben da ein gutes Angebot: ...
Der Preis ist inklusive ...
...

Station 3

Die Reklamation

Sie haben ein Gerät gekauft, aber es ist kaputt. Sie möchten es umtauschen. Sprechen Sie mit einem Verkäufer / einer Verkäuferin.

Kunde	**Verkäufer**
Guten Tag.	
	Guten Tag. Kann ich Ihnen helfen?
Ja, ich habe vor ... hier einen/ein/eine ... gekauft.	
	Ja. Sind Sie mit ... nicht zufrieden?
Hm. Ich bin leider gar nicht zufrieden. ... funktioniert nicht.	
	Was ist denn das Problem?
...	
	Haben Sie versucht, ...?
Ja, ich habe ... Aber es geht nicht. Ich finde das wirklich sehr ärgerlich!	
	Ich kann verstehen, dass ...
Kann ich ... bitte umtauschen? Ich habe noch Garantie.	
	Selbstverständlich ... Haben Sie noch den Kassenzettel?

Station 4

Alltag heute

Immer und überall erreichbar – ist das gut oder ist das Stress? Sammeln Sie Ausdrücke und Sätze für beide Positionen und spielen Sie dann das Gespräch. Einer/Eine übernimmt die Rolle A, der/die andere die Rolle B.

Meinung äußern
Ich finde gut/schlecht, dass ...
Meiner Meinung nach ...
Ich finde/denke/meine, ...

widersprechen
Ich denke nicht, dass ...
Aber es ist doch so, dass ...
Das sehe ich nicht so. ...

A telefoniert immer gern und freut sich, immer und überall erreichbar zu sein.

B hat sehr viel zu tun und ist froh, wenn er/sie mal einfach nicht erreichbar ist.

Schreibwerkstatt

2 **Geschichten schreiben. Wählen Sie einen Anfangssatz und einen Schlusssatz aus. Schreiben Sie dann eine Geschichte dazu.**

Ich war mir ganz sicher, dass das die richtige/falsche Entscheidung war.

Endlich ist es so weit! Auf diesen Tag habe ich schon so lange gewartet.

Kim saß entspannt auf dem Sofa, als das Telefon klingelte.

Die Sonne ging langsam unter.

Alle waren froh, dass das Wetter so gut war.

Ende gut, alles gut!

Nach diesem Tag konnte eigentlich nichts mehr schiefgehen.

Warum bin ich nicht im Bett geblieben?

Geschichten spannend erzählen
1. Sätze unterschiedlich anfangen, nicht immer mit dem Subjekt beginnen: *Ich war noch sehr müde. Deshalb wollte ich im Bett bleiben.*
2. Wörtliche Rede verwenden: *Aber ich hörte meinen Chef sagen: „Steh endlich auf!"*
3. Gefühle und Gedanken beschreiben: *Total müde stand ich auf und wünschte mir so sehr, dass Sonntag wäre.*
4. Genau beschreiben: *Langsam ging ich ins Bad, dann trank ich einen heißen Kaffee.*

3 **Elf Wörter – ein Gedicht. Schreiben Sie ein „Elfchen" wie in den Beispielen.**

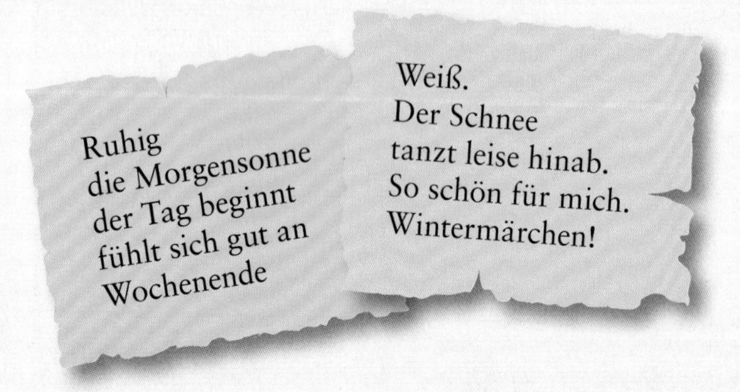

So kann man „Elfchen" schreiben
1. Zeile: **Ein** Wort: z. B. eine Farbe oder eine Eigenschaft
2. Zeile: **Zwei** Wörter: ein Gegenstand, eine Person, eine Landschaft, ... (mit Artikel)
3. Zeile: **Drei** Wörter: Wo und wie ist der Gegenstand / die Landschaft? Was tut die Person?
4. Zeile: **Vier** Wörter: Schreiben Sie etwas über sich selbst.
5. Zeile: **Ein** Wort: als Abschluss oder Resümee

4 **a** **Arbeiten Sie in Gruppen. Eine Person nennt einen Buchstaben. Alle anderen schreiben einen Satz, in dem möglichst viele Wörter mit diesem Buchstaben beginnen.**

Am Abend arbeitet Anton auch. *Ben bringt Birgit braunes Brot.*

b **Eine Person schreibt ein Wort auf. Die anderen müssen aus den Buchstaben des Wortes einen Satz bilden.**

5 Was sagen die Leute? Arbeiten Sie zu zweit und ergänzen Sie die Sprechblasen.

Lernziele

Gespräche bei der Arbeit führen
Irreales ausdrücken
sich entschuldigen
auf Entschuldigungen reagieren
Bewerbungstipps verstehen
über Bewerbungen sprechen
am Telefon nach Informationen fragen
Informationen geben
einen Text strukturieren
Tipps austauschen

Grammatik

Konjunktiv II der Modalverben
irreale Bedingungssätze mit Konjunktiv II
Pronominaladverbien: *dafür, darauf, ...*
Verben mit Präposition und Nebensatz

1

Chemikerin

Arbeitswelt

1 Wortschatz AB

a Welche Berufe kennen Sie? Sammeln Sie zu zweit. Notieren Sie für jeden Beruf eine typische Aktivität.

b Sehen Sie die Fotos an. Sprechen Sie über diese Berufe.

bei jedem Wetter draußen sein • früh am Morgen anfangen • Kontakt mit Menschen haben • Metall bearbeiten • etwas von Technik und Elektronik verstehen • genau arbeiten müssen • am Computer arbeiten • im Labor stehen • genaue Analysen machen • keine geregelte Arbeitszeit haben • gut verdienen • eine Ausbildung machen • studieren • Fremdsprachenkenntnisse brauchen

c Lesen Sie das Interview mit Frau Geiger. Was denken Sie: In welchem Beruf arbeitet sie jetzt? Begründen Sie Ihre Vermutung.

Verena Geiger, 35

Frau Geiger, sind Sie zufrieden in Ihrem Beruf?
Ja, jetzt schon. Jetzt habe ich meinen Beruf gefunden. Ich denke, dass ich dabei bleibe.
Was ist denn so gut daran?
Ich arbeite total selbstständig. Und es gibt immer wieder neue Herausforderungen. Das ist mir auch wichtig. Außerdem habe ich eine geregelte Arbeitszeit.
Warum haben Sie mehrere Berufe ausprobiert?
Ich habe zuerst Chemie studiert, weil ich das in der Schule gern hatte. Außerdem wollte ich Wissenschaftlerin werden. Aber dann habe ich meine Liebe zur Technik ernst genommen und hab' noch mal was Neues gelernt.
Sind Sie mit dem Gehalt zufrieden?
Na ja, es kann ja immer ein bisschen mehr sein. Aber ich verdiene ziemlich gut.

Briefträgerin

Mechatronikerin

Kellnerin

2

a Arbeiten in verschiedenen Berufen. Hören Sie das Interview mit Frau Geiger. In welcher Reihenfolge hat sie in diesen Berufen gearbeitet? Nummerieren Sie.

1.26

4 Mechatronikerin   2 Kellnerin   1 Briefträgerin   3 Chemikerin

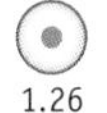

1.26

b Hören Sie noch einmal. Was sagt Frau Geiger? Arbeiten Sie zu viert. Jeder wählt einen Beruf und notiert dazu Informationen. Informieren Sie sich dann gegenseitig und ergänzen Sie Ihre Notizen.

Briefträgerin: früh aufstehen, …
Kellnerin: …

3

Was ist in Ihrem Beruf oder Ihrem Wunsch-Beruf wichtig? Was muss man gut können? Machen Sie Notizen. Stellen Sie diesen Beruf vor.

4

Kellner: immer freundlich sein, Stress aushalten, rechnen können, …

Gespräche bei der Arbeit

4 **a Hören Sie und sehen Sie die Fotos an. Schreiben Sie die Ausdrücke zum passenden Bild.**

1.27–29

Ich mache gleich mal Schluss. • Ich bin so froh, dass Sie da sind. • Wie geht's denn so? • Ich muss noch etwas fertig machen. • Ich brauche dringend eine Pause. • Was ist denn das Problem?

____________ ____________ ____________

____________ ____________ ____________

b Wer denkt was? Ordnen Sie die Gedanken 1 bis 6 den Fotos und Personen in 4a zu.

1. Wenn ich nicht so lange arbeiten müsste, würde ich gern mitkommen. _3_ _Bo_
2. Ich könnte besser arbeiten, wenn ich einen neuen Computer hätte. ____ ____
3. Wenn ich Zeit hätte, würde ich jetzt noch einen zweiten Kaffee trinken. ____ ____
4. Wenn er endlich einen Computerkurs machen dürfte, würde er nicht mehr so oft anrufen. ____ ____
5. Wenn Boris nicht so gestresst wäre, wäre die Pause lustiger. ____ ____
6. Ich würde ihn ja gerne mitnehmen, wenn er Zeit hätte. ____ ____

Konjunktiv II der Modalverben

ich könnte / müsste / dürfte / wollte / sollte

5 **a Was würden Sie machen, wenn ...? Arbeiten Sie zu zweit. Person A liest einen Satzanfang, Person B setzt den Satz fort. Dann liest Person B einen Satzanfang.**

1. Wenn der Kollege immer schlechten Kaffee kochen würde, ...
2. Wenn die Chefin nie zufrieden wäre, ...
3. Wenn ich jeden Tag lang arbeiten müsste, ...
4. Wenn es im Büro zu laut wäre, ...
5. Wenn ich keine netten Kollegen hätte, ...
6. Wenn der Computer nicht funktionieren würde, ...

Irreale Bedingungssätze mit Konjunktiv II

Ich **könnte** besser **arbeiten**, wenn ich einen neuen Computer **hätte**.
Wenn Boris nicht so gestresst **wäre**, **wäre** die Pause lustiger.
Wenn ich nicht so lange **arbeiten müsste**, **würde** ich gern **mitkommen**.

b Stellen Sie sich vor, Sie hätten viel Zeit und Geld. Was würden Sie tun? Schreiben Sie drei Sätze. Sammeln Sie im Kurs und wählen Sie die besten Ideen.

Wenn ich viel Geld hätte ...

Wenn etwas schiefgeht ...

6 a **Sehen Sie die Fotos an. Was könnte das Problem sein? Sprechen Sie im Kurs.**

A

B

1.30–31

b **Hören Sie die beiden Gespräche. Wie reagieren die Personen?**

7 a **Pannen am Arbeitsplatz. Sehen Sie das Diagramm an. Wählen Sie zu zweit eine Situation. Planen Sie mit Ihrem Partner / Ihrer Partnerin ein Gespräch. Verwenden Sie die Ausdrücke im Kasten. Spielen Sie die Gespräche vor.**

Gefühlte Wahrheiten – Die häufigsten Pannen im Büro

- zu spät zu einer Besprechung kommen (8 %)
- sich mit Kaffee oder Essen bekleckern (9 %)
- den Geburtstag der Lieblingskollegin vergessen (11 %)
- einen Kollegen mit dem falschen Namen ansprechen (15 %)
- auf dem Parkplatz der Chefin parken (17 %)
- eine wichtige E-Mail an die falsche Person schicken (18 %)
- Kaffee über die Tastatur des Computers schütten (22 %)

1.32

Gut gesagt: „doch" macht Aussagen emotionaler

Das macht doch nichts.
Das ist doch kein Problem.
Das ist doch wunderbar.
Das habe ich doch gesagt.

sich entschuldigen	**auf eine Entschuldigung reagieren**
Entschuldigung!/Verzeihung!	Bitte.
Entschuldigen/Verzeihen Sie bitte.	Schon gut.
Das wollte ich nicht.	Das macht doch nichts.
Das war keine Absicht.	Reden wir nicht mehr davon.
Das ist mir wirklich (sehr) unangenehm/peinlich.	Das ist (doch) nicht so schlimm.
(Es) tut mir (sehr/schrecklich) leid.	Das kann doch (jedem) mal passieren.

b **Eine Panne, die mir passiert ist ... Schreiben Sie einen Text über „Ihre" oder eine andere Panne.**

8 a **Mehrere Konsonanten hintereinander. Hören Sie und sprechen Sie langsam nach.**

1.33

die E**ntsch**uldigung	die Be**spr**echung	der Arbei**tspl**atz	der Pa**rkpl**atz
die Liebli**ngsk**ollegin	der Gebu**rtst**ag	der Blume**nstr**auß	die Brie**ftr**ägerin

b **Suchen und notieren Sie fünf Wörter mit mindestens drei Konsonanten hintereinander. Tauschen Sie die Wörter und sprechen Sie.**

Die richtige Bewerbung

9 a Was gehört zu einer Bewerbung? Sammeln Sie im Kurs.

b Lesen Sie den Text. Was ist bei einer Bewerbung wichtig? Notieren Sie Stichwörter auf der Checkliste und vergleichen Sie im Kurs.

Online bewerben – aber wie?

Viele Firmen akzeptieren nur noch Online-Bewerbungen. Aber worauf kommt es eigentlich an, wenn man sich per E-Mail bewirbt? Zuerst braucht man eine seriöse E-Mail-Adresse. Unter Freunden ist eine Adresse wie mausicool@yahoo.de sicher ganz lustig, aber für den zukünftigen Arbeitgeber? Auf keinen Fall darf man eine Bewerbung von der Mail-Adresse des aktuellen Arbeitgebers losschicken.
Ansonsten unterscheidet sich die Online-Bewerbung nicht von der „Papier"-Bewerbung. Zu den Bewerbungsunterlagen gehört natürlich ein aussagekräftiges Bewerbungsschreiben. Darin stehen Informationen, die für die Firma wichtig sind: Warum suchen Sie nach einem neuen Job? Warum interessieren Sie sich gerade für diesen Job? Was sind Ihre Qualitäten? Darauf sollte sich das Bewerbungsschreiben konzentrieren.
Der Lebenslauf mit Foto darf selbstverständlich auch nicht fehlen. Das Foto sollte man möglichst von einem Profi machen lassen. Das Foto vom letzten Urlaub finden Personalchefs in der Regel nicht so gut.
Natürlich schickt man auch Zeugnisse von der Schule oder Uni oder von früheren Arbeitgebern. Aber überlegen Sie vorher, welche Bescheinigungen für diese Stelle wirklich relevant sind.
Am besten fasst man alle Unterlagen in einem PDF-Dokument als Anhang zusammen. So muss die Personalabteilung nur ein Dokument öffnen und der Bewerber weiß, dass alles so ankommt, wie er es losgeschickt hat.
Und dann? Dann wartet man darauf, dass sich die Firma meldet. Das kann manchmal leider ziemlich lange dauern. Nach ca. zwei Wochen können Sie auch bei der Firma anrufen und nachfragen, ob Ihre Bewerbung angekommen ist und wie der Stand der Dinge ist.
Viele Institutionen bieten übrigens ein spezielles Bewerbungstraining an. Jeder, der Hilfe braucht, kann an so einem Training teilnehmen. Dort gibt es auch Tipps, wie Sie sich am besten auf ein Vorstellungsgespräch vorbereiten können.

Checkliste Bewerbung:

seriöse E-Mail-Adresse

______

______

______

10 a Verben mit Präpositionen. In dem Text finden Sie folgende Verben. Markieren Sie die Verben und ihre Präpositionen im Text. Ergänzen Sie unten die Präpositionen.

ankommen *auf*
sich unterscheiden ______
gehören ______
suchen ______
sich interessieren ______
warten ______
teilnehmen ______
sich vorbereiten ______

b Worauf beziehen sich die Pronomen und Pronominaladverbien in den Sätzen 1 bis 5? Markieren Sie wie im Kasten.

Pronomen und Pronominaladverbien

Präpositionen + Pronomen stehen für Personen:	Pronominaladverbien (*da(r)* + Präposition) stehen für Dinge/Ereignisse:
Der Chef ist sehr nett. Man kann **mit ihm** über Probleme sprechen.	Viele Institutionen bieten ein Bewerbungstraining an. **Daran** kann jeder teilnehmen.

1. Mein Freund Marc sucht auch eine Stelle. Ich bin **mit ihm** zum Bewerbungstraining gefahren.
2. Sein Chef hat ihm eine andere Stelle angeboten. Er interessiert sich aber nicht **dafür**.
3. Er hat ein Problem im Büro und wir haben oft **darüber** gesprochen.
4. Marc kennt die Chefin einer kleinen Firma. Er hat letzte Woche **mit ihr** telefoniert.
5. Diese Firma hat vielleicht eine Stelle für Marc. **Darüber** würde er sich sehr freuen.

da- oder dar-?
Die Präposition beginnt mit einem Vokal → *dar-*
darauf, darüber, darum, ...

c Arbeiten Sie zu zweit. Jeder ergänzt die Fragen und stellt sie seinem Partner / seiner Partnerin. Er/sie antwortet und verwendet ein Pronominaladverb.

Interessierst du dich für ... ?
Denkst du oft an ...?
Könntest du auf ... verzichten?
Freust du dich auf ...?
Sprichst du mit Freunden oft über ...?
Ärgerst du dich manchmal über ...?

Sprichst du mit Freunden oft über die Arbeit?

Ja, wir sprechen oft darüber.

11

a Verben mit Präposition und Nebensatz. Bilden Sie die Sätze.

1. Firmen • sich interessieren
2. Denken • Sie • bei Bewerbungen
3. Ich • warten • seit vier Wochen
4. Meine Freundin • sich kümmern
5. Ich • sich ärgern

darauf • darum • darüber • daran • dafür

... qualifizierte Mitarbeiter zu finden.
... alle Unterlagen in einem Dokument zu schicken!
... dass die Firma sich bei mir meldet.
... eine Stelle im Ausland zu bekommen.
... dass ich noch keine gute Stelle gefunden habe.

Firmen interessieren sich dafür, qualifizierte Mitarbeiter zu finden.

Verben mit Präposition und Nebensatz
Worauf wartet man?
Man wartet **auf** eine Antwort.
Man wartet **darauf**, dass die Firma antwortet.

b Bilden Sie vier eigene Sätze. Tauschen Sie dann mit Ihrem Partner / Ihrer Partnerin und korrigieren Sie sich gegenseitig.

sich freuen auf/über • sich entscheiden für • warten auf • sich ärgern über • denken an • sich interessieren für • sprechen über • nachdenken über

Ich freue mich darüber, ...

Jobsuche

12 a In welchen Jobs haben Sie schon gearbeitet? Erzählen Sie.

1.34 **b Hören Sie das Gespräch. Wann, wo und warum möchte Marco gerne jobben?**

c Wo oder wie kann man einen Job finden? Sammeln Sie im Kurs.

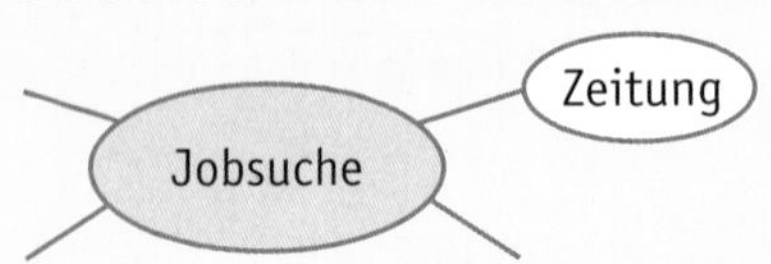

13 a Lesen Sie die Anzeigen und hören Sie das Telefongespräch. Zu welcher Anzeige passt das Gespräch? Wie sind die Arbeitszeiten und wie hoch ist der Stundenlohn? Notieren Sie.

1.35

☐ **Teilzeitjob für Studenten**
Wir suchen einen Nachtportier für unser Hotel.
Wenn Ihnen der Kontakt mit Menschen Spaß macht und Sie in einem netten Team arbeiten möchten, rufen Sie uns an.
Hotel Adria
0551–89 302 299 (Fr. Stark)

☐ **Wir suchen Sie!**
Wir brauchen Hilfe im Büro.
Ihre Aufgaben:
- E-Mails beantworten
- Kursunterlagen vorbereiten
- Rechnungen schreiben
- News für unsere Homepage verfassen

www.computerschule-big.de
0551–909044 0

☐ **Freundliche Mitarbeiter gesucht**
Sie sind freundlich und kommunikativ?
Sie sind fit am Computer?
Sie suchen eine langfristige Stelle?
Rufen Sie uns an:
0551–29193993
Arbeitszeit: vormittags oder nachmittags

Arbeitszeit: 20 Stunden

Stundenlohn: 12 pro stunde

1.35 **b Hören Sie den Dialog noch einmal. Welche Sätze hören Sie? Kreuzen Sie an.**

Interessent
- ☐ Ich rufe wegen Ihrer Anzeige in ... an.
- ☐ Ich interessiere mich für die Stelle als ...
- ☐ Ich habe gelesen, dass Sie ... suchen. Ist das noch aktuell?
- ☐ Ich hätte da noch eine Frage zu ...
- ☐ Ich würde gern wissen, ...
- ☐ Können Sie mir auch sagen, ...

Firma
- ☐ Ja, die Stelle ist noch nicht besetzt.
- ☐ Haben Sie denn schon einmal in diesem Bereich gearbeitet?
- ☐ Ich würde vorschlagen, Sie kommen persönlich bei uns vorbei.
- ☐ Am besten vereinbaren wir einen Termin. Passt Ihnen ...?
- ☐ Schicken Sie uns doch bitte Ihre Bewerbungsunterlagen.

c Arbeiten Sie zu viert. Wählen Sie eine Anzeige aus 13a. Drei von Ihnen sind Interessenten, einer arbeitet bei der Firma. Bereiten Sie Ihre Rolle vor. Markieren Sie in 13b mindestens drei Sätze, die Sie im Dialog verwenden.

d Spielen Sie die drei Gespräche.

Das Vorstellungsgespräch

14 a **Das Vorstellungsgespräch. Sehen Sie die Bilder an. Was machen die Personen falsch?**

b **Lesen Sie den Text und markieren Sie Abschnitte.**

> **Texte strukturieren**
> Markieren Sie in Texten inhaltliche Abschnitte und formulieren Sie für jeden Abschnitt eine Überschrift oder einen zusammenfassenden Satz.

Tipps für ein erfolgreiches Vorstellungsgespräch

Sie haben es geschafft und haben eine Einladung zum Vorstellungsgespräch bekommen? Dann dürfen Sie sich freuen. Aber Sie sollten sich gut darauf vorbereiten, um auch diese Situation erfolgreich zu meistern. Wir haben für Sie die wichtigsten Tipps für ein erfolgreiches Vorstellungsgespräch zusammengestellt.|
5 Sie sollten natürlich möglichst viel über die Firma wissen, bei der Sie sich bewerben. Suchen Sie Informationen im Internet und lassen Sie sich Material schicken. Informieren Sie sich auch über Wege und Zeiten. Zu einem Vorstellungsgespräch dürfen Sie auf keinen Fall zu spät kommen. Rechnen Sie also mit Stau oder Busverspätungen. Ganz wichtig bei so einem Gespräch ist der erste Eindruck. Ihre Kleidung sollte ordentlich und sauber sein und zur Branche passen. Wenn Sie sich bei einer Bank bewerben, dann sollten Sie
10 sich eher konservativ anziehen. Bei einer Werbeagentur können Sie auch lockere Kleidung tragen. Wenn Sie sich nicht sicher sind, welche Kleidung passt, wählen Sie lieber das elegantere und konservativere Outfit. Auch auf Ihre Körpersprache sollten Sie achten. Sie können natürlich nicht total entspannt im Sessel liegen, sondern sollten durch Ihre Körperhaltung Interesse und Aufmerksamkeit signalisieren. Ein anderer wichtiger Faktor bei der Beurteilung Ihrer Persönlichkeit ist Ihr Benehmen. Auch bei unangenehmen Fragen sollten
15 Sie immer höflich und freundlich bleiben. Es ist ganz normal, dass Sie in einem Vorstellungsgespräch nervös sind. Am besten denken Sie vor dem Gespräch an etwas Positives. Vielen Bewerbern hilft es auch, die Gespräche vorher mit Freunden zu üben. Wenn Sie im Gespräch selbst vor lauter Aufregung etwas nicht verstanden haben, sagen Sie das ruhig. Das ist menschlich und macht Sie sympathisch. Versuchen Sie aber trotzdem, klar und deutlich zu sprechen. Gut ist auch, wenn Sie sich während des Gesprächs Notizen machen.
20 Damit zeigen Sie Ihr Interesse, eine strukturierte Arbeitsweise und verhindern, dass Sie wichtige Punkte vergessen.

c **Arbeiten Sie zu zweit und notieren Sie zu jedem Abschnitt eine Überschrift. Welcher Abschnitt passt zu welchem Bild in 14a? Zu Abschnitt 1 gibt es kein Bild.**

Abschnitt 1, Zeile 1–4: Vorbereitung ist wichtig
Abschnitt 2, Zeile …

d **Kennen Sie noch andere Tipps? Recherchieren Sie im Internet und erstellen Sie in Gruppen ein Plakat mit Tipps zum Vorstellungsgespräch.**

Mannheimer Popakademie

15 **Was muss ein Popmusiker können, um erfolgreich zu sein? Sammeln Sie.**

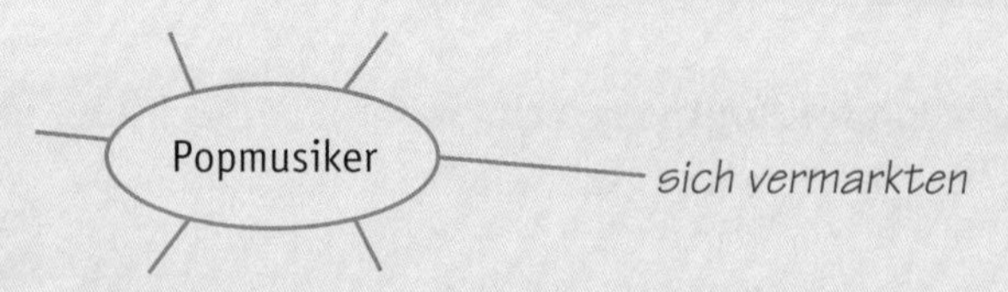

16 a **Sehen Sie den Film an. Worüber sprechen die Personen? Was kommt im Film vor? Kreuzen Sie an und sprechen Sie über die Themen im Kurs.**

4

2 ☐ im Studio arbeiten

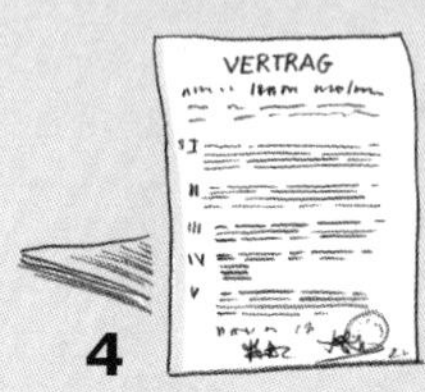

4 ☐ sich mit Verträgen auseinandersetzen

6 ☐ eine Bühnenshow machen

1 ☐ live auf der Bühne spielen

3 ☐ eine Homepage haben

5 ☐ CDs produzieren und veröffentlichen

4

b **Sehen Sie den Film noch einmal. Bringen Sie die Aussagen in die richtige Reihenfolge.**

___ Danny Fresh hat die Popakademie besucht und schreibt auch für andere Musiker Liedtexte.

_1_ Alexandra Mayr weiß, dass es schwer ist, mit der eigenen Musik genug Geld zu verdienen.

___ Die Studenten der Popakademie brauchen einen klaren Blick auf die Realität, sagt Danny Fresh, der heute selbst Lehrer ist.

___ Das Studium dauert 6 Semester, die Studierenden sind nach dem Abschluss Bachelor of Arts.

___ Der Lehrer sagt, dass junge Künstler ganz verschiedene Dinge können müssen, um von ihrer Musik leben zu können.

___ Wenn Musiker Erfolg haben wollen, müssen sie sich auch gut vermarkten können.

17 a **Besuchen Sie die Webseite www.popakademie.de. Welche aktuellen Ereignisse gibt es?**

b **Wie hat die Karriere von Ihrem Lieblingsmusiker / Ihrer Lieblingsmusikerin oder Ihrer Lieblingsband begonnen? Recherchieren Sie.**

Kurz und klar

Irreales ausdrücken

Wenn ich Zeit hätte, würde ich jetzt noch einen Kaffee trinken.
Wenn Herr Jeschke einen Computerkurs machen dürfte, könnte er besser arbeiten.
Ich würde Sie ja gerne mitnehmen, wenn Sie Zeit hätten.

sich entschuldigen

Entschuldigung! / Verzeihung!
Entschuldigen/Verzeihen Sie bitte.
Das wollte ich nicht.
Das war keine Absicht.
Das ist mir wirklich (sehr) unangenehm/peinlich.
(Es) tut mir (sehr/schrecklich) leid.

auf eine Entschuldigung reagieren

Bitte. / Schon gut.
Das macht (doch) nichts.
Reden wir nicht mehr davon.
Das ist (doch) nicht so schlimm.
Das kann doch (jedem) mal passieren.

nach Informationen fragen

Ich rufe wegen Ihrer Anzeige in ... an. • Ich interessiere mich für die Stelle als ... • Ich habe gelesen, dass Sie ... suchen. Ist das noch aktuell? • Ich hätte da noch eine Frage zu ... • Ich würde gern wissen, ... • Können Sie mir auch sagen, ...

Grammatik

Konjunktiv II der Modalverben

ich	könnte	müsste	dürfte	wollte	sollte
du	könnt**est**	müsst**est**	dürft**est**	wollt**est**	sollt**est**
er/es/sie	könnte	müsste	dürfte	wollte	sollte
wir	könnt**en**	müsst**en**	dürft**en**	wollt**en**	sollt**en**
ihr	könnt**et**	müsst**et**	dürft**et**	wollt**et**	sollt**et**
sie/Sie	könnt**en**	müsst**en**	dürft**en**	wollt**en**	sollt**en**

Irreale Bedingungssätze mit Konjunktiv II

Ich **könnte** besser **arbeiten**,	**wenn** ich einen neuen Computer **hätte**.
Wenn Boris nicht so gestresst **wäre**,	**wäre** die Pause lustiger.
Wenn Herr Jeschke nicht so lange **arbeiten müsste**,	**würde** er gern **mitkommen**.

Pronomen mit Präposition und Pronominaladverbien

Präpositionen + Pronomen stehen für Personen:	Pronominaladverbien (*da(r)* + Präposition) stehen für Dinge/Ereignisse:
Der **Chef** ist sehr nett. Man kann **mit ihm** über Probleme sprechen.	Viele Institutionen bieten **ein Bewerbungstraining** an. **Daran** kann jeder teilnehmen.

Verben mit Präposition und Nebensatz

Worauf wartet man?	→	Man wartet **auf** eine Antwort.
Man wartet **darauf**,		**dass** die Firma sich **meldet**.
Worüber freue ich mich?	→	Ich freue mich über die neue Stelle.
Ich freue mich **darüber**,		eine neue Stelle **zu haben**.

Lernziele

etwas vergleichen und begründen
über Umweltschutz diskutieren
einem längeren Text Informationen entnehmen
eine Geschichte schreiben
über das Wetter sprechen
einen Text verstehen und dazu einen Kommentar schreiben

Grammatik

Nebensatz mit *da*
Komparativ und Superlativ vor Substantiven
aus + Material
n-Deklination

Trinkwasser

ⓐ 68 Liter
ⓑ 125 Liter
ⓒ 367 Liter

... Trinkwasser verbraucht jeder Deutsche pro Tag. Eigentlich sind es sogar 4000 Liter, wenn man das Wasser, das man für die Produktion von Kleidung und Nahrungsmitteln braucht, mitrechnet.

Umweltfreundlich?

Fleischkonsum

ⓐ 39,1 Kilogramm
ⓑ 59,6 Kilogramm
ⓒ 88,9 Kilogramm

... Fleisch isst ein Deutscher im Jahr. Im Laufe seines Lebens verspeist er 45,5 Schweine, 3,2 Kühe, 5,1 Schafe und Ziegen und 926 Hühner. Der Marktanteil von Bio-Fleisch liegt bei zirka drei Prozent.

Gefahrene Kilometer

ⓐ 547 125 Kilometer
ⓑ 693 222 Kilometer
ⓒ 819 214 Kilometer

... – also einmal zum Mond und wieder zurück – fährt ein Deutscher im ganzen Leben mit dem Auto. Knapp 50 Millionen Autos sind in Deutschland angemeldet. Bei einer Gesamtbevölkerung von über 80 Millionen Menschen bedeutet das – rein statistisch gesehen –, dass mehr als jeder Zweite ein eigenes Auto hat.

1 a **Hören Sie das Gespräch. Wo sind die Personen? Um welche Themen geht es?**

1.36

Verpackung • sich erholen • Transportwege • Müll • Tiere schützen • gutes Wasser trinken • die Umwelt schützen • gutes Essen • Recycling • Lebensmittel aus der Region kaufen • Preise vergleichen • Energie sparen

Wortschatz AB

b **Was ist für Sie wichtig beim Einkaufen von Produkten (Preis, Qualität, Marke, Herkunft, Bio)? Sprechen Sie im Kurs.**

Ich achte auf …

Für mich ist sehr wichtig, dass …

Ich finde … nicht so wichtig, …

Müll

ⓐ 35,8 Tonnen
ⓑ 43,2 Tonnen
ⓒ 52,3 Tonnen

... Müll produziert ein Deutscher in seinem Leben.
Das sind jede Woche 8,4 Kilogramm und jährlich fast eine halbe Tonne. Interessant ist, dass diese Zahl seit Jahren konstant ist und man keinen Trend zu steigenden Zahlen erkennen kann. Vielleicht liegt das auch an den relativ hohen Gebühren, die man in Deutschland für die Müllabfuhr bezahlen muss – und an der Mülltrennung.

4

5

Papierverbrauch

ⓐ Rund 85 Kilogramm
ⓑ Rund 187 Kilogramm
ⓒ Rund 256 Kilogramm

... Papier verbraucht eine Person in Deutschland jedes Jahr. Das entspricht ungefähr täglich einem dicken Buch – wie zum Beispiel einem Band „Harry Potter". Ein großer Anteil dieses Papiers ist Verpackungsmaterial und landet im Müll.
Allein DIN-A4-Blätter verbraucht man in Deutschland insgesamt rund 800 000 Tonnen pro Jahr. Ein Güterzug, der diese Menge transportiert, wäre 600 Kilometer lang.

2 a **Lesen Sie die Texte zu den Fotos und raten Sie, welche Zahlen richtig sind. Sprechen Sie mit Ihrem Partner / Ihrer Partnerin.**

b **Vergleichen Sie Ihre Ergebnisse mit den Lösungen auf Seite 159. Sprechen Sie im Kurs: Was hat sie überrascht?**

Ich habe nicht gewusst, dass man in Deutschland so viel Papier verbraucht.

3 **Wie umweltfreundlich leben Sie? Recherchieren Sie im Internet den Begriff „ökologischer Fußabdruck". Lassen Sie Ihren ökologischen Fußabdruck berechnen. Was denken Sie über die Fragen? Berichten und vergleichen Sie im Kurs.**

Das Öko-Duell

4

**a Was ist besser für die Umwelt?
Was vermuten Sie? Sprechen Sie zu viert.**

Ich glaube, Baden ist …

b Arbeiten Sie zu viert. Jeder wählt einen Text. Lesen Sie und markieren Sie die wichtigsten Informationen.

Was ist besser für die Umwelt

Im Alltag kann man viel für die Umwelt tun, wenn man die richtige Wahl trifft. Wir haben einige Ökobilanzen verglichen.

Baden – Duschen

Sie liegen gern in der Badewanne? Bei einer Duschzeit von 5 Minuten verbraucht man circa 50 Liter Wasser. Fürs Baden brauchen Sie viel mehr Wasser – circa 150 Liter. Dazu kommt die Energie, die nötig ist, um das Wasser warm zu machen. Mit der Energie, die man für ein heißes Bad braucht, könnte man 120 Stunden fernsehen. Duschen Sie also lieber! Das ist viel umweltfreundlicher als Baden.

Plastiktüte – Papiertüte

Hier gibt es keinen klaren Gewinner. Plastiktüten stellt man oft aus Erdöl her. Papiertüten behandelt man mit Chemikalien, damit sie nicht reißen. Eine Stofftasche zum Einkaufen mitzunehmen ist natürlich die beste Alternative. Wenn Sie diese vergessen haben, dann nehmen Sie lieber eine Plastiktüte als eine Papiertüte. Da Sie diese öfter verwenden können, ist das die bessere Wahl.

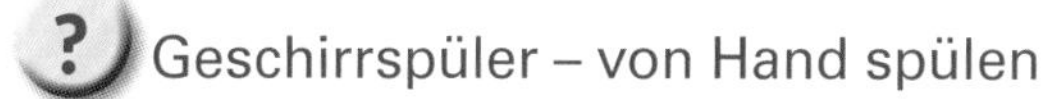

Geschirrspüler – von Hand spülen

Der Geschirrspüler ist ganz klar die bessere Wahl! Die modernen Maschinen sind effizienter geworden, da sie weniger Wasser und Energie als früher verbrauchen. Wichtig ist, die Maschine nur einzuschalten, wenn sie voll ist. Für die gleiche Menge Geschirr ist der Wasserverbrauch viel höher, wenn man von Hand spült.

Buch – E-Book

Sie lesen mehr als zehn Bücher pro Jahr? Dann sind Sie mit einem E-Book-Reader auf der ökologisch korrekteren Seite. Aber Sie müssen das Gerät länger als drei Jahre benutzen. In diesem Zeitraum spart der E-Book-Leser viel Papier, Energie und Treibhausgase ein. Die gedruckten Bücher kommen zu einem schlechteren Ergebnis.

**c Was ist besser für die Umwelt und warum?
Informieren Sie die anderen in Ihrer Gruppe.
Wer hat in Aufgabe 4a richtig vermutet?**

Duschen ist besser als Baden, da man nicht so viel …

etwas begründen

Geschirrspüler sind besser, **weil/da** sie weniger Wasser verbrauchen.
Weil/Da Geschirrspüler weniger Wasser verbrauchen, sind sie besser.

Geschirrspüler sind besser, **denn** sie verbrauchen weniger Wasser.
Geschirrspüler verbrauchen weniger Wasser, **deshalb** sind sie besser.
Geschirrspüler verbrauchen weniger Wasser, **aus diesem Grund** sind sie besser.

Nebensatz mit *da*

da = weil

Da Geschirrspüler weniger Wasser verbrauchen, sind sie besser für die Umwelt.

5

a Ökovergleiche. Lesen Sie die Sätze zu den Texten und kreuzen Sie an. Richtig oder falsch?

		richtig	falsch
1	Duschen ist für die Umwelt schlechter als Baden.	☐	☐
2	Ein heißes Bad braucht so viel Energie wie 120 Stunden Fernsehen.	☐	☐
3	Heute kann man effizientere Geschirrspüler kaufen als früher.	☐	☐
4	Von Hand zu spülen ist am umweltfreundlichsten.	☐	☐
5	Gedruckte Bücher haben immer eine bessere Ökobilanz als E-Books.	☐	☐
6	Eine Stofftasche zum Einkaufen mitzunehmen ist die umweltfreundlichste Alternative.	☐	☐

b Markieren Sie in den Sätzen in 5a die Komparative und Superlative. Welche Sätze passen zu der Regel? Kreuzen Sie diese Sätze in 5a an.

Komparative und Superlative, die vor Substantiven stehen, haben die gleichen Endungen wie Adjektive.

6

a Komparativ und Superlativ. Ergänzen Sie in den Sätzen 1 bis 5 die Adjektive. Es gibt verschiedene Möglichkeiten. Achten Sie auf die richtige Form.

schön • ~~hoch~~ • modern • viel • gut • umweltfreundlich • gesund

1. Schon wieder *höhere* Preise! Bus und Bahn werden teurer.
2. Ihre alte Waschmaschine verbraucht zu viel Strom? Wir haben die __________ Geräte auf dem Markt!
3. Autofahren ist schlecht für die Umwelt? Wann gibt es endlich __________ Autos?
4. Sie wollen im Frühling mehr Rad fahren? Bei uns finden Sie die __________ Fahrräder und __________ Modelle als in anderen Geschäften.
5. Bei uns gibt es das __________ Obst und Gemüse – alles aus der Region!

Komparativ und Superlativ vor Substantiven

Der Geschirrspüler ist **besser** .
Der Geschirrspüler ist die **bessere** Wahl.
Stofftaschen sind **am besten**.
Stofftaschen sind die **beste** Alternative.

keine Endung: *mehr, weniger*
Wenn man von Hand spült, verbraucht man **mehr** Wasser.

b Was können Sie noch für die Umwelt tun (zu Hause, im Verkehr, bei der Arbeit ...)? Sammeln Sie Ideen in Kleingruppen und stellen Sie sie im Kurs vor.

Man sollte öfter mit dem Bus ...

7

Wie wichtig ist Umweltschutz? Wie wichtig ist das Verhalten des Einzelnen? Wählen Sie eine Position und sammeln Sie weitere Argumente. Diskutieren Sie zu viert.

Pro	Contra
Verantwortung von jedem Menschen • jetzt anfangen • auch kleine Aktionen helfen • Zukunft unserer Kinder	Verantwortung vom Staat (mehr Gesetze, ...) • zuerst Arbeitsplätze • Wirtschaft wichtiger • Umweltschutz teuer • Aufgabe der großen Firmen

eine Meinung äußern
Ich bin der Meinung, dass ...
Meiner Meinung nach ...
Ich stehe auf dem Standpunkt, dass ...
Ich bin davon überzeugt, dass ...

widersprechen
Das stimmt meiner Meinung nach nicht.
Hier muss ich widersprechen.
Ich sehe das anders.
Nein, ganz im Gegenteil!

Ich bin der Meinung, dass wir zuerst mehr Arbeitsplätze brauchen, dann ...

Nur Papier?

8 **a** **Was ist aus Papier? Sammeln Sie in Gruppen.**
Welche Gruppe findet in zwei Minuten die meisten Wörter?

Wortschatz
AB

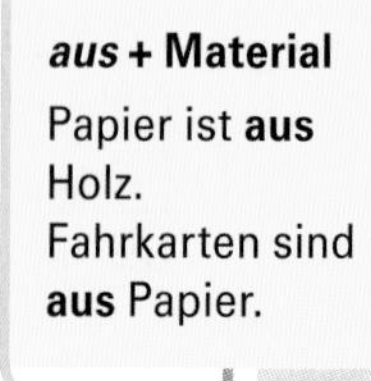

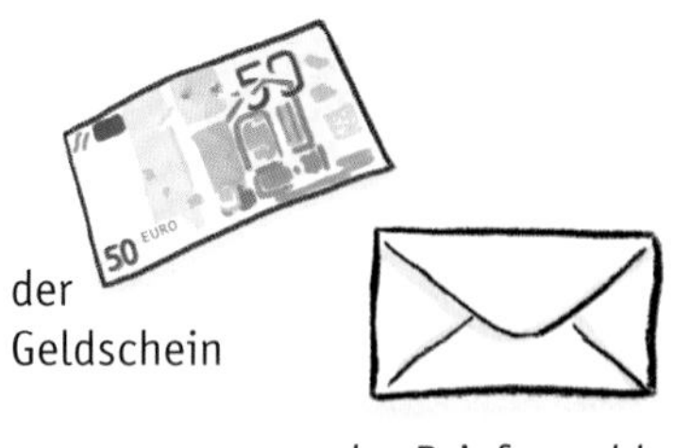

der Geldschein

der Briefumschlag

die Briefmarke

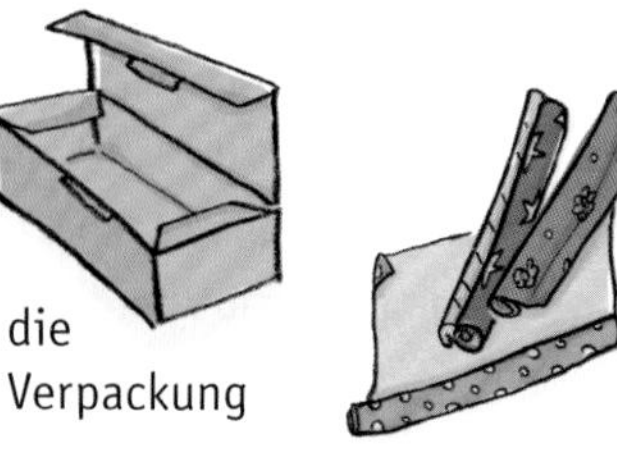

der Kassenzettel

die Verpackung

das Geschenkpapier

...

b **Lesen Sie den Zeitungsartikel und formulieren Sie fünf Fragen dazu.**

Wann hat man Papier erfunden?
Worauf haben die Menschen im alten Ägypten ...

Papier – ohne geht es nicht

Noch schnell einen Zettel in den Briefkasten des Nachbarn stecken – man hat ein Päckchen für ihn angenommen. Dem Jungen den Einkaufzettel ins Zimmer legen, für den Kollegen die Frage „Mittagessen?" auf einen Klebezettel schreiben oder dem Kind schnell ein Blatt Papier zum Malen geben. Alltägliche Notizen und kurze Nachrichten auf Papier – wir kennen und brauchen sie alle, jeden Tag. 5 Ohne Papier wäre das Leben anders. Nur wenige Erfindungen haben so großen Einfluss auf unser Leben gehabt wie die Erfindung des Papiers.

Die Geschichte des Papiers

Die Menschen in Ägypten verwendeten schon im Jahr 3500 v. Chr. Papyrus, um darauf zu schreiben. Man stellte es aus einer Pflanze her 10 und presste dünne Scheiben des Pflanzenstiels zu Blättern zusammen. Auf Papyrus konnte man leichter schreiben als auf schweren Tontafeln, die es davor gab. Und man konnte es vor allem besser transportieren.

15 Papier, so wie wir es heute kennen, hat man erstmals in China aus Pflanzenfasern produziert. Das war vor ungefähr 2000 Jahren. Die Chinesen hielten die Kunst der Papierherstellung bis ins 7. Jahrhundert geheim, erst dann 20 verbreitete sich das Wissen nach Korea und Japan.

Bevor es in Europa Papier aus Holzfasern gab, machte man Papier aus alten Stofflumpen. 1843 entwickelte Friedrich Gottlob Keller eine 25 Methode, Papier aus abgeschliffenem Holz herzustellen. Erst durch seine Erfindung war es möglich, Papier in großen Mengen und relativ günstig herzustellen.

Papier als Massenware

Bis ins 19. Jahrhundert brauchte man Papier 30 für Bücher und Schreibmaterial. Der Jahresverbrauch pro Kopf lag um 1800 in Deutschland bei etwa 0,5 Kilogramm.

Wenn man vor Jahren einen Experten nach der Zukunft des Papierverbrauchs fragte, prophe- 35 zeite er sicherlich das „papierlose Büro". Aber es kam anders: Das papierlose Büro war eine Illusion, denn viele E-Mails druckt man immer noch aus – auch wenn sie nur ein paar Zeilen lang sind. Werbematerial und Ausdrucke von Inter- 40 netseiten – das alles verbraucht Papier. Heute verbrauchen allein die Deutschen mehr als 21 Millionen Tonnen Papier im Jahr. Das bedeutet, dass der Verbrauch von Papier, Pappe und Karton in Deutschland bei 256,3 kg pro Einwoh- 45 ner und Jahr liegt. Und das ist ein Problem, denn für die Papierherstellung braucht man Holz von vielen Bäumen, Wasser und Energie.

c **Arbeiten Sie zu zweit. Tauschen Sie Ihre Fragen und notieren Sie die Antworten.**

9

a n-Deklination. Suchen Sie folgende Wörter im Text von Aufgabe 8: *Nachbar, Junge, Kollege, Experte.* Markieren Sie die Endungen.

b Schreiben Sie die Wörter aus 9a und die Wörter aus dem Kasten in die Übersicht. Lesen Sie die Regel.

Elefant • Journalist • Bär • Praktikant • Löwe • Name • ~~Mensch~~ • Automat • Student • Affe • Herr • Bauer • Fotograf • Kunde • ~~Diplomat~~ • Pädagoge • Konsument

n-Deklination

maskuline Substantive auf *-e*	viele maskuline Bezeichnungen für Personen, Berufe und Tiere	Internationalismen auf *-graf, -ant, -ent, -ist, -at* und *-oge*
der Junge, ...	*der Mensch, ...*	*der Diplomat, ...*

n-Deklination
Manche maskuline Substantive haben außer im Nominativ Singular immer die Endung *-(e)n*.

c Arbeiten Sie zu fünft und schreiben Sie eine Geschichte. Jeder schreibt einen ersten Satz mit einem Wort aus 9b. Dann geben alle ihren Zettel weiter und jeder schreibt einen passenden zweiten Satz mit einem anderen Wort aus 9b. Am Ende haben alle fünf Sätze geschrieben. Welche Geschichte ist am lustigsten?

Ich kenne einen sehr interessanten Menschen.
Sein Beruf ist ...

10

a Sprechrhythmus in langen Sätzen. Hören Sie und sprechen Sie nach.

1.37

1. Papier.
2. Papier hat man produziert.
3. Papier hat man in China produziert.
4. Papier hat man erstmals aus Pflanzenfasern in China produziert.
5. Papier, so wie wir es heute kennen, hat man erstmals aus Pflanzenfasern in China produziert.

Pausen
Lange Sätze sollen nicht monoton klingen: Man betont an bestimmten Stellen, spricht mal schneller und mal langsamer, hebt und senkt die Stimme und macht bei Satzzeichen kurze Pausen.

1.38

b Hören Sie und markieren Sie wie in 10a. Sprechen Sie dann nach.

1. Erfindung.
2. War eine wichtige Erfindung.
3. Holzfaser war eine wichtige Erfindung.
4. Papierherstellung aus Holzfaser war eine wichtige Erfindung.

Das Wetter in D-A-CH

11 a Wie ist das Wetter in Ihrem Land? Welches Wetter mögen Sie besonders gern? Warum? Erzählen Sie.

Bei uns ist es oft …

Ich mag … besonders gern, weil …

b Sehen Sie die Bilder an und beschreiben Sie das Wetter. Was kann man bei diesem Wetter machen?

windig/stürmisch • neblig • feucht • schwül • regnerisch • trocken • warm/heiß • es schneit • kalt/kühl • es regnet • wolkig/bewölkt • es nieselt • es hagelt • das Gewitter • es donnert • es blitzt • sonnig • die Sonne scheint

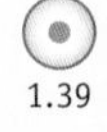

1.39

Gut gesagt: Smalltalk Wetter
Was für ein Wetter heute!
Mensch, schüttet das heute wieder!
Endlich wieder Sonne! Wurde auch Zeit, oder?

1.40–43 **c Hören Sie die Wettervorhersagen. Zu welcher Vorhersage passt welches Foto? Ordnen Sie zu.**

1. C 2. D 3. B 4. A

1.40–43 **d Hören Sie die Vorhersagen noch einmal und ergänzen Sie die Informationen zu den Fotos.**

A	B	C	D
Temperatur: ________	Höchsttemperatur: ________	Temperatur: ________	Temperatur: ________
Regenrisiko: ________	in den nächsten Tagen: ________	am Abend: ________	Wetterbesserung ab: ________

12 Finden Sie zu jedem Wort mindestens drei weitere Wörter, die zu der Wortfamilie passen. Arbeiten Sie auch mit dem Wörterbuch. Vergleichen Sie dann mit Ihrem Partner / Ihrer Partnerin.

Wörter in Wortfamilien lernen
Lernen Sie Wörter in Wortfamilien, so bleiben sie besser im Gedächtnis.

1. der Regen: *regnen, regnerisch, der Regenschirm*
2. die Sonne: ________
3. der Sturm: ________
4. der Schnee: ________
5. die Wolke: ________

Engagement für die Natur

13 a Arbeiten Sie zu zweit. Jeder liest einen Text. Beantworten Sie die Fragen dazu und informieren Sie Ihren Partner / Ihre Partnerin über den Textinhalt.

Fragen zu Text A:
- Was machen die Leute beim Guerilla Gardening?
- Warum machen sie das?
- Wie findet Katja die Aktion?

A

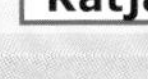

Katjas Blog

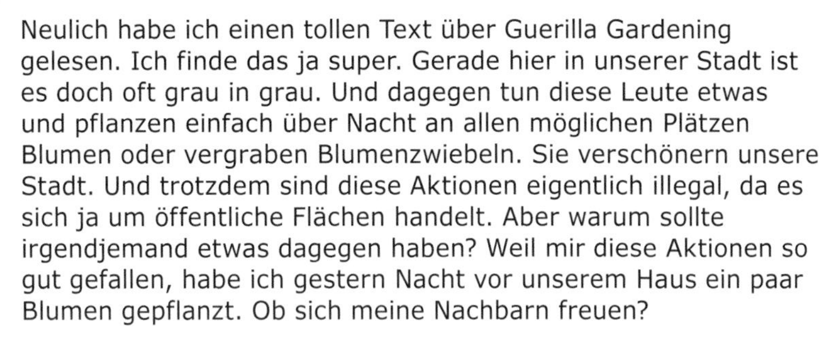

Neulich habe ich einen tollen Text über Guerilla Gardening gelesen. Ich finde das ja super. Gerade hier in unserer Stadt ist es doch oft grau in grau. Und dagegen tun diese Leute etwas und pflanzen einfach über Nacht an allen möglichen Plätzen Blumen oder vergraben Blumenzwiebeln. Sie verschönern unsere Stadt. Und trotzdem sind diese Aktionen eigentlich illegal, da es sich ja um öffentliche Flächen handelt. Aber warum sollte irgendjemand etwas dagegen haben? Weil mir diese Aktionen so gut gefallen, habe ich gestern Nacht vor unserem Haus ein paar Blumen gepflanzt. Ob sich meine Nachbarn freuen?

Fragen zu Text B:
- Warum ist der Tunnel gesperrt?
- Wie finden das die Anwohner?
- Was machen Leute wie Lena und Kilian?

B

Frösche und Kröten haben Vorfahrt

Ein kleiner Tunnel in Leipheim ist seit sieben Wochen für den Autoverkehr gesperrt. Grund ist die Krötenwanderung. Die Kröten wandern in dieser Jahreszeit zu ihren Teichen. Damit sie sicher auf der anderen Straßenseite ankommen, sind vielerorts ganze Straßen gesperrt. Viele Anwohner zeigen Verständnis. Andere haben gar kein Verständnis für solche Aktionen.

Lena und Kilian Möricke in Lünen tun alles, um den Kröten zu helfen. Sie opfern viel Zeit und Mühe für Tiere. Jeden Tag sammeln sie Dutzende Tiere in Eimern und bringen sie über die Brunnenstraße. Über 1000 Tiere haben sie dieses Jahr schon gerettet. „Wenn wir das nicht machen, sterben diese Tiere irgendwann aus", sagt Lena Möricke. „Es ist eine sinnvolle Arbeit", bestätigt auch ihr Mann.

b Welche Aktion finden Sie interessanter? Schreiben Sie einen Kommentar zum Text.

c Hängen Sie die Kommentare im Kursraum auf. Lesen Sie die Kommentare und antworten Sie auf mindestens einen. Hängen Sie Ihre Antwort dazu.

5

d Kennen Sie ähnliche Aktionen? Berichten Sie.

Einsatz in den Schweizer Bergen

14 a **Sehen Sie die Fotos an. Welchen Beruf zeigen sie?**

b **In welcher Situation leben Bergbauern oder Kleinbauern in Ihrem Land? Welche Probleme gibt es? Sammeln Sie zu folgenden Punkten:**

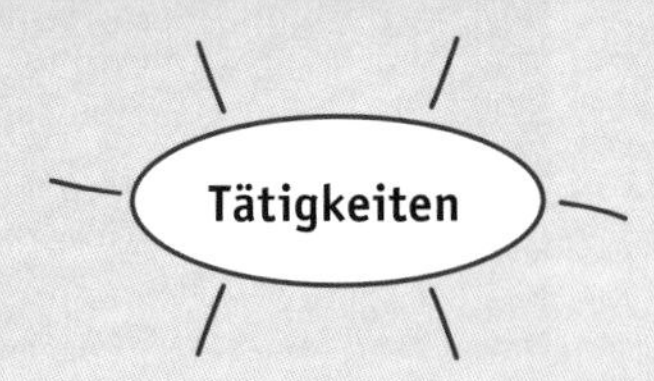

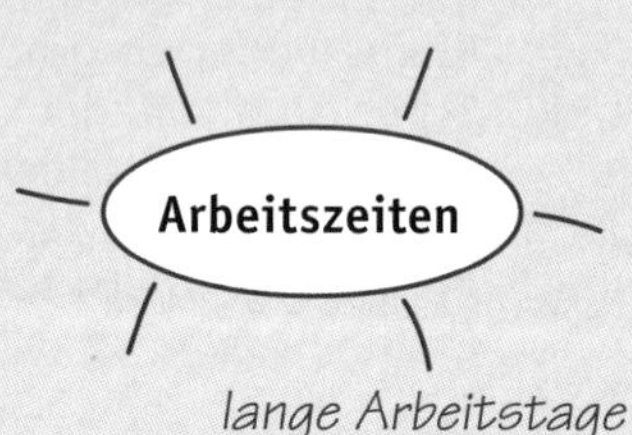

lange Arbeitstage

15 a **Sehen Sie die erste Szene an. Was meint der Bergbauer? Welche Umschreibung passt? Kreuzen Sie an.**

5.1

„Wenn das noch 20 Jahre so weitergeht wie jetzt, wo man sagen muss, das ist fast sinnlos, dann glaube ich, läuft das langsam aus."

1 Er möchte noch 20 Jahre auf dem Bergbauernhof arbeiten.

2 Er arbeitet seit 20 Jahren auf dem Bergbauernhof und findet es sinnlos.

3 Er glaubt, dass es in 20 Jahren kaum noch Bergbauern gibt.

b **Warum hat der Bergbauer diese Meinung? Erklären Sie das Problem.**

c **Sehen Sie nun den Film bis zum Ende. Was machen die Menschen, die Sie auf dem Foto sehen, auf dem Hof? Kreuzen Sie an.**

5.2

Sie kommen in die Berge, um ...

- ☐ 1. Urlaub zu machen.
- ☐ 2. den Bergbauern zu besuchen.
- ☐ 3. dem Bergbauern zu helfen.
- ☐ 4. Geld zu verdienen.

d **Sehen Sie den ganzen Film noch einmal. Welche Parallelen und welche Unterschiede zu Ihren Überlegungen in 14b gibt es?**

5

16 a **Hätten Sie Lust, für eine Woche ohne Lohn auf einem Bergbauernhof zu arbeiten? Begründen Sie Ihre Meinung.**

b **Arbeiten Sie zu dritt und spielen Sie ein Gespräch: A möchte für eine Woche auf dem Bergbauernhof helfen und will B und C überreden mitzukommen. B findet die Idee toll, hat aber eigentlich keine Zeit. C möchte im Urlaub nicht arbeiten.**

Kurz und klar

etwas begründen

Da/Weil Geschirrspüler weniger Wasser verbrauchen, sind sie besser für die Umwelt.
Geschirrspüler verbrauchen weniger Wasser, **deshalb** sind sie besser.
Duschen Sie lieber, **denn** Baden verbraucht so viel Wasser.
Baden verbraucht viel Wasser, **aus diesem Grund** sollten Sie lieber duschen.

eine Meinung äußern

Ich bin der Meinung, dass ...
Meiner Meinung nach ...
Ich stehe auf dem Standpunkt, dass ...
Ich bin davon überzeugt, dass ...

widersprechen

Das stimmt meiner Meinung nach nicht.
Hier muss ich widersprechen.
Ich sehe das anders.
Nein, ganz im Gegenteil!

Grammatik

Nebensatz mit *da*

Da Sie Plastiktüten mehr als einmal verwenden **können**, sind sie die bessere Wahl.
Plastiktüten sind die bessere Wahl, **da** Sie diese mehr als einmal verwenden **können**.

Komparativ und Superlativ vor Substantiven

Der Geschirrspüler ist **besser**.
Das ist ein **besserer** Geschirrspüler.
Eine Stofftasche ist **am besten**.
Eine Stofftasche ist die **beste** Alternative.

keine Endung: mehr/weniger
Duschen verbraucht **weniger** Energie als Baden.
Wenn man von Hand spült, verbraucht man **mehr** Wasser.

Komparative und Superlative, die vor Substantiven stehen, dekliniert man wie Adjektive in der Grundform.

aus + Material

Papier ist **aus** Holz.
Fahrkarten sind **aus** Papier.

Nach *aus* steht das Material ohne Artikel.

n-Deklination

maskuline Substantive

- mit der Endung ***-e***: der Kollege, der Name, der Junge, der Löwe, der Kunde, der Experte, ...
- viele Bezeichnungen für Personen, Berufe und Tiere: der Bär, der Bauer, der Herr, der Nachbar, der Mensch, ...
- Internationalismen auf ***-graf, - ant, -ent, -ist, -at*** und ***-oge***: der Fotograf, der Praktikant, der Student, der Journalist, der Automat, der Pädagoge ...

Endung außer im Nominativ Singular immer: ***-(e)n***.

Beispiel: Siehst du den **Elefanten**? Das ist das Auto meines **Nachbarn**.

Lernziele

über Pläne und Vorsätze sprechen
genauere Angaben zu Personen machen
einen längeren Zeitungstext verstehen
über die eigene Stadt schreiben
ein Lied verstehen
über Lieder sprechen

Grammatik

Futur I
Relativsätze: Relativpronomen im Dativ und mit Präposition

den Kaffeesatz lesen (1)

Für das Lesen von Kaffeesatz musst du zuerst aus Mokkapulver einen Kaffee zubereiten und den Kaffee trinken. Der Kaffeesatz – also das Kaffeepulver – bleibt in der Tasse. Schließe deine Augen und denk an das, was dich am meisten beschäftigt. Drehe dann die Tasse um. Versuche jetzt, die Muster in der Kaffeetasse zu lesen. Wenn der Kaffeesatz noch am Boden klebt, dann musst du geduldig sein. Ein Kreis bedeutet zum Beispiel große Veränderungen.

Blick nach vorn

aus der Hand lesen (2)

Schon in der Antike hat man die Handlinien gedeutet. Beim Handlesen möchte man etwas über den Charakter und das Schicksal eines Menschen erfahren.
Die verschiedenen Linien in der Hand stehen für unterschiedliche Aspekte, z. B. Liebe, Erfolg und Lebensdauer.

der Glückskeks (3)

Glückskekse sind Gebäck mit einem Spruch darin. Sie kommen aus den USA. Dort haben wahrscheinlich Japaner als Erste Glückskekse hergestellt. Heutzutage bekommt man sie oft in asiatischen Restaurants nach dem Essen. Dann liest man so Sprüche wie: „Wende dein Gesicht der Sonne zu, dann fallen die Schatten hinter dich".

1 a Was bringt die Zukunft? Sehen Sie die Fotos an. Was kennen Sie? Beschreiben Sie, wie das funktioniert.

etwas deuten • das Schicksal vorhersagen • in die Zukunft blicken • die Handlinie • die Kerze • das Sternzeichen • die Astrologie • der Spruch • Silvester • die Tradition

Wortschatz AB **b Lesen Sie die Texte. Welche Informationen sind neu für Sie? Markieren Sie und sprechen Sie in Kleingruppen.**

Es gibt viele Möglichkeiten, Wetter vorherzusagen. Neben den wissenschaftlichen Vorhersagen gibt es auch sogenannte Bauernregeln.

4

„Wenn es an Lichtmess stürmt und schneit, ist der Frühling nicht mehr weit."*

** 2. Februar*

die Bauernregel

5

das Bleigießen

Bleigießen ist ein beliebter Brauch an Silvester. Man hält ein kleines Stück Blei auf einem Löffel über eine Kerze. Wenn das Blei flüssig ist, schüttet man es in kaltes Wasser. Die Figur, die entsteht, muss man dann deuten. Ein Baum bedeutet zum Beispiel, dass im neuen Jahr vieles wächst und man erfolgreich ist.

Waage
24.9. bis 23.10.
Auseinandersetzungen lassen sich derzeit zwar nicht vermeiden, sind dafür aber äußerst fruchtbar. Respektieren Sie die Meinung Ihres Gegenübers, auch wenn Sie diese nicht teilen.

Skorpion
24.10. bis 22.11.
Zweifeln Sie nicht an Ihren Fähigkeiten, sondern stürzen Sie sich in die Arbeit. Mit Mars und Sonne haben Sie zwei unschlagbare Helfer an der Hand. Ihre Partnerschaft gibt Ihnen Rückhalt.

6

das Horoskop

das Ho·ros·kop <-s, -e>; Zukunftsprognose mithilfe des Geburtsdatums und der Position der Sterne.
Astrologen machen Horoskope für einen bestimmten Tag oder auch für einen längeren Zeitraum.
In vielen Ländern gibt es Horoskope für die zwölf Sternzeichen, z. B. Skorpion oder Waage. Es gibt aber auch chinesische, indianische u. a. Horoskope.

2

1.44–46

a Hören Sie die Gespräche. Über welche Zukunftsdeutung aus 1b sprechen die Personen?

Gespräch 1: ________ Gespräch 2: ________ Gespräch 3: ________

1.44–46

b Hören Sie noch einmal. Warum machen die Personen das? Glauben die Personen an die Vorhersagen? Kreuzen Sie an.

Gespräch	… macht es aus Spaß.	Jemand hat es empfohlen.	… ist neugierig/ interessiert.	… ist skeptisch.
1. Mann	☐	☐	☐	☐
1. Frau	☐	☐	☐	☐
2. Mann	☐	☐	☐	☐
2. Frau	☐	☐	☐	☐
3. Mann	☐	☐	☐	☐
3. Frau	☐	☐	☐	☐

c Welche anderen Arten der Zukunftsdeutung kennen Sie noch? Was würden Sie gern ausprobieren oder was haben Sie schon ausprobiert? Glauben Sie daran? Sprechen Sie in Kleingruppen.

Gute Vorsätze?

3 **a** **Wann und zu welchen Anlässen nimmt man sich in Ihrem Land etwas vor?**

b **Lesen Sie die Texte. Was möchten die Personen in nächster Zeit machen?**

Vorsätze fürs neue Jahr

Was haben Sie im nächsten Jahr vor? Wir haben unsere Leser am letzten Tag des alten Jahres befragt.

Ich will nicht mehr alles erst im letzten Moment machen. Im letzten Jahr hatte ich in meinem Studium oft so richtig Stress.
Ich werde mich in diesem Jahr früher auf die Prüfungen vorbereiten. Und ich werde oft in der Bibliothek sein, denn dort kann ich nur lernen, sonst nichts ;-)). Ich fange gleich übermorgen damit an.
Morgen habe ich keine Zeit, da werde ich eine Freundin besuchen – als Überraschung.

Isabella Moser, Studentin, 21

Vorsätze für das ganze Jahr sind nichts für mich. Die kann ich sowieso nicht einhalten, das funktioniert nicht bei mir. Deshalb fasse ich jeden Morgen einen Vorsatz für diesen einen Tag.
Heute werde ich zum Beispiel jemandem helfen, der meine Hilfe braucht. Und ich werde niemandem davon erzählen.
Und morgen bringe ich meiner Tochter etwas Süßes mit, einfach so.

Angelo Riemer, 42, Erzieher

c **Zu welchen Personen aus 3b passen diese Vorsätze? Ergänzen Sie die Namen.**

1. ______________ will früher mit dem Lernen beginnen.
2. ______________ wird nicht darüber reden, wenn er jemandem geholfen hat.
3. ______________ wird nicht so oft zu Hause arbeiten.
4. ______________ werden morgen jemanden überraschen.

Futur I

Ich	**werde**	oft in der Bibliothek	**sein.**
Angelo	**wird**	seiner Tochter etwas	**schenken.**
	werden		Infinitiv

d **Wahr oder falsch? Arbeiten Sie in Gruppen (4–5 Personen). Jeder schreibt zwei wahre und zwei falsche Vorsätze auf je einen Zettel. Mischen Sie alle Zettel und verteilen Sie sie in der Gruppe. Lesen Sie abwechselnd einen Vorsatz vor. Die anderen raten, ob er wahr oder falsch ist.**

Ella
Ich werde bald den Führerschein machen.

Ella wird bald den Führerschein machen. Ich denke, das stimmt.

Nein, das ist falsch. Ella hat doch schon den Führerschein. Stimmt's, Ella?

4 **Was sind Ihre Pläne und Vorsätze für die nächste Zeit? Sprechen Sie in Gruppen.**

Ich werde ...
Ich möchte mehr ...
Ich will nicht so oft / nicht mehr ...
Morgen / Nächste Woche / Im nächsten Jahr ...
Ich habe vor, ... zu ...
Ich fange an / beginne, ... zu ... .
Ich habe mir vorgenommen, dass ...

So kann man auch über die Zukunft sprechen:
– mit Zeitangabe + Verb im Präsens: *Morgen mache ich ...*
– mit Modalverb *wollen* oder *möchten*
– mit Verben wie *vorhaben, anfangen, ...*

Neu in der Firma

5 a Der erste Tag in der Firma. Was muss Alex machen? Ordnen Sie die Aufträge A bis E der passenden Zeichnung zu.

A Das ist Frau Berger. <u>Bringen Sie **ihr** einen frischen Kaffee</u>. Das ist wichtig! ____
B Sehen Sie Herrn Ebert da vorne? <u>Schließen Sie **ihm** bitte den neuen Bildschirm an</u>. ____
C Denken Sie auch an Herrn Eberts Hund. <u>Geben Sie **ihm** frisches Wasser.</u> ____
D Lisa und Hannah Graf hatten heute keine Mittagspause. <u>Bringen Sie **ihnen** eine Pizza</u>. ____
E Dort hinten sitzt Neli Penkova. <u>Helfen Sie **ihr** mit der Post</u>. ____

b Was macht Alex? Bilden Sie Relativsätze aus den unterstrichenen Sätzen in 5a.

1. Alex geht zuerst zu Frau Berger, *der er einen frischen Kaffee bringt.*
2. Dann kommt er zu Lisa und Hannah Graf, ______________________.
3. Alex sieht Herrn Eberts Hund, ______________________.
4. Er bleibt bei Herrn Ebert, ______________________.
5. Am Schluss geht er zu Frau Penkova, ______________________.

Relativsätze mit Relativpronomen im Dativ

Alex geht zu Frau Berger. Er bringt **ihr** einen frischen Kaffee.

Alex geht zu Frau Berger, **der** er einen frischen Kaffee bringt.

Relativpronomen im Dativ

mask.	der	**dem**
neutr.	das	**dem**
fem.	die	**der**
Plural	die	**denen**

c Wer ist das? Würfeln Sie zwei Mal: Der erste Wurf zeigt Ihnen die Person, der zweite die Aktivität. Bilden Sie dann einen passenden Relativsatz.

⚀	⚁	⚂	⚃	⚄	⚅
Frau Lindner	Herr Frick	das Kind	meine Freunde	Familie Lutz	die Kollegen
schenken	zeigen	leihen	holen	geben	helfen

⚃ ⚅ *Das sind meine Freunde, denen ich beim Umzug geholfen habe.*

Hamburg 2030

6 1.47

a Hamburg heute. Hören Sie das Gespräch. Was gefällt Bente und Jan in Hamburg? Was nicht? Markieren Sie ☺ oder ☹. Vergleichen Sie Ihre Lösungen.

	Schule/Studium	Wohnsituation	Preise	Freizeitangebot
Bente				
Jan				

b Lesen Sie den Text über Visionen für Hamburg im Jahr 2030. Was sind die Ideen der Stadtplaner? Markieren Sie und sprechen Sie im Kurs. Wie finden Sie die Ideen?

Die Stadtplaner möchten, dass es Ganztagsschulen für alle gibt. Ich finde ...

Neueste Nachrichten

Politik | Kultur | Sport | Reisen | Lokales | Suche

Hamburg 2030 – Zukunft findet Stadt

Wie wird Hamburg 2030 aussehen? Diese Frage haben Experten und Interessierte auf dem sogenannten „Zukunftscamp" diskutiert.
Im Jahr 2030 wird Cordula Jansen, die heute 24 Jahre alt ist und studiert, den Hamburger Durchschnitt repräsentieren. 2030 ist sie nämlich 43 Jahre alt, hat ein bis zwei Kinder, mit denen sie im Zentrum wohnt. Ihr Mann und sie sind beide berufstätig. Die Schule, in die ihre Kinder gehen, wird eine Ganztagsschule sein. So haben die Kinder den ganzen Tag eine Betreuung und können einen guten Schulabschluss machen.
In der Stadt Hamburg werden fast zwei Millionen Menschen leben, darunter mehr Kinder und ältere Menschen als heute. Das Älterwerden der Bevölkerung ist eine große Herausforderung für den Wohnungsbau. Ältere Menschen, für die man neue Wohnformen plant, haben ganz andere Bedürfnisse als junge Leute. Dazu gehören z. B. viele Erholungsmöglichkeiten und kurze Wege.
Es gibt noch weitere Ziele für 2030, die man realisieren möchte: Hamburg soll das wirtschaftliche, politische und kulturelle Zentrum Nordeuropas werden. Dazu gehört, dass in 20 Jahren ein Fünftel der Schüler Chinesisch lernt, Hamburg das dichteste Radwegnetz Europas hat und die Elbphilharmonie zu den bekanntesten Konzerthäusern der Welt gehört. Es gibt eine neue superschnelle Zugverbindung, die die Städte Berlin und Hamburg mit dem Ruhrgebiet verbindet. Und auch der Sport spielt eine wichtige Rolle. So möchte man die Olympischen Spiele 2032 nach Hamburg holen.

Auf dem Zukunftscamp konnten sich Interessierte mehrere Tage mit dem Thema beschäftigen. Am Ende gab es eine Pressekonferenz, auf der die Fachleute die Ziele präsentierten.

c Wie lebt man 2030 in Hamburg? Lesen Sie den Text noch einmal und ergänzen Sie die fehlenden Wörter.

1. 2030 liegt der Altersdurchschnitt in Hamburg bei ____________ Jahren.
2. ... besuchen die meisten Kinder ____________.
3. ... muss man die Wohnsituation von ____________ Menschen berücksichtigen.
4. ... lernen mehr Kinder als heute ____________.
5. ... hat man viele ____________ für Fahrradfahrer gebaut.
6. ... gibt es eine neue ____________ zwischen Hamburg und Berlin.
7. ... sollen die Vorbereitungen für die ____________ laufen.

7

a Relativsätze mit Präpositionen. Lesen Sie den Online-Artikel „Hamburg 2030" noch einmal und ergänzen Sie die fehlenden Relativsätze in der Tabelle.

Relativsatz mit Präposition: Die Präposition bestimmt den Kasus des Relativpronomens.

	Präp.	Relativpronomen		
Sie hat ein bis zwei Kinder,	*mit*	*denen*	______.	
Die Schule,	______	______	______,	wird eine Ganztagsschule sein.
Ältere Menschen,	______	______	______,	haben ganz andere Bedürfnisse ....
Es gab eine Pressekonferenz,	______	______	______.	

b Ergänzen Sie die passende Präposition und das Relativpronomen.

für • mit • über • in • in • für

1. Hamburg ist eine Stadt, ______ ______ viele gern wohnen würden.
2. Die Journalisten, ______ ______ die Fachleute gesprochen haben, waren interessiert.
3. Aber auch die Bürger, ______ ______ man das alles plant, sind zufrieden.
4. Nun müssen die Politiker die Pläne, ______ ______ man diskutiert hat, realisieren.
5. Hamburg soll die Stadt werden, ______ ______ 2032 die Olympiade stattfindet.
6. Dann wird Hamburg eine Stadt sein, ______ ______ sich die ganze Welt interessiert.

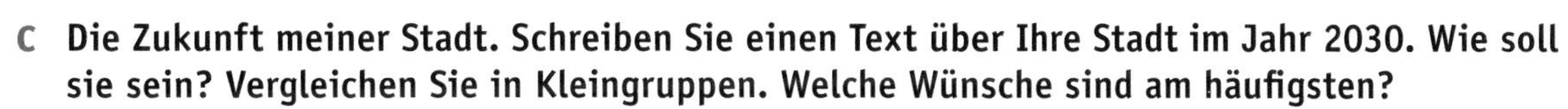

c Die Zukunft meiner Stadt. Schreiben Sie einen Text über Ihre Stadt im Jahr 2030. Wie soll sie sein? Vergleichen Sie in Kleingruppen. Welche Wünsche sind am häufigsten?

6

Verkehrssituation • Wohnraum • Bildung • Freizeit • Kultur • ...

8

1.48

a *ss* oder *ß*? Lesen Sie die Regel. Hören Sie dann die Wörter und setzen Sie die passenden Buchstaben ein.

„ss" oder „ß"? Nach einem kurzen Vokal schreibt man „ss". Nach einem langen Vokal oder einem Diphthong schreibt man „ß".

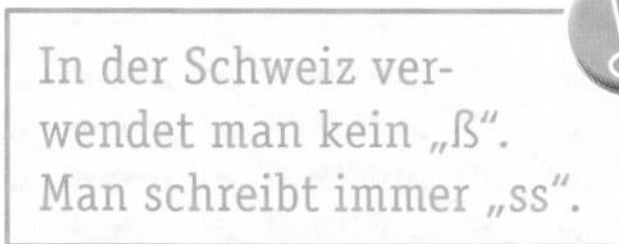

In der Schweiz verwendet man kein „ß". Man schreibt immer „ss".

1. der Flu___
2. der Gru___
3. mü___en
4. au___er
5. wei___
6. der Schlü___el
7. der Ku___
8. der Spa___
9. sü___
10. die Ta___e

1.48

b Hören Sie noch einmal und sprechen Sie nach.

c Arbeiten Sie zu zweit. Die erste Person bildet mit den Wörtern in A zwei Sätze, die zweite Person mit den Wörtern in B. Diktieren Sie dann Ihre Sätze Ihrem Partner / Ihrer Partnerin.

A essen • müssen • Blei gießen • süß • passen • hässlich

B interessieren • lassen • wissen • Schloss • Spaß • groß

Leb' deine Träume

9

a „Leb' deine Träume!" Welche Aussagen passen für Sie zu diesem Titel am besten? Kreuzen Sie an und vergleichen Sie. Welche passen Ihrer Meinung nach gar nicht?

☐ Du musst alles gewinnen! ☐ Hör nicht auf das, was die anderen sagen! ☐ Nur du kannst deinem Leben einen Sinn geben! ☐ Du musst der Größte sein! ☐ Hab keine Angst! ☐ Du kannst mehr, als du denkst! ☐ Nur du weißt, was dir gefällt. ☐ Sei vorsichtig! ☐ Du schaffst das!

1.49

b Hören Sie das Lied. Wie gefällt es Ihnen? Markieren Sie ein bis vier Sterne: ★ nicht so gut, ★ ★ ★ ★ sehr gut. Vergleichen Sie im Kurs.

Melodie und Rhythmus	Stimme der Sängerin	Thema des Liedes
★★★★	★★★★	★★★★

c Ergänzen Sie den Refrain.

Leb' deine Träume, dann *gehört dir die Welt!*

Du weißt ganz alleine, ____________________

Du musst kein ____________________

mach dich ____________________

Leb' deine Träume!

nie wieder klein! • ~~gehört dir die Welt!~~ • Sieger sein, • was dir gefällt!

1.50

d Hören Sie den ersten Teil noch einmal. Welcher Satz aus dem Lied passt zu welcher Zeichnung? Notieren Sie.

1 An manchen Tagen
ist der Himmel schwer wie Blei.
2 All die Fragen
irren durch dein inneres Labyrinth.
3 Du hörst sie sagen:
Das klappt nie! – Hör gar nicht hin!
4 Dieses Leben hat so viel zu geben
und nur du gibst ihm den Sinn!

☐ 

☐ 

☐ 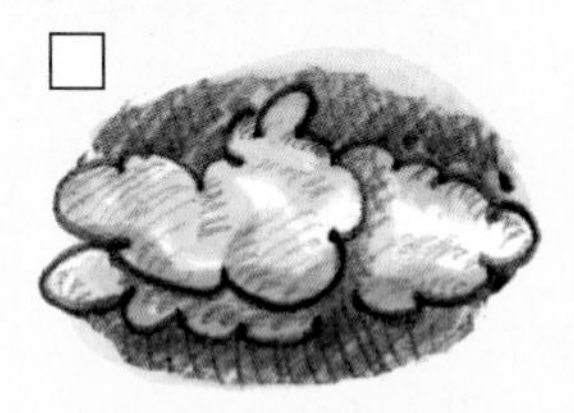

☐ 

Deutsch lernen mit Musik und Liedern
Hören Sie deutschsprachige Lieder und lesen Sie die Texte mit.
Lernen Sie Teile auswendig, die Ihnen gefallen.
Singen Sie mit, wenn Sie Lust haben.

1.51

Gut gesagt: Jemandem Mut machen
Du schaffst das!
Wer wagt, gewinnt!
Das wird schon.
Trau dich doch!
Augen zu und durch!

1.52

e Hören Sie die zweite Strophe noch einmal. Ordnen Sie die Aussagen A bis D den Abschnitten des Liedes zu.

1. Willst du fliegen, dann stell dich gegen den Wind.
2. Du kannst die Schatten besiegen, weil die Sterne dir viel näher sind.
3. Und am Ende der Mauer geht es weiter, wenn du springst.
4. Jeder Tag, jede Stunde kann dir so viel geben und nur du gibst ihr den Sinn!

A Das Leben ist schön, mach etwas daraus.
B Schau nicht auf das Dunkle, dann siehst du das Helle und Gute besser.
C Wenn du etwas Tolles erleben willst, musst du bereit sein zu kämpfen.
D Mach weiter, auch wenn es ein Problem gibt.

f Wie heißen diese Ausdrücke in Ihrer Sprache?

	Ihre Sprache
Leb' deine Träume!	
Das klappt nie!	
Hör gar nicht hin!	
Du gibst dem Leben Sinn.	

10 a Die Band *Luxuslärm*. Ergänzen Sie den Steckbrief.

So laut ich kann • 2006 • Bass • Gewinner • ~~Gesang~~

Die Musiker
Janine „Jini" Meyer, *Gesang*
Freddy Hau, Gitarre
Jan Zimmer, Schlagzeug
David Müller, ______________
Chris Besch, Keyboard

bisher 3 Alben und 9 Singles
„1000 km bis zum Meer"
„______________"
„Carousel"

Luxuslärm
______________ gegründet

Preise
2008: ______________
Deutscher Rock- und Pop-Preis

b Deutsche Songtitel. Von wem sind die Songs? Recherchieren Sie und ergänzen Sie die Namen. Welcher Song gefällt Ihnen am besten? Machen Sie Kurs-Charts.

„Dieser Weg" ______________
„Von allein" ______________
„Der Mond" ______________
„Amerika" ______________
„In meinem Leben" ______________
„Einmal um die Welt" ______________

Retortenstadt vom Reißbrett

11 **Hamburg. Was wissen Sie schon über die Stadt? Sammeln Sie in Kleingruppen und vergleichen Sie dann mit einer anderen Gruppe.**

Lage • Einwohner • Sehenswürdigkeiten • Wohnen • Wetter

12 a **Sehen Sie den Film an. Welchen Eindruck haben Sie von Hamburg? Was gehört für Sie zu einer modernen Großstadt?**

6

b **Welche Aussage passt? Sehen Sie den Film noch einmal und kreuzen Sie an.**

1. Die Bewohner Hamburgs ...
   - [a] sind zufriedener mit ihrer Stadt als Bewohner anderer Städte.
   - [b] würden lieber in eine andere Stadt ziehen.
2. Die Baustelle Hafencity ...
   - [a] wird im nächsten Jahr fertig.
   - [b] ist die größte Baustelle in Europa.
3. Die neue Hafencity ...
   - [a] kommt bei den Hamburgern sehr gut an.
   - [b] sehen die meisten Hamburger kritisch.

c **Lesen Sie das Zitat des Architekten Jacques Herzog. Die Worterklärungen helfen Ihnen. Können Sie dieser Aussage zustimmen? Sprechen Sie in Kleingruppen.**

„Jede Stadt hat das Recht und die Pflicht, sich weiterzuentwickeln, sich weiterzudenken. (…) Jede Stadt muss sich (…) entwickeln und nur so bleibt sie konkurrenzfähig und nur so ist sie auch wirklich eine Stadt."

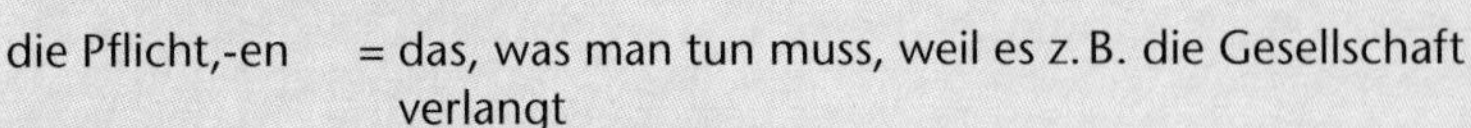

die Pflicht,-en = das, was man tun muss, weil es z. B. die Gesellschaft verlangt
konkurrenzfähig = in einem Wettbewerb mithalten können; genauso gut sein wie die anderen

13 a **Was könnte man für ein besseres Leben in Ihrer Stadt tun? Ergänzen Sie das Assoziogramm. Vergleichen Sie im Kurs.**

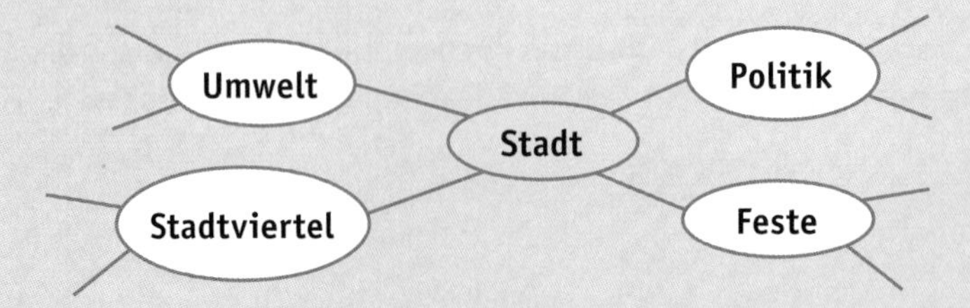

Kurz und klar

über Pläne und Vorsätze sprechen

Ich werde …
Ich möchte mehr …
Ich will nicht so oft / nicht mehr …

Morgen / Nächste Woche / Im nächsten Jahr …
Ich habe vor, … zu …
Ich fange an / beginne, … zu …
Ich habe mir vorgenommen, dass …

genauere Angaben zu Personen oder Dingen machen

Xavier Naidoo ist ein Sänger, …
- der ziemlich erfolgreich ist.
- den man oft im Radio hört.
- dem ich einmal begegnen möchte.
- von dem es schöne Songs gibt.

Hamburg ist eine Stadt, …
- die schnell wächst.
- die ich gern besuchen möchte.
- der keine andere Stadt ähnlich ist.
- in der viele Leute leben.

Grammatik

Futur I

Ich	**werde**	oft in der Bibliothek	**sein**.
Angelo	**wird**	seiner Tochter etwas	**schenken**.
	werden		Infinitiv

Über die Zukunft kann man auch folgendermaßen sprechen:
- Verb im Präsens + Zeitangabe: **Morgen macht** Angelo mit seinen Schülern einen Ausflug.
- mit Modalverb *wollen* oder *möchten*: Isabella **will** ihren Zeitplan beim Lernen einhalten.
- mit Verben wie *vorhaben, anfangen, …*: Isabella **hat vor**, in der Bibliothek zu lernen.

Relativsätze: Relativpronomen im Dativ

Relativsätze mit Relativpronomen im Dativ

Alex geht zu Frau Berger. Er bringt **ihr** einen frischen Kaffee.
Alex geht zu Frau Berger, **der** er einen frischen Kaffee bringt.

Alex kommt zu Lisa und Hannah Graf. Er bringt **ihnen** eine Pizza.
Alex kommt zu Lisa und Hannah Graf, **denen** er eine Pizza bringt.

mask.	der	**dem**
neutr.	das	**dem**
fem.	die	**der**
Plural	die	**denen**

Relativsätze: Relativpronomen mit Präposition

Das sind meine Freunde,	**mit**	**denen**	ich nach Hamburg fahren möchte.	
Der Zug,	**für**	**den**	ich die Fahrkarten gekauft habe,	fährt um 10 Uhr.
Hamburg ist die Stadt,	**in**	**der**	wir aufgewachsen sind.	
Hamburg ist die Stadt,	**in**	**die**	er schon lange fahren möchte.	

Die Präposition bestimmt den Kasus des Relativpronomens:
mit + Dativ → mit **denen** (Plural), *für* + Akkusativ → **für den** (maskulin, Singular)
Bei den Wechselpräpositionen fragt man wie üblich „Wo?" oder „Wohin?", um den Kasus zu bestimmen:

aufwachsen	→ Wo?	→ *in* + Dativ	→ die Stadt, in **der** wir aufgewachsen sind.
fahren	→ Wohin?	→ *in* + Akkusativ	→ die Stadt, in **die** er schon lange fahren möchte.

Wiederholungsspiel

1 **Ein Rundlauf. Spielen Sie in Gruppen (3 bis 5 Spieler).**

Setzen Sie Ihre Spielfigur auf irgendein grünes Feld.

Wer hat als Nächstes Geburtstag? Er/Sie darf anfangen und würfelt. Er/Sie zieht mit der Spielfigur die gewürfelte Zahl. Auf dem neuen Feld sagt er/sie einen Satz, der zur Würfelzahl passt.

Wenn jeder 10-mal gewürfelt hat, ist das Spiel zu Ende.

Sie treffen Ihre Chefin im Flur. Was sagen Sie?

Sie haben eine Karte für ein Konzert Ihrer Lieblingsband.

Sie kaufen im Supermarkt ein. Sie wollen ein tolles Essen kochen.

Bilden Sie einen passenden Satz mit Superlativ.

Mario hatte sein Auto am längsten von uns allen.

Sie sitzen nach der Arbeit noch mit Kollegen in einem Café.

Machen Sie einen Vergleich mit Komparativ.

Mario will endlich ein besseres Auto als jetzt.

Sie sprechen über einen Kollegen, der ein neues Auto kaufen will.

Bilden Sie einen passenden Relativsatz.

Mario möchte endlich ein Auto, das nicht so oft kaputt ist.

Was werden Sie im nächsten Jahr machen? Welche Pläne haben Sie?

Sie suchen eine neue Stelle in Ihrer Nähe, damit Sie nicht mehr so weit zur Arbeit fahren müssen.

Sie haben ein E-Book. Ihre Freundin weiß nicht, ob sie auch eines kaufen soll.

Sie feiern Silvester und machen Bleigießen. Ihre Figur sieht aus wie ein Vogel.

Sie sprechen über Ihren Beruf oder Ihren Wunschberuf.

Sie haben sich vorgenommen, mit dem Rad zur Arbeit zu fahren.

Was wäre, wenn ...?
Machen Sie eine passende Aussage.

Mario wäre glücklich, wenn er schon sein neues Auto hätte.

Sie haben bei der Arbeit ein Problem.

Joker

Wählen Sie eine Aufgabe. Feld ⚀ bis ⚅.

Im neuen Jahr wollen Sie in Ihrer Freizeit aktiver sein und mehr Sport machen.

Was wird bald sein?

Bilden Sie zwei passende Sätze im Futur I.

Noch ein Monat, dann wird Mario sein neues Auto bekommen.

Sie machen mit Freunden Skiurlaub in den Alpen.

Wasser und Wasser sparen: Machen Sie eine passende Aussage.

Sie rufen in einer Firma an und möchten genauere Informationen über eine Stelle.

Quiz

2

a Das Landeskunde-Quiz. Arbeiten Sie zu viert. Wählen Sie einen Quizmaster. Der Quizmaster liest die Fragen und Antworten vor, die anderen machen das Buch zu. Was könnte richtig sein? Raten Sie und notieren Sie Ihre Antworten.

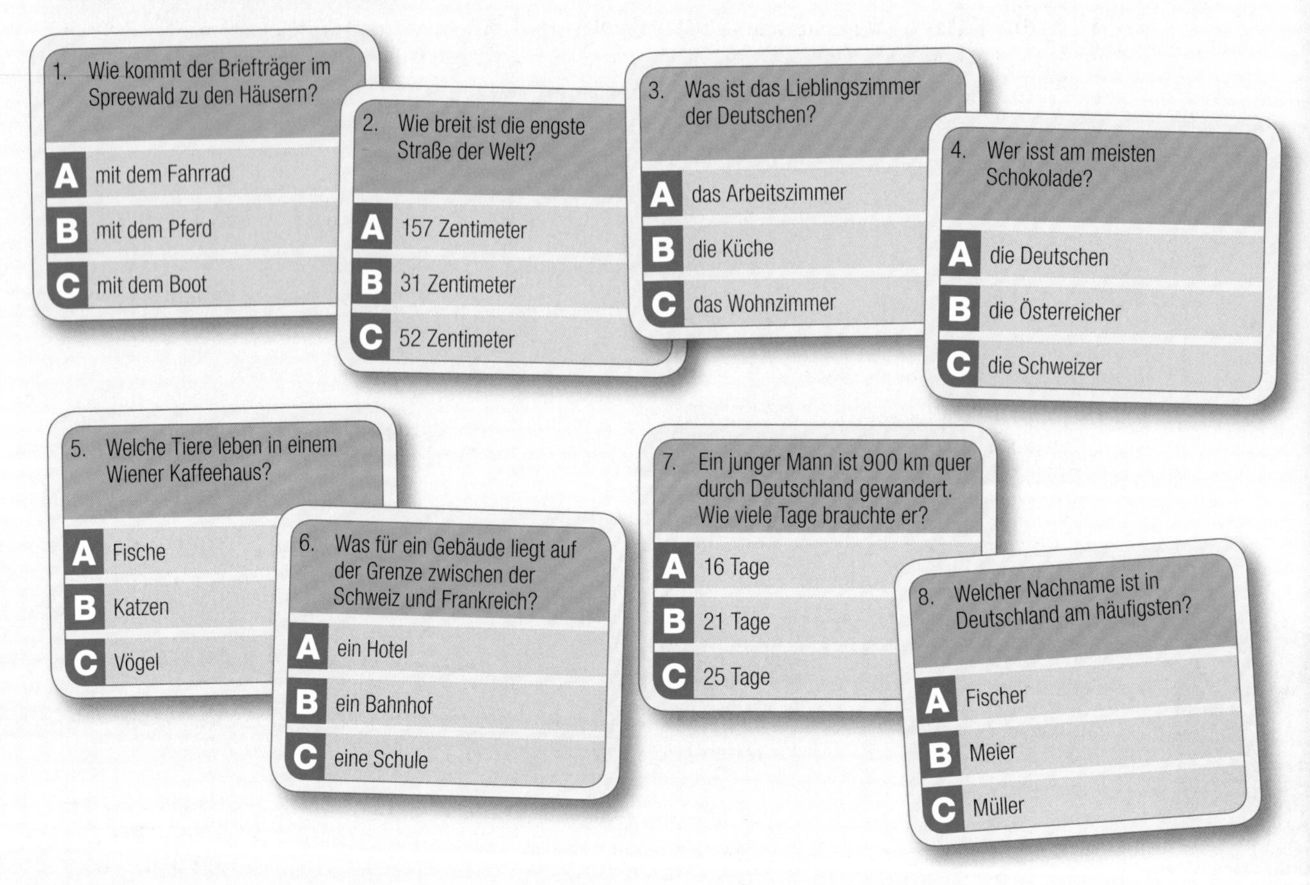

b Teilen Sie nun die Texte auf. Jeder liest zwei Texte. Zu welchen zwei Fragen passen Ihre Texte? Welche Lösung auf den Quizkarten ist richtig? Vergleichen Sie dann die Lösungen in der Gruppe.

Interessantes und Kurioses aus Deutschland, Österreich und der Schweiz

1 Deutsche Nachnamen kommen oft von Berufen, wie zum Beispiel Fischer.
So ist es kein Wunder, dass die häufigsten Nachnamen auch Berufsbezeichnungen waren oder sind: Bauer, Müller oder Schmidt (vom Beruf Schmied). In Deutschland und in der Schweiz liegt der Name Müller auf Platz 1, in Österreich ist es der Name Gruber. Gruber bezeichnet allerdings keinen Beruf, sondern den früheren Wohnort, nämlich eine Grube oder Senke.

2 Im Kanton Waadt auf 1155 m Höhe gibt es ein besonderes Hotel. Das Hotel liegt auf der Grenze zwischen Frankreich und der Schweiz – man schläft also in der Schweiz und isst in Frankreich. Dem Hotelbesitzer gefällt diese Grenzsituation, auch wenn er in beiden Ländern Steuern zahlen muss.

3 Österreich ist berühmt für seine Kaffeehäuser. Seit neuestem gibt es in Wien auch ein Katzenkaffeehaus. Dort leben sechs Katzen, die vorher kein Zuhause hatten. Die Gäste dürfen die Katzen natürlich auch streicheln. Die Idee für dieses Kaffeehaus hatte eine Japanerin.

● ● ●

4 Im Spreewald bringen die Postboten Briefe und Pakete übers Wasser. Die Gegend liegt etwa 100 km südlich von Berlin. Dort gibt es viele Kanäle (Wasserstraßen) und kaum Straßen. Motorboote sind verboten, deswegen fährt auch der Briefträger oder Postbote mit einem speziellen Boot ohne Motor. Das machen die Bewohner des Spreewalds schon seit über hundert Jahren so.

● ● ●

5 In der Stadt Reutlingen in Baden-Württemberg, nicht weit von Stuttgart, gibt es die engste Straße der Welt. Die Spreuerhofstraße im mittelalterlichen Teil von Reutlingen ist an ihrer schmalsten Stelle nur 31 cm breit und steht deshalb im Guinness-Buch der Rekorde. Die Straße ist schon fast 300 Jahre alt.

● ● ●

● ● ●

6 Der 22-jährige Marco Storsberg hat es geschafft, in 16 Tagen zu Fuß von der Nordsee bis zur Zugspitze zu gehen, also eine Strecke von 900 km Länge. Eigentlich wollte er die Tour mit einem Freund machen, aber dieser ist auf der Tour erkrankt. Bei seiner Ankunft auf der Zugspitze war er überglücklich – und total erschöpft.

● ● ●

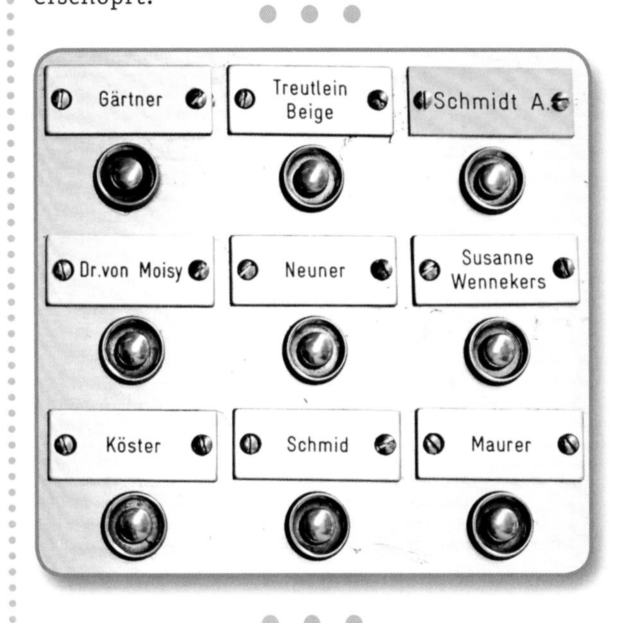

● ● ●

7 Die Deutschen sind zu Hause am liebsten in ihrem Wohnzimmer. Auch die Küche und das Arbeitszimmer sind beliebt, aber der Favorit von 70 Prozent der Deutschen ist das gemütliche Wohnzimmer. Dort entspannen sie sich, lesen, sehen fern oder unterhalten sich mit der Familie oder mit Gästen.

● ● ●

8 Die Schweizer sind berühmt für ihre Schokolade. Vielleicht konsumieren sie auch deshalb mehr Schokolade als die Menschen in jedem anderen Land, nämlich 12,4 Kilogramm pro Jahr. Aber wahrscheinlich sind auch die vielen Touristen nicht ganz unschuldig an dieser hohen Zahl – sie kaufen Schweizer Schokolade als Souvenir.

● ● ●

3

a **Ihre Fragen, bitte! Jede Gruppe schreibt fünf Quizkarten, ähnlich wie in 2a. Tauschen Sie dann die Quizkarten mit einem anderen Team.**

b **Lösen Sie die Quizfragen. Das andere Team kontrolliert Ihre Lösungen.**

Lernziele

einen Forumsbericht verstehen
zeitliche Abfolgen verstehen und ausdrücken
einen Chat verstehen
über Konflikte sprechen
einen Kommentar zum Thema *Streiten* schreiben
Konfliktgespräche führen
kurzen Texten Informationen zuordnen
Prominente vorstellen
über Fabeln sprechen
einen Text lebendig vorlesen

Grammatik

Plusquamperfekt
temporale Nebensätze: *bevor, nachdem, seit/seitdem, während, bis*

Beziehungskisten

1 a **Welche Klischees über Männer und Frauen finden Sie in den Cartoons? Welche anderen Klischees kennen Sie noch? Sammeln Sie.**

b **Was denken Sie über diese Klischees? Welches Klischee nervt Sie besonders?**

7

Viele denken, Männer sind …

Frauen können nicht einparken. Das ist doch …

2 **a** **Traumfrauen – Traummänner. Welche Wünsche haben Männer und Frauen an ihre Partner? Was denken Sie, was am wichtigsten ist? Nummerieren Sie von 1 bis 6.**

Mein Partner / Meine Partnerin sollte ...	Das denke ich:	Das sagen Männer:	Das sagen Frauen:
gepflegt und natürlich aussehen.			
hübsch sein und sich modisch kleiden.			
schlank und sportlich sein.			
Humor haben.			
zuverlässig sein.			
ehrlich und treu sein.			

2.2 **b** **Hören Sie das Gespräch über eine Studie im Radio. Ergänzen Sie die Angaben in der Tabelle.**

Wortschatz AB **c** **Vergleichen Sie Ihre Einschätzungen mit der Studie in 2a und b. Begründen Sie Ihre Reihenfolge.**

Eine Familie als Patchwork

3

a **Was ist eine Patchwork-Familie? Was kann gut und was kann schwierig sein? Sprechen Sie in Gruppen und tauschen Sie die Ergebnisse aus.**

b **Lesen Sie Ninas Bericht. Wie heißen die Personen in Ninas Familie? Was war das Problem?**

www.familienmodelle.de

Über uns | Beratung | Themen | Berichte | Presse | Sponsoren

Wir glaubten, wir sind am Ende. Daraus wurde ein neuer Anfang.

Mein Partner Tom und ich leben seit fast drei Jahren zusammen – mit unserem gemeinsamen Sohn Sascha (bald 2), meiner Tochter Sarah (6) und Toms Tochter Elisa (14). Vor einem halben Jahr glaubten wir, dass es nicht mehr weitergeht. Wir haben nur noch gestritten, es war schrecklich.

Wie war es dazu gekommen? Ich hatte ein paar Jahre allein mit Sarah gelebt, nach der Trennung von meinem früheren Mann. Dann hatte ich mich neu verliebt in Tom, meinen jetzigen Partner. Er hatte sich ebenfalls scheiden lassen. Seine Tochter Elisa war nach der Scheidung bei ihrer Mutter geblieben.

Vor etwa drei Jahren hatten Tom und ich dann einen gemeinsamen Start gewagt. Und bald darauf war Sascha zur Welt gekommen. Elisa hatte oft die Wochenenden bei Tom und mir verbracht, das hatte auch ganz gut funktioniert. Vor etwa einem Jahr war Elisa dann mit ihrer Mutter überhaupt nicht mehr klargekommen und war bei uns eingezogen. Elisa – damals dreizehn – hatte oft tagelang kein Wort mit uns geredet. Sie hatte auch begonnen, keine Hausaufgaben für die Schule mehr zu machen. Aber Tom hatte Elisa immer in Schutz genommen: „Sie ist hier neu, sie braucht Zeit, die Pubertät ist eine schwierige Zeit und noch dazu hat sie geschiedene Eltern." Nie hatte Tom ihr Grenzen gesetzt, zuletzt durfte sie einfach alles. Auf mich wollte sie nicht hören – schließlich sind wir nicht verwandt. Zur selben Zeit bekam Sascha seine Zähne und weinte viel. Ich dachte, dass ich wahnsinnig werde.

Als wir nur noch Streit hatten, suchten wir dann vor einem halben Jahr Hilfe und gingen zu einer Beratungsstelle. Nach vielen Gesprächen fanden wir wieder einen neuen Anfang. Es ist nicht so, dass es keine Probleme mehr gibt. Aber ALLE wissen, dass es nur mit Kompromissen geht. Okay, Sascha weiß das noch nicht ;-). Jetzt sind wir froh, dass wir zusammengeblieben sind.

Also, Kopf hoch bei Problemen! Und – eine gute Beratung hilft weiter.

c **Die Familie von Nina und Tom. Was war wann? Ordnen Sie die passenden Informationen zu. Notieren Sie A, B oder C.**

A Was ist jetzt? B Was war vor einem halben Jahr? C Was war noch früher passiert?

___ Tom und Nina sind froh • ___ Elisa zieht ein • ___ Tom und Nina trennen sich von ihren Partnern • ___ Tom und Nina suchen Hilfe • ___ Alle machen Kompromisse • ___ Es gibt immer nur Streit • ___ Elisa hat Probleme mit der Schule • ___ Nina glaubt, dass die Beziehung am Ende ist

d Was war passiert, bevor Nina und Tom Beratung suchten? Markieren Sie die Verben im Text und ergänzen Sie den Kasten.

Vorvergangenheit ausdrücken: Plusquamperfekt

jetzt	Wir leben seit drei Jahren zusammen.	Gegenwart → Präsens
früher	Es gab immer Streit. Tom und Nina haben Hilfe gesucht.	Vergangenheit → Präteritum, Perfekt
noch früher	Nina ______ mit Sarah allein **gelebt**. Sascha ________ zur Welt **gekommen**.	Vorvergangenheit → Plusquamperfekt

e Was war vorher? Ergänzen Sie die Sätze.

ohne Partner leben • bei ihrer Mutter wohnen • sich von ihrem Mann trennen • oft streiten

1. Nina lebte allein mit ihrer Tochter Sarah. Vorher hatte ______.
2. Tom und Nina zogen zusammen. Vorher ______.
3. Elisa zog zu Tom und Nina. Vorher ______.
4. Nina und Tom suchten eine Beratung. Vorher ______.

4

a Der Urlaub. Lesen Sie Elisas Chat mit Jasmin. Was ist im Urlaub gut, was nicht? Sprechen Sie im Kurs und sammeln Sie an der Tafel. Kennen Sie diese Probleme (von früher)?

Halbzeit im Urlaub. Ich hatte mir das so toll vorgestellt!!! Und jetzt bin ich froh, wenn er vorbei ist.

Was ist denn so schlimm an zwei Wochen Frankreich?

Na was wohl? Alle nerven! Ich muss mit Sarah ein Zimmer teilen, mit der blöden Gans. Und ich muss oft auf Sascha aufpassen! Sehr lustig!

Aber du WOLLTEST doch mit Tom und Nina wegfahren.

Geht's noch? Ich musste! Bevor wir weggefahren sind, hatten wir endlos Diskussionen und Streit. „Du fährst mit uns oder du gehst in der Zeit zu deiner Mutter!" So ist das. Bevor ich ausgehen darf, muss ich das Geschirr abspülen. Nachdem ich im Bad gewesen bin und mich schick gemacht habe, soll ich die Dusche putzen. Ätzend!

Und wie ist's am Meer? Und am Abend?

Am Tag ist es voll krass, aber der Abend! Der ist cool. Nachdem ich ein paar Freunde gefunden habe, ist es jetzt sogar richtig gut.

Ein neuer Freund? Los, erzähl schon. Wie heißt er denn?

Langsam – ein paar FreundEEE. Und bei dir? Gibt es Neuigkeiten?

Ich war so allein, nachdem du weggefahren warst! ;-) Nee, alles okay bei mir.

b Wie war das bei Ihnen? Bilden Sie Sätze mit *bevor* oder *nachdem*. Schreiben Sie die Satzanfänge zu Ende.

1. Bevor ich ... kennenlernte, ...
2. Nachdem ich zu Hause ausgezogen war, ...
3. Ich habe oft mit ... gestritten, ...
4. Ich verstehe mich mit ... besser, ...
5. Ich möchte ..., ...

Temporale Nebensätze: *bevor, nachdem*

Elisa diskutierte lange mit den Eltern,	**bevor** sie in Urlaub fuhren.
Bevor Elisa ausgehen darf,	muss sie das Geschirr abspülen.
Nachdem Elisa Freunde **gefunden hat**,	**findet** sie die Abende sehr schön.
Nachdem Elisa **weggefahren war**,	**war** Jasmin so allein.
zuerst	**danach**

Im *nachdem*-Satz verwendet man ein anderes Tempus als im Hauptsatz:
im Hauptsatz Präsens → im Nebensatz Perfekt
im Hauptsatz Präteritum oder Perfekt → im Nebensatz Plusquamperfekt

c Tauschen Sie Ihre Sätze mit einem Partner / einer Partnerin. Korrigieren Sie sich gegenseitig.

Immer das Gleiche!

5

a Worüber streiten Paare? Sehen Sie die Fotos an. Was könnte hier der Konflikt sein? Kennen Sie andere typische Konfliktsituationen? Beschreiben Sie.

Pia und Domenico

Britta und Eric

Sara und Tim

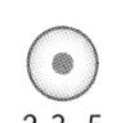
2.3–5

b Hören Sie die Dialoge. Welcher Dialog gehört zu welchem Foto? Notieren Sie auf dem Bild.

2.3–5

c Was passt zusammen? Verbinden Sie die Sätze und hören Sie zur Kontrolle noch einmal.

1. Seit du mehr Gehalt bekommst,
2. Das dauert immer ewig,
3. Seit du die neue Stelle hast,
4. Wie lange soll ich hier noch sitzen,
5. Warum kann ich nicht lesen,
6. Während du telefonierst,

A kann ich auch Sport machen.
B bis du endlich mal mit mir sprichst?
C bis du wieder nach Hause kommst.
D gehst du ständig shoppen.
E bist du immer müde und erschöpft.
F während du deine Freunde triffst?

d *Seit, während* und *bis*. Schreiben Sie Sätze.

1. Eric und Britta streiten sich oft. Sie sind vor einem Jahr zusammengezogen.
2. Eric muss oft lange warten. Britta hört auf zu telefonieren.
3. Pia entspannt sich am besten. Sie liest.
4. Domenico unterhält sich mit seinen Freunden. Er vergisst den Stress im Job.
5. Sara verdient mehr Geld. Sie hat eine neue Stelle.
6. Tim will sparen. Sie haben genug Geld für ein eigenes Haus.

Temporale Nebensätze: *seit/seitdem, während, bis*
Seit/Seitdem du wieder arbeitest, bist du immer gestresst. |→
Während ich aufräume, siehst du fern.
Ich warte hier, **bis** du wiederkommst. →|

Seit, während und *bis* können **Präpositionen oder Konnektoren** sein.
Seit Mai habe ich eine neue Stelle.
Seit ich die Stelle habe, verdiene ich mehr Geld.

Eric und Britta streiten sich oft, seit …

6

Temporale Nebensätze mit *bevor, nachdem, seit/seitdem, während, bis*. Spielen Sie zu viert. Jeder schreibt fünf Satzanfänge mit Konnektoren auf Karten. Mischen Sie alle Karten. Dann zieht jeder abwechselnd eine Karte und ergänzt den Satz.

Seit ich Deutsch lerne, …

Seit ich Deutsch lerne, habe ich viele Leute kennengelernt.

Richtig streiten

7 a Lesen Sie die Forumsbeiträge zum Thema *Streiten*. Ordnen Sie jedem Text eine Überschrift zu und notieren Sie den Buchstaben. Welcher Meinung stimmen Sie zu, welcher nicht?

A Konflikte mit Kollegen • **B** Streiten kann man lernen • **C** Was ist ein Konflikt? • **D** Harmonie ist wichtig • **E** Streiten macht krank • **F** Zum Alltag gehören Konflikte

AnJa87 Ich finde, wenn man sich wirklich liebt, dann streitet man auch nicht. Streit ist Gift für jede Beziehung! Mal muss eben der eine nachgeben, mal der andere. Und wenn man wirklich tolerant ist, kann man auch die Meinung des anderen akzeptieren. Das gilt auch für Freundschaften und bei der Arbeit! ☐

Messi04 Ewige Harmonie gibt es nicht! Manchmal ist man einfach genervt. Deshalb ist doch eine Beziehung nicht zu Ende. Meine Freundin und ich streiten häufig. Zehn Minuten später haben wir das schon wieder vergessen. Man darf nicht jedes Wort auf die Goldwaage legen! Schweigen finde ich viel schlimmer. ☐

Flo2000 Manchmal muss man sich Kritik gefallen lassen. Wichtig ist, dass man ruhig bleibt. Sätze wie „Du machst immer/nie ..." sollte man vermeiden. Da eskaliert der Streit schnell. Besser ist es, wenn man Ich-Aussagen formuliert: „Ich wünsche mir, ..." oder „Ich würde gern ...". Das muss man ein bisschen üben, dann gelingt es auch. ☐

b Schreiben Sie einen eigenen Text zum Thema *Streiten*. Tauschen Sie dann den Text mit Ihrem Partner / Ihrer Partnerin und finden Sie eine passende Überschrift für seinen/ihren Text.

8 a Typische Sätze in Streitgesprächen. Welche Formulierungen sind eher diplomatisch (+) und welche eher undiplomatisch (–)? Notieren Sie + oder –.

1. Nie verstehst du mich! ___
2. Sei mir nicht böse, bitte. ___
3. Das ist ja nicht so schlimm. ___
4. Immer das Gleiche! ___
5. Wir finden bestimmt einen Kompromiss. ___
6. Das kann echt nicht wahr sein! ___
7. Reg dich doch nicht immer so auf. ___
8. Das nervt mich wirklich. ___
9. Ich kann dich ja auch gut verstehen. ___
10. Ich wünsche mir, dass wir ... ___

b Arbeiten Sie zu zweit und wählen Sie eine Situation. Machen Sie Notizen und spielen Sie die Situation einmal „undiplomatisch" und einmal „diplomatisch".

A Sie freuen sich auf einen ruhigen Sonntag. Aber Ihr Partner / Ihre Partnerin hat alles verplant: Sie sollen einen Ausflug machen und seine/ihre Familie besuchen.

B Sie freuen sich schon seit Wochen auf ein Konzert und es war sehr schwierig, die Karten zu bekommen. Kurz vorher sagt Ihr Partner / Ihre Partnerin, dass er/sie keine Zeit hat.

9 Intonation bei Modalpartikeln. Hören Sie die Sätze. Ergänzen Sie und sprechen Sie nach.

2.6

1. A Warte!	B Warte ________!
2. A Du hast recht.	B Du hast ______ recht.
3. A Wann kommst du?	B Wann kommst du ______?
4. A Das kann man nicht ändern.	B Das kann man ______ nicht ändern.
5. A Das ist schön!	B Das ist ______ schön!

Modalpartikel machen Aussagen persönlicher oder emotionaler.
aber Überraschung
denn Interesse zeigen
ja gemeinsames Wissen
wohl Vermutung
mal freundliche Aufforderung

Gemeinsam sind wir stark

10 a Berühmte Paare. Welche kennen Sie? Sammeln Sie im Kurs.

Da muss ich sofort an Brad Pitt und Angelina Jolie denken.

Wie heißt noch mal ...?

b Arbeiten Sie zu dritt. Jeder wählt ein Paar und liest den Text. Berichten Sie dann den anderen über „Ihr" Paar.

A Die Pianistin Clara Schumann und der Komponist Robert Schumann sind das berühmteste Paar der deutschen Musikgeschichte. Der Anfang war schwierig, denn Claras Vater wollte die Beziehung zu dem armen Künstler verhindern. Sie erkämpften schließlich vor Gericht, dass sie heiraten durften. 16 Jahre lebten sie zusammen und bekamen acht Kinder. Zwar wollte Robert Schumann zunächst nicht, dass seine Frau weiterhin Konzerte gab, aber die finanzielle Situation der Familie zwang sie dazu. Er komponierte und sie spielte seine Musik.

B Während Neo Rauch zu den wichtigsten und kommerziell erfolgreichsten Künstlern der Gegenwart gehört, wissen viele nicht, dass seine Frau Rosa Loy auch Malerin ist. Beide haben in Leipzig studiert, wo sie auch heute noch leben. Sie arbeiten Wand an Wand, in getrennten Ateliers, unabhängig voneinander, beeinflussen sich aber natürlich gegenseitig.

C Hubert Burda und Maria Furtwängler gehören zu den berühmtesten und erfolgreichsten Paaren in der deutschen Medienbranche. Der 26 Jahre ältere Verleger und Kunsthistoriker, der auch für sein soziales Engagement bekannt ist, und die Schauspielerin und Ärztin Maria Furtwängler sind seit 1991 verheiratet. Auch Maria Furtwängler engagiert sich neben ihrer Schauspielkarriere für den Kampf gegen Krebs und gegen Gewalt an Kindern.

c Lesen Sie weitere Informationen. Zu welchem Paar bzw. Text passen die Sätze? Ordnen Sie zu.

1. Das Paar hat zwei Kinder und lebt in München. Text: _____
2. Sie unternahm auch nach dem frühen Tod ihres Mannes zahlreiche erfolgreiche Konzertreisen. Text: _____
3. 2012 hatten sie ihre erste gemeinsame Ausstellung in Deutschland. Text: _____
4. Das Leben und die Beziehung der beiden sind gut dokumentiert, da über 500 Briefe erhalten sind. Text: _____
5. Die Gegend um Leipzig ist für beide „ein Ort der Konzentration und Inspiration". Text: _____
6. Das Engagement gegen Krebs ist in der Familie groß, da sein Sohn aus erster Ehe an Krebs starb. Text: _____

d Wählen Sie ein Paar aus Ihrer Sammlung in Aufgabe 10a. Recherchieren Sie und schreiben Sie einen kurzen Text. Lesen Sie den Text dann ohne Namen vor. Die anderen im Kurs raten, wer das ist.

Die Moral von der Geschichte ...

11 a Der Streit. Sehen Sie die Bilder an. Was passiert hier? Sprechen Sie zu zweit.

2.7

b Lesen Sie die folgende Geschichte. Welche „Lebensweisheit" steckt in der Fabel? Sprechen Sie im Kurs.

Gut gesagt: Sprichwörter

Wenn zwei sich streiten, freut sich der Dritte.
Wer zuletzt lacht, lacht am besten.
Der Klügere gibt nach.

Der Löwe und der Bär

Ein Fuchs war einmal auf Jagd gegangen, weil er hungrig war. Er war noch nicht lange unterwegs, als er einen lauten Streit hörte. Ein Bär und ein Löwe stritten wütend miteinander: „Die Beute gehört mir, ich habe den jungen Hirsch gefangen." „Nein!", brüllte der Löwe zornig zurück. „Du lügst! Ich war als Erster hier, und darum gehört die Beute mir." Er wehrte sich und biss den Bären mit seinen scharfen Zähnen. Der Löwe und der Bär kämpften verbissen miteinander. Der Fuchs war klug und sagte sich: „Wenn die beiden vom Streiten müde sind, so können sie mir nichts mehr tun und ich bekomme die Beute." Endlich brachen der Bär und der Löwe kraftlos zusammen und konnten sich nicht mehr bewegen. Der Fuchs ging an ihnen vorbei und holte sich die Beute. Er verneigte sich höflich und sagte: „Danke, meine Herren, sehr freundlich, wirklich sehr freundlich!" Lachend zog er mit dem Hirsch ab.

c Lesen Sie die zweite Fabel. Illustrieren Sie diese Fabel zu zweit mit zwei bis drei Bildern. Was sagt diese Fabel aus? Erklären Sie.

Der Rabe und der Fuchs

Ein Rabe hatte einen Käse gestohlen, flog damit auf einen Baum und wollte dort in Ruhe den Käse essen. Ein vorbeikommender Fuchs sah den Raben. Er lief eilig dorthin und begann den Raben zu loben: „Oh Rabe, was bist du für ein wunderbarer Vogel! Wenn dein Gesang ebenso schön ist wie deine Federn, dann bist du wirklich der König aller Vögel!" Dem Raben gefiel es, dass der Fuchs ihm so schmeichelte. Er machte seinen Schnabel weit auf, um dem Fuchs etwas vorzusingen. Dabei fiel ihm der Käse auf den Boden. Den nahm der Fuchs schnell, fraß ihn und lachte über den dummen Raben.

Wortschatz AB

d Kennen Sie andere Geschichten dieser Art mit Tieren? Erzählen Sie.

12 a Gut vorlesen. Hören Sie die erste Fabel. Markieren Sie im Text Pausen und unterstreichen Sie Wörter und Satzteile, die der Sprecher besonders betont.

2.8

b Lesen Sie die erste Fabel selbst laut vor. Beachten Sie dabei Ihre Markierungen aus 12a.

c Arbeiten Sie zu zweit. Lesen Sie die zweite Fabel. Üben Sie so lange zusammen, bis die Fabel lebendig klingt. Die Tipps im Kasten helfen Ihnen.

Texte gut betonen

Machen Sie den Text lebendig:
- Welche Wörter und Informationen möchten Sie betonen? Markierungen im Text helfen.
- Üben Sie schwierige Wörter noch einmal extra.
- Lesen Sie klar, deutlich und nicht zu schnell.
- Verändern Sie Ihre Stimme bei wörtlichen Reden.

Frauen als Erfolgsrezept

13 **Was macht eine Firma erfolgreich? Sammeln Sie im Kurs.**

Wenn eine Firma erfolgreich sein will, braucht sie …

14 a **Sehen Sie den Film an. Was ist das Besondere an dieser Firma?**

b **Sehen Sie den Film noch einmal. Wer sagt was? Verbinden Sie.**

René Mägli
Geschäftsführer

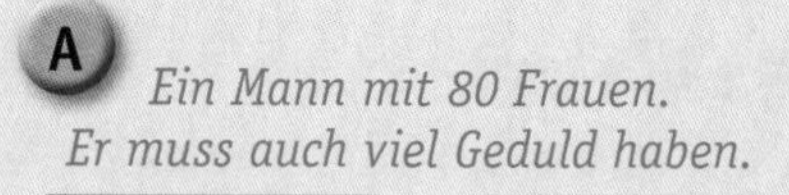

Anita Vogt
Leiterin Export

B *Wir haben Arbeit X zu erledigen und es ist eigentlich nicht so das Thema: Wer macht jetzt was? Sondern die Arbeit wird erledigt, egal, wer sie macht.*

Yvonne de la Rosa
Leiterin Internationaler Warenverkehr

C *Sehr viele Frauen werden schlechter bezahlt als Männer. Wir zahlen Männerlöhne.*

c **Was meinen die drei Personen mit ihren Aussagen? Sprechen Sie darüber in Gruppen.**

d **Was kann eine Firma tun, damit ihre Mitarbeiter Beruf und Familie mit Kindern gut vereinen können? Sammeln Sie im Kurs.**

Beruf und Familie sind für MSC-Mitarbeiterinnen vereinbar.

15 a **Würden Sie gerne in einer Firma arbeiten, in der nur Männer oder nur Frauen arbeiten? Begründen Sie.**

b **Arbeiten Sie in Gruppen und erfinden Sie Ihre Traumfirma. Machen Sie Notizen und präsentieren Sie sie anschließend im Kurs.**

Bei uns beginnt die Arbeit erst um 10 Uhr. …

Wir haben ein Sportstudio und ein Restaurant, in dem …

Kurz und klar

Zeitliche Abfolgen (Vorzeitigkeit/Nachzeitigkeit) ausdrücken

Nina lebte allein mit Sarah. **Vorher** hatte sie sich von ihrem Mann getrennt.
Elisa diskutierte lang mit den Eltern, **bevor** sie in Urlaub fuhren.
Bevor Elisa bei Tom und Nina einzog, hatte sie bei ihrer Mutter gelebt.
Nachdem Elisa neue Freunde gefunden hat, findet sie die Abende im Urlaub richtig schön.
Elisa blieb zuerst bei ihrer Mutter, **nachdem** sich ihre Eltern getrennt hatten.

Konfliktgespräche führen

diplomatisch
Sei mir nicht böse, bitte.
Das ist ja nicht so schlimm.
Ich kann dich ja auch gut verstehen.
Wir finden bestimmt einen Kompromiss.
Ich wünsche mir, dass du mehr Zeit für mich hast.

undiplomatisch
Nie verstehst du mich!
Reg dich doch nicht immer so auf.
Das nervt mich wirklich.
Das kann echt nicht wahr sein!
Immer das Gleiche!

Grammatik

Vorvergangenheit ausdrücken: Plusquamperfekt

jetzt	Wir leben seit drei Jahren zusammen.	Gegenwart → Präsens
früher	Es gab immer Streit. Tom und Nina haben Hilfe gesucht.	Vergangenheit → Präteritum, Perfekt
noch früher	Nina **hatte** allein mit Sarah **gelebt**. Sascha **war** zur Welt **gekommen**.	Vorvergangenheit → Plusquamperfekt

Temporale Nebensätze: *bevor, nachdem, seit/seitdem, während, bis*

bevor	Elisa diskutierte lange mit den Eltern, **bevor** sie in Urlaub fuhren. **Bevor** Elisa ausgehen darf, muss sie das Geschirr abspülen.
nachdem	Elisa findet die Abende schön, **nachdem** sie Freunde gefunden hat. **Nachdem** Elisa weggefahren war, war Jasmin so allein.
seit/seitdem	**Seit** sie zusammen wohnen, streiten sie oft.
während	**Während** du telefonierst, räume ich auf.
bis	Tim will sparen, **bis** er sich ein Haus kaufen kann.

Im *nachdem*-Satz verwendet man ein anderes Tempus als im Hauptsatz:
- im Hauptsatz Präsens → im Nebensatz Perfekt
- im Hauptsatz Präteritum oder Perfekt → im Nebensatz Plusquamperfekt

Lernziele

Hilfe anbieten und annehmen/ablehnen
jemanden warnen
über Gewohnheiten sprechen
einen Infotext verstehen
einem Zeitungsartikel Informationen entnehmen
über Musik und Gefühle sprechen
eine Diskussion im Radio verstehen
über Gedächtnis sprechen
Infos in einem Zeitungstext finden
über Schule sprechen

Grammatik

nicht/kein und *nur* + *brauchen* + *zu*
Reflexivpronomen im Akk./Dat.: *Ich wasche mich. Ich wasche mir die Haare.*
zweiteilige Konnektoren: *sowohl ... als auch, entweder ... oder, ...*

2.9 **1. Hören Sie die Situationen. Wie entspannen Sie am besten?**

A ☐ B ☐ C ☐

Von Kopf bis Fuß

2.10 **2. Hören Sie drei Aussagen. Wer lebt am gesündesten?**

Person A ☐ Person B ☐ Person C ☐

3. Es ist Sommer, die Sonne scheint. Was machen Sie?

A ☐ Ich lege mich den ganzen Tag in die Sonne, dann werde ich schön braun.
B ☐ Ich creme mich mit Sonnencreme ein und bleibe im Schatten.
C ☐ Ich creme mich nicht ein, ich gehe ins Wasser. Dort ist es schön kühl.

4. Welches Essen ist am besten für die Gesundheit?

A ☐

Fisch mit Reis und Gemüse

B ☐

Schweinebraten mit Knödel

C ☐

Pasta mit Tomaten

5. Warum schnarchen manche Menschen?

A ☐ Das Schnarchen ist eine sehr alte Methode, wilde Tiere zu verjagen.

B ☐ Im Schlaf sind die Muskeln locker. Wer mit offenem Mund schläft, schnarcht.

C ☐ Menschen, die zu dick sind, schnarchen beim Atmen im Schlaf.

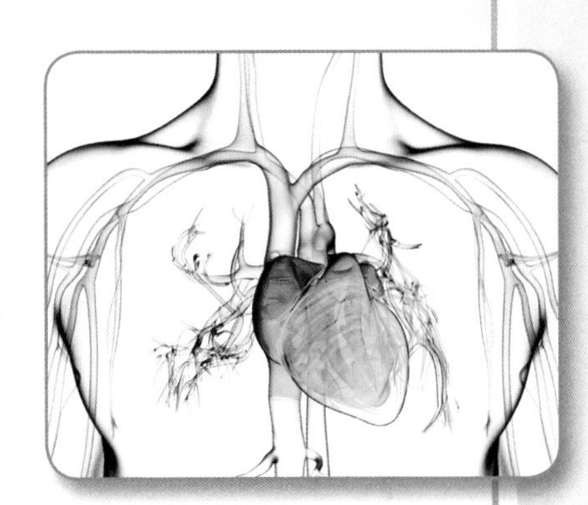

6. Wie können Sie Ihr Herz stärken?

A ☐ Ich bewege mich viel und mache Gymnastik.

B ☐ Ich trinke ausreichend Kaffee.

C ☐ Ich esse oft rohes oder blutiges Fleisch (z. B. Steaks).

7. Wie können Sie Ihr Gehirn fit halten?

A ☐ Ich schreibe mir alles auf, damit ich nichts vergesse.

B ☐ Ich strenge mich täglich ein bisschen an und löse z. B. ein Kreuzworträtsel.

C ☐ Ich spiele ein Instrument und übe täglich.

8. Jemand verschluckt eine Biene und wird im Hals gestochen. Was machen Sie, nachdem Sie den Rettungsdienst gerufen haben?

A ☐ Sie legen der Person lauwarme Tücher um den Hals.

B ☐ Sie achten darauf, dass sich die Person nicht hinlegt.

C ☐ Sie geben der Person Eiswürfel zum Lutschen und kühlen den Hals mit kalten Tüchern.

1 2.9–10

a **Wie gut ist Ihr Wissen rund um Körper und Gesundheit? Machen Sie den Test.**

b **Lesen Sie die Auswertung auf Seite 159. Haben Sie sich richtig eingeschätzt? Welche Lösungen haben Sie überrascht?**

2 8

Was brauchen Sie zum Wohlfühlen? Worauf möchten Sie nicht verzichten?

Ich fühle mich wohl, wenn …

Ich weiß, dass ich eigentlich nicht so viel …, aber …

Im Krankenhaus

3 Wortschatz AB

a **Arbeiten Sie zu zweit. Sehen Sie das Bild an und notieren Sie möglichst viele Wörter. Vergleichen Sie dann im Kurs.**

2.11–12 **b** **Hören Sie die Gespräche im Krankenzimmer. In welcher Stimmung ist der Patient? Welche Hilfe braucht er? Warum?**

2.11–12 **c** **Lesen Sie zuerst die Ausdrücke. Hören Sie dann die Gespräche noch einmal. Welche Ausdrücke hören Sie? Kreuzen Sie an.**

Hilfe anbieten
1. Brauchen Sie noch Hilfe? ☐
2. Was kann ich für dich tun? ☐
3. Und sonst noch etwas? ☐
4. Kann ich noch etwas für Sie tun? ☐
5. Sie brauchen mich nur zu rufen, wenn ich Ihnen helfen soll. ☐

Hilfe annehmen/ablehnen
6. Ja, das wäre sehr nett. ☐
7. Ja, das wäre gut. ☐
8. Danke, das wäre toll. ☐
9. Nein, danke, das ist nicht nötig/notwendig. ☐
10. Nein, du brauchst sonst nichts zu machen. ☐

jemanden warnen
11. Sie sollten nicht so viel ... ☐
12. Das ist nicht gut für dich! ☐
13. Ich kann Ihnen nur dringend raten, ... ☐
14. Ich muss Sie warnen. ☐
15. Es ist dringend notwendig, dass Sie ... ☐
16. Seien Sie vorsichtig! ☐

4

a ***Nicht/kein* und *nur + brauchen + zu*. Was bedeuten die Sätze im Grammatikkasten? Ergänzen Sie das passende Modalverb.**

nicht/kein* und *nur + brauchen + zu

Das **brauchst** du **nicht zu** machen. =
Das ____________ du nicht machen.
Er **braucht kein** Fieber **zu** messen. =
Er ____________ kein Fieber messen.
Sie **brauchen** mich **nur zu** rufen. =
Sie ____________ mich nur rufen.

b **Kein Problem! Formulieren Sie Antworten mit *nicht/kein* und *nur + brauchen + zu*.**

1. ◆ Ich möchte so gerne einen Kaffee! ◇ ins Café gehen
2. ◆ Ich habe keinen Hunger. ◇ nichts essen
3. ◆ Ich kann das nicht allein! ◇ die Schwester rufen
4. ◆ Ich habe solche Schmerzen. ◇ eine Tablette nehmen
5. ◆ Bitte keine Spritze! ◇ keine Angst haben

1. Du brauchst nur ins ...

c **Wählen Sie eine Situation im Krankenhaus und spielen Sie das Gespräch zu zweit. Machen Sie vorher Notizen und verwenden Sie auch die Redemittel aus 3c.**

A Patient/Patientin
- möchte spazieren gehen
- fühlt sich schwach und schwindlig

A Pfleger/Pflegerin
- draußen ist es kalt und glatt
- hat Angst, dass Patient sich verletzt

B Patient/Patientin
- liegt schon seit zwei Tagen im Bett
- alles ist unbequem und langweilig

B Pfleger/Pflegerin
- kann Bücher und Zeitschriften bringen
- möchte mit Patient Gymnastik machen

5

a Reflexivpronomen im Akkusativ und Dativ. Lesen Sie die Aussagen 1 bis 3. Zu welchem Bild passen sie? Notieren Sie die Nummer.

A 

B 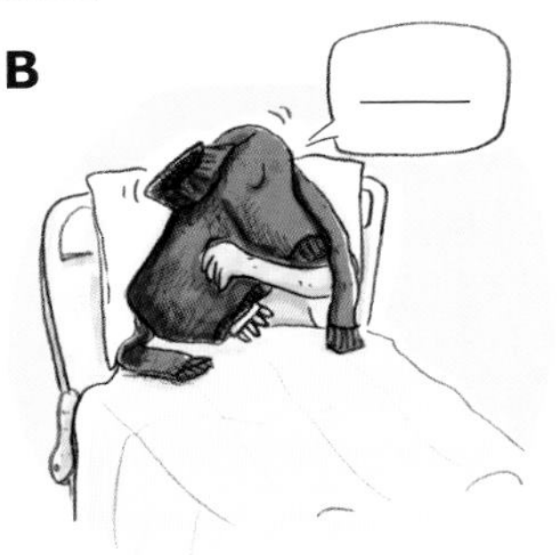

C 

1. Kannst du mir die Socken anziehen?
2. Kannst du dich allein anziehen?
3. Den Pulli kann ich mir allein anziehen.

Reflexivpronomen im Akkusativ und Dativ

Ich ziehe		**mich**	an.
Ich ziehe	**mir**	**den** Pullover	an.
	Dativ	**Akkusativ**	

Reflexivpronomen und Akkusativobjekt → Reflexivpronomen im Dativ

b Arbeiten Sie zu zweit. Formulieren Sie Fragen in der Du-Form. Machen Sie dann ein Partnerinterview.

1. sich die Haare kämmen – gleich nach dem Aufstehen?
2. sich die Zähne putzen – vor oder nach dem Frühstück?
3. sich anziehen – zuerst den linken oder rechten Schuh?
4. sich duschen – am Morgen oder am Abend?
5. sich die Haare waschen – jeden Tag?

1. Kämmst du dir die Haare gleich …

6

a Aufenthalt im Krankenhaus. Was möchten Patienten wissen? Welche Fragen haben sie? Arbeiten Sie zu zweit und überlegen Sie sich pro Thema mindestens eine Frage.

Besuchszeiten • Essen und Getränke • Fernsehen • Kleidung • Telefon • Wertsachen

Wann dürfen mich Freunde besuchen?

b Teilen Sie die Fragen auf und suchen Sie die Antworten im Infoblatt der *Fein-Klinik*. Sagen Sie die Antworten Ihrem Partner / Ihrer Partnerin.

Informationen für Ihren Aufenthalt in unserer Klinik

Essen und Getränke: Das Küchenteam bereitet täglich drei Hauptmahlzeiten (davon immer eine vegetarisch) und mehrere Zwischenmahlzeiten zu. Für diätische Ernährung ist unsere Diät-Assistentin zuständig. Auf den Stationen steht Ihnen jederzeit kostenlos Mineralwasser zur Verfügung, ebenso wie Tee und Kaffee.

Kleidung: Bitte nehmen Sie bequeme Kleidung mit. Neben Nachthemd, Schlafanzug, Bademantel und Hausschuhen eignen sich Trainingsanzüge für Ihren Klinikaufenthalt.

Fernsehen: Mit dem Fernsehgerät können Sie 30 Programme empfangen. Die Nutzung des Apparats kostet 2,50 € pro Tag. Die Gebühren bezahlen Sie bei der Entlassung. Die Gebrauchsanweisung für die Fernbedienung finden Sie neben Ihrer Zimmertür.

Telefon: Die Gebühren für das Telefon betragen 2 € pro Tag, inkl. Gespräche ins deutsche Festnetz. Ihre Rufnummer steht gut sichtbar auf der Chipkarte, die Sie am Automaten neben der Rezeption erhalten.

Besuchszeiten: Besucher sind prinzipiell jederzeit willkommen, am besten eignet sich der Nachmittag. Bitte nehmen Sie bei Besuchen Rücksicht auf Ihre Zimmernachbarn.

Wertsachen: Wir empfehlen Ihnen, sämtliche Wertsachen im Schließfach in Ihrem Schrank aufzubewahren.

Notausgang und Notfälle: Bei einem Notfall drücken Sie den Alarmknopf. Der Weg zum Notausgang ist beschildert.

c Welche Regeln und Informationen gibt es in Kliniken in Ihrem Heimatland? Vergleichen Sie.

Alles Musik

7

a In welchen Situationen oder Stimmungen hören Sie welche Musik?

Wenn ich jogge, höre ich immer …

Wenn ich gestresst bin, …

b Lesen Sie den Zeitungsartikel über Musik. Welche Themen kommen im Text vor? Markieren Sie.

Musikstudium • Musik und Emotionen • Musik zu bestimmten Anlässen • Musik und Gehirn • Entstehen von Musikgeschmack • Merkmale guter Musik • Filmmusik • Musik und Erinnerung • Musikinstrumente • Musik und Reklame

Was Musik mit uns macht

Musik löst Gefühle aus – sie macht uns fröhlich oder traurig

Der amerikanische Forscher Steven Pinker, der viele Untersuchungen zum Thema Musik durchgeführt hat, hat einmal gesagt: „Musik ist Käsekuchen für die Ohren", also etwas Süßes oder Leckeres. Aber Musik 5 kann natürlich auch anders „schmecken". Heavy Metal ist für die Ohren wohl eher scharf und würzig.

Man kann entweder Techno oder Metal mögen. Unabhängig davon, ob uns die Musik gefällt oder nicht – wir reagieren alle gleich darauf, sobald wir Musik 10 hören. Jeder kann das beobachten: Auf fröhliche Dur-Tonarten und schnelle Rhythmen reagieren wir so ähnlich, als ob wir uns freuen würden: Wir atmen zum Beispiel schneller. Bei langsamen Stücken in Moll dagegen ist das anders: Der Puls sinkt und man 15 fühlt sich traurig. Die Musik wirkt beruhigend. Daher spielt man weder bei feierlichen Staatsempfängen noch auf Beerdigungen fröhliche Musik in Dur-Tonarten. Warum ist das so? Was passiert da in unseren Köpfen? Dafür gibt es eine interessante Er- 20 klärung. Die Geräusche gelangen über die Ohren ins Gehirn. Das Gehirn verarbeitet die Informationen sowohl in Bereichen, die für Sprache zuständig sind, als auch in Bereichen, die für Gefühle verantwortlich sind. Deswegen kann es sein, dass wir fröhlich 25 werden, wenn wir Salsa hören, und dass wir traurig werden oder weinen, wenn wir tragische Musik in Moll hören.

Dass Musik unsere Stimmung beeinflusst, wissen wir auch aus dem Kino. Stellen Sie sich einen spannen- 30 den Thriller ohne Musik vor oder eine romantische Liebesszene – der Film wäre zwar immer noch gut gespielt und gut gemacht, aber er würde uns alle nicht so berühren. Er wäre vermutlich ziemlich langweilig.

Nicht nur in der Filmbranche oder in der Werbung ist 35 Musik wichtig, sondern auch in der Medizin spielt sie eine wichtige Rolle. Personen, die an Alzheimer leiden, die sich an fast nichts mehr erinnern und kaum noch sprechen können, singen bekannte Lieder mit. Mithilfe von Musik erinnern sie sich an Erlebnisse aus 40 ihrem Leben. Musik ist also einerseits Unterhaltung für uns, andererseits aber viel mehr als das: Sie beeinflusst unsere Stimmung und sie ist etwas, was kranken Menschen hilft und wie Medizin wirken kann.

c Lesen Sie den Text noch einmal. Was steht im Text? Kreuzen Sie an.

1. Für S. Pinker ist Musik nicht nur schön, sondern auch ein Forschungsthema. ☐
2. Nur Musik, die uns gefällt, löst im Körper Gefühle aus. ☐
3. Musik wird in unserem Gehirn in den Bereichen für Sprache und Gefühle verarbeitet. ☐
4. Musik in Dur-Tonarten macht die Menschen traurig und ruhig. ☐
5. Musik ist auch für die Heilung kranker Menschen wichtig. ☐

8

a Zweiteilige Konnektoren. Lesen Sie die Informationen im Kasten. Suchen Sie die zweiteiligen Konnektoren im Text und markieren Sie.

Zweiteilige Konnektoren

sowohl ... als auch / nicht nur ..., sondern auch	entweder ... oder	weder ... noch	zwar ..., aber	einerseits ..., andererseits
das eine **und** das andere	das eine **oder** das andere	das eine **nicht und** das andere **nicht**	das eine **mit Einschränkungen**	eine Sache hat **zwei Seiten**

Wortschatz AB

b Verbinden Sie und schreiben Sie die richtigen Sätze.

1. Ich mag sowohl klassische Musik
2. Wenn ich arbeite, kann ich weder Radio
3. Am Wochenende gehe ich entweder ins Kino
4. Tom geht zwar gern auf Konzerte,
5. In meiner Freizeit treffe ich einerseits gerne Freunde,
6. Ich höre nicht nur gern Musik,

aber
als auch
andererseits
noch
oder
sondern

A auf ein Konzert.
B bin ich auch gern mal alleine.
C CDs hören.
D ich spiele auch selbst ein Instrument: Gitarre.
E oft bleibt er lieber zu Hause.
F Rock.

1. F
Ich mag sowohl klassische Musik als auch Rock.

c Spielen Sie in Gruppen. Jeder würfelt und bildet einen Satz. Wer hat als Erstes zu jedem Konnektor einen Satz gemacht?

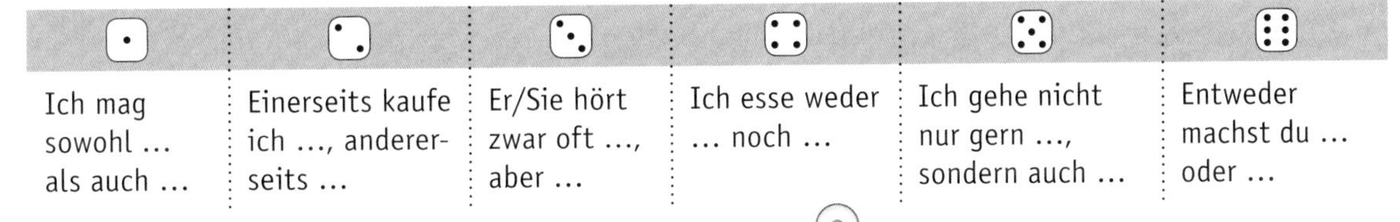

1	2	3	4	5	6
Ich mag sowohl ... als auch ...	Einerseits kaufe ich ..., andererseits ...	Er/Sie hört zwar oft ..., aber ...	Ich esse weder ... noch ...	Ich gehe nicht nur gern ..., sondern auch ...	Entweder machst du ... oder ...

9

Musik in Ihrem Kopf. Welche Lieder verbinden Sie mit besonderen Erinnerungen? Welches Lied mögen Sie gar nicht? Welches Lied geht Ihnen oft durch den Kopf?

„Gangnam Style" ist ein Lied, das ich zwar lustig finde, aber es ist ein schrecklicher Ohrwurm und nervt ...

2.13

Gut gesagt: Rund um Musik
Das ist Musik in meinen Ohren. =
Ich freue mich über eine gute Nachricht oder weil mich jemand gelobt hat.
Das Lied ist ein Ohrwurm. =
Ich habe ständig dieses Lied im Kopf.

10

2.14

a Satzmelodie. Hören Sie und markieren Sie die Satzmelodie: steigend ↗, sinkend ↘ oder gleichbleibend →?

- Ich höre im Moment → oft Salsa. ___
- Salsa? ___ Hast du gerade gute Laune? ___
- Ja. ___ Aber ich höre auch Tango. ___
- Warum hörst du Tango? ___ Ist das nicht eher traurige Musik? ___
- Tango kann sowohl traurig ___ als auch fröhlich sein. ___
- Hm, ___ ich höre lieber Rock und Pop. ___

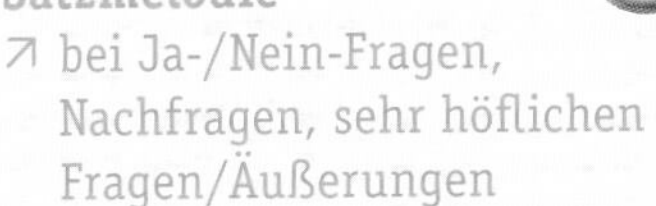

Satzmelodie
↗ bei Ja-/Nein-Fragen, Nachfragen, sehr höflichen Fragen/Äußerungen
↘ bei Aussagen, Aufforderungen und W-Fragen
→ bei nicht abgeschlossenen Äußerungen und bei Unsicherheit

2.14

b Stehen Sie auf, hören Sie die Sätze noch einmal. Satzmelodie steigend: heben Sie die Arme; gleichbleibend: bleiben Sie stehen; fallend: gehen Sie in die Knie.

Gedächtnisleistung

11 a Woran können Sie sich noch erinnern? Lesen Sie die Fragen und notieren Sie.

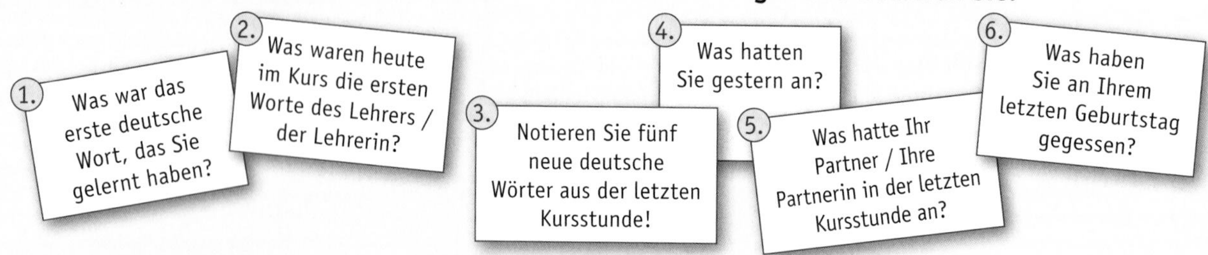

b Sprechen Sie in einer Kleingruppe über Ihre Antworten in 11a. Warum können Sie sich an manche Dinge gut erinnern und an andere nicht?

12 a Wie lernt man? Lesen Sie die Programmankündigung. Was ist wichtig beim Lernen?

RADIODISKUSSION

Das Thema der Radiodiskussion ist dieses Mal „Lernen lernen". Viele Aspekte sind beim Sprachenlernen wichtig, aber es geht am leichtesten, wenn man motiviert und emotional involviert ist – meint der Lerncoach Dr. Schellbach. Er beschäftigt sich seit 15 Jahren mit diesem Thema. Unser zweiter Studiogast ist die Lehrerin Ina Dahlmeyer. Sie möchte ihren Schülern Techniken vermitteln, die beim Lernen helfen.

2.15 **b Lesen Sie die Aussagen und hören Sie dann die Radiosendung. Wer sagt das? Notieren Sie M (Moderator), S (Dr. Schellbach) oder D (Dahlmeyer).**

1. Es gibt keine feste Tageszeit, zu der man am besten lernt. ___
2. Wenn man besonders motiviert ist, lernt man effektiver. ___
3. Verschiedene Strategien helfen beim Lernen. ___
4. Wiederholen hilft, sich Dinge dauerhaft zu merken. ___
5. Die Lernmenge ist nicht für jeden Schüler passend. ___
6. Vor Prüfungen kann man sich oft nicht an den Stoff erinnern. ___

2.15 **c Hören Sie noch einmal und kontrollieren Sie Ihre Antworten aus 12b.**

13 a Welche deutschen Wörter können Sie sich schlecht merken? Wählen Sie 7 bis 10 schwierige Wörter und schreiben Sie damit eine kurze, ungewöhnliche Geschichte.

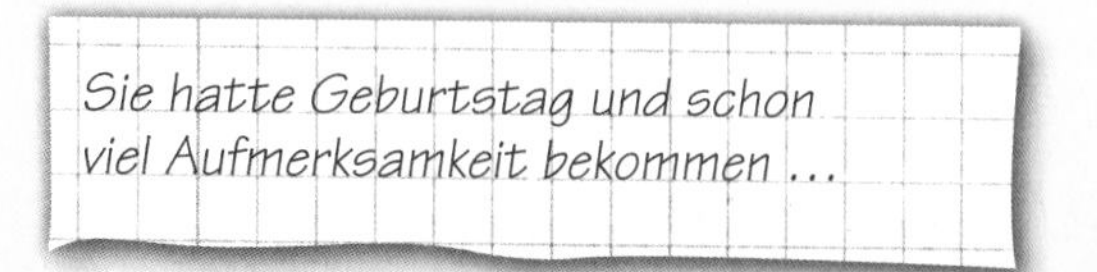

Wörter lernen
Um sich (schwierige) Wörter besser zu merken, sollten Sie diese in einem ungewöhnlichen Kontext verwenden. Denken Sie sich zum Beispiel eine fantasievolle und ungewöhnliche Geschichte aus, in der diese Wörter vorkommen. Überprüfen Sie einige Tage später, wie gut Sie sich an die Wörter erinnern.

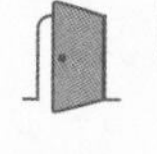

b Welche weiteren Lerntipps kennen Sie? Arbeiten Sie in Kleingruppen und sammeln Sie Ihre Tipps. Recherchieren Sie auch im Internet. Machen Sie neue Kleingruppen mit Personen aus den anderen Gruppen und berichten Sie sich gegenseitig.

Neue Lernwege in der Schule

14 a Was assoziieren Sie mit Schule? Ergänzen Sie gemeinsam die Mindmap.

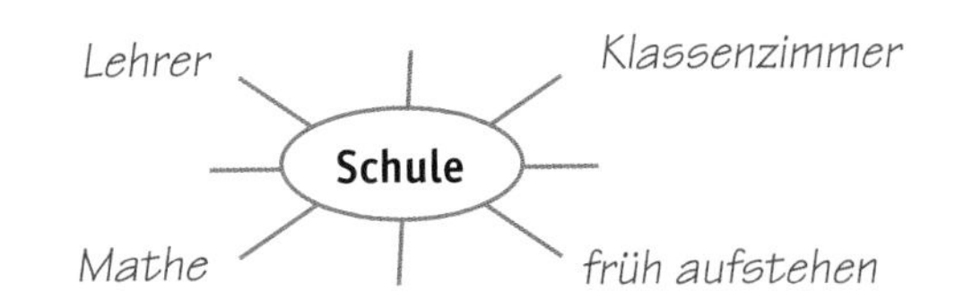

b Lesen Sie den Zeitungsartikel über eine Gesamtschule. Markieren Sie fünf Informationen, die Ihnen wichtig sind.

Die Lichtenberg-Gesamtschule in Göttingen – eine ausgezeichnete Schule

In der Gesamtschule lernen Schüler, die normalerweise unterschiedliche Schulen (Gymnasium, Realschule oder Hauptschule) besuchen würden, erfolgreich gemeinsam. Viele der Schüler, denen in der 5 Grundschule niemand ein Abitur zugetraut hat, können hier beweisen, was in ihnen steckt. Und das Wichtigste: Alle Schüler lernen gern hier. Dafür hat die Schule auch den Deutschen Schulpreis erhalten.

Die Lichtenberg-Gesamtschule unterscheidet sich 10 in vielen Aspekten von einer „normalen" Schule, dennoch – oder gerade deshalb – zeigen die Schüler besonders gute Leistungen bei den Schulabschlüssen. Laut dem Hirnforscher Gerald Hüther liegt das daran, dass die Schüler sich fast ausschließlich 15 selbstständig mit dem Stoff vertraut machen, Freude am Entdecken haben und sich deshalb besonders bemühen.

Hier funktioniert das Lernen z. B. ohne Druck, denn an der Lichtenberg-Schule gibt es bis zur achten 20 Klasse keine Noten. Die Schüler erhalten einmal im Halbjahr Feedback, und zwar in Form von Berichten. Dort steht neben den Informationen zu den Leistungen auch viel über die Stärken der Schüler und ihre Entwicklung. Zusätzlich gibt es Hinweise, 25 wie die Schüler ihre Schwächen ausgleichen können.

Die Stärken und Schwächen der Schüler werden auch in den sogenannten „Tischgruppen" genutzt. Sechs Schüler und Schülerinnen arbeiten an einem Tisch. 30 Hier diskutieren die Schüler, bringen ihre Ideen ein und finden Lösungswege – jeder kann und soll sich beteiligen. Die Stärkeren unterstützen die Schwächeren. Dabei können diese Rollen ständig wechseln: In Deutsch oder Englisch zählt der Matheprofi vielleicht 35 plötzlich zu den Schwächeren und braucht Förderung.

Die Schüler haben nicht nur eine besondere Beziehung untereinander, sondern auch zu ihren Lehrern.

Jede Klasse hat zwei Klassenlehrer. Die Lehrer an der Lichtenberg-Schule sind „Lernbegleiter" und 40 Betreuer, Lehrer und Schüler duzen sich ausnahmslos. Alle Klassenzimmer einer Jahrgangsstufe liegen nebeneinander und die Türen stehen immer offen. So bilden die Lehrer einer Jahrgangsstufe ein großes Team und tauschen sich intensiv aus. Die Lehrer 45 kennen also den Unterrichtsstoff und die Schüler der eigenen und der anderen Klassen gut.

Auch nach dem Unterricht geht es anders zu als an anderen Schulen. Die Schüler haben Wochenaufgaben, die sie gemeinsam oder individuell in den 50 Nachmittagsstunden in der Schule erledigen. Alles, was die Schüler in der Schule erarbeitet und gelernt haben, präsentieren sie viermal im Jahr den Eltern. Bei diesen Treffen erzählen sie von Konflikten und Erfolgen, berichten über Projekte und Pläne. Natür- 55 lich hatten manche Eltern Zweifel, wie eine Schule ohne Noten und ohne klassischen Unterricht funktionieren kann. Die Erfolge und die Lernfreude der Kinder zeigen jedoch, wie gut das Konzept offenbar funktioniert.

c Vergleichen Sie mit einem Partner / einer Partnerin die markierten Informationen. Haben Sie die gleichen Informationen markiert? Sprechen Sie und begründen Sie Ihre Wahl.

d Wären Sie gern Schüler/Schülerin in dieser Schule? Warum (nicht)? Was würden Sie noch gern in Schulen ändern? Diskutieren Sie in Kleingruppen.

Leben im 21. Jahrhundert – Multitasking

15 a **Welche dieser Tätigkeiten machen Sie oft gleichzeitig? Verbinden Sie und vergleichen Sie im Kurs.**

telefonieren | kochen | essen | fernsehen | arbeiten | lernen

E-Mails schreiben | Musik hören | sich unterhalten | ...

b **Was können Sie gut gleichzeitig machen? Wann funktioniert es nicht mehr? Sprechen Sie zu zweit.**

16 a **Sehen Sie den Film an. Wann funktioniert Multitasking nicht? Warum? Nennen Sie Beispiele aus dem Film.**

8

8

b **Sehen Sie den Film noch einmal. Sind die Aussagen richtig oder falsch? Korrigieren Sie die falschen Aussagen mündlich im Kurs.**

	richtig	falsch
1. Wenn man den Weg noch nicht kennt, konzentriert man sich auf die Wegsuche.	☐	☐
2. Man achtet unbewusst auf alles, auch wenn einem der Weg vertraut ist.	☐	☐
3. Multitasking funktioniert, weil man die Dinge nicht ganz aufmerksam macht.	☐	☐
4. Multitasking funktioniert nicht mehr, wenn man müde wird.	☐	☐
5. Man vergisst, andere Dinge zu tun, wenn eine Tätigkeit mehr Aufmerksamkeit braucht.	☐	☐
6. Man kann beliebig viele Dinge gleichzeitig tun.	☐	☐
7. Bei bestimmten Tätigkeiten ist es verboten, gleichzeitig noch etwas anderes zu machen.	☐	☐

17 **Arbeiten Sie in Kleingruppen. Diskutieren Sie über jede Aussage auf den Kärtchen und geben Sie Beispiele.**

Multitasking bei der Arbeit macht krank.

Manche Menschen sind im Multitasking besser als andere.

Multitasking funktioniert nur bei einfachen Tätigkeiten, ansonsten passieren Fehler.

Mit Multitasking ist man beruflich erfolgreicher.

Kurz und klar

Hilfe anbieten

Brauchen Sie (noch) Hilfe?
Was kann ich für dich tun?
Und sonst noch etwas?
Kann ich noch etwas für Sie tun?
Sie brauchen mich nur zu rufen, wenn ich Ihnen helfen soll.

Hilfe annehmen/ablehnen

Ja, das wäre sehr nett.
Ja, das wäre gut.
Danke, das wäre toll.
Nein, danke, das ist nicht nötig/notwendig.
Nein, du brauchst sonst nichts zu machen.

Jemanden warnen

Sie sollten nicht so viel liegen.
Das ist nicht gut für dich!
Ich kann Ihnen nur dringend raten, ...
Ich muss Sie warnen.
Es ist dringend notwendig, dass Sie ...
Seien Sie vorsichtig.

Grammatik

nicht/kein und *nur + brauchen + zu*

nicht/kein + brauchen + zu
Das **brauchst** du **nicht zu** machen. = Das musst du nicht machen.
Du **brauchst keine** Angst **zu** haben. = Du musst keine Angst haben.

nur + brauchen + zu
Sie **brauchen** mich **nur zu** rufen. = Sie müssen mich nur rufen.

Reflexivpronomen im Akkusativ und Dativ

Ich ziehe		**mich**	an.
Ich ziehe	mir	**den** Pullover	an.
	Dativ	Akkusativ	

Reflexivpronomen im Dativ

Singular		Plural	
ich	mir	wir	uns
du	dir	ihr	euch
er/es/sie	sich	sie/Sie	sich

Wenn es bei reflexiven Verben ein Reflexivpronomen und ein Akkusativobjekt gibt, steht das Reflexivpronomen im Dativ.

Zweiteilige Konnektoren

das eine **und** das andere	Ich höre **sowohl** Klassik **als auch** Pop. Ich höre **nicht nur** Klassik, **sondern auch** Pop.
das eine **oder** das andere	Er hört **entweder** Rock **oder** Techno.
das eine **nicht und** das andere auch **nicht**	Sie hört **weder** Trip-Hop **noch** Jazz.
das eine **mit Einschränkungen**	Ich höre **zwar** gern Jazz, **aber** lieber höre ich Salsa.
Gegensatz; eine Sache hat **zwei Seiten**	Ich höre **einerseits** gerne laute Musik, **andererseits** stört sie mich manchmal auch, dann mag ich es ganz ruhig.

Zweiteilige Konnektoren können Satzteile oder ganze Sätze verbinden:
Satzteile: Ella spielt nicht nur Flöte, sondern auch Klavier.
Ganze Sätze: Brian spielt nicht nur Gitarre, sondern er singt auch gut.

Lernziele

einen Zeitungsbericht und Inserate verstehen
Personen oder Dinge genauer beschreiben
Hauptinformationen in Zeitungstexten finden
etwas verneinen
über Bilder sprechen
Aussagen verstärken oder abschwächen
ein Interview mit einem Regisseur verstehen
über Filme sprechen
ein Volkslied verstehen und darüber sprechen

Grammatik

Adjektivdeklination ohne Artikel
Stellung von *nicht* im Satz

Handwerk und Kunst, Schmuckstücke von Annette Dobiaschowski-Viertler

Marias Blog

Bevor ich aus dem Haus gehe, suche ich gewöhnlich meinen Schmuck aus. Ich wähle diese Ohrringe und die Kette meistens dann, wenn es einen besonderen Anlass gibt. Aber manchmal greife ich auch an einem ganz normalen Arbeitstag zu diesem Schmuck, wenn ich mich danach fühle.

Ich liebe diese Schmuckstücke, weil es Unikate sind, es gibt immer nur ein Exemplar. Der Schmuck ist von Annette Dobiaschowski-Viertler, einer Kunsterzieherin und Schmuckdesignerin. Sie hat tolle Ideen und kann ihr Handwerk sehr gut. „Kunst und Können gehören zusammen", sagt sie. Und das denke ich auch.

Kunststücke

Wenn ich mit der S-Bahn am Bahnhof Innsbruck ankomme, dann gehe ich diese Stiege hinauf. Und jeden Tag wandert mein Blick zu diesem Bild: „Innsbrucks Gegenwart" heißt es. Stimmt nicht mehr ganz, denn Max Weiler hat es schon 1955 gemalt. Ich schätze dieses Gemälde sehr. Ich mag die hellen Farben, die fröhlichen Figuren. Das ist ein guter Start in den Tag.

Die neue Bahnhofshalle in Innsbruck: Nur noch die beiden Bilder von Max Weiler erinnern an den alten Bahnhof.

1 a **Kunst und Kultur. Sehen Sie die Fotos an. Welche Abbildung spricht Sie am meisten an? Und was gefällt Ihnen nicht? Warum?**

Wortschatz AB b **Kunst im Alltag in Innsbruck. Arbeiten Sie in 5er-Gruppen. Jeder liest aus Marias Blog den Text zu einer Abbildung. Was für ein Kunstwerk ist das? Was findet Maria daran schön? Warum? Berichten Sie in der Gruppe.**

Vom Bahnhof gehe ich direkt zur Arbeit. Oft nehme ich den Weg an der Hofburg vorbei. Gegenüber der Hofburg, auf dem Platz vor dem Landestheater, steht dieser Brunnen. Ich komme gern hierher und schaue mir die Figuren an.

In Innsbruck sieht man immer Altes und Neues nebeneinander, das mag ich. Der Brunnen und die Statuen sind fast 400 Jahre alt, die Hofburg in der heutigen Form ließ Kaiserin Maria Theresia so bauen, vor 250 Jahren. Es gab hier aber auch schon um 1350 eine Burg.

Leopoldsbrunnen und Hofburg

Gleich nach der Hofburg komme ich an zwei Stationen der Hungerburgbahn vorbei. Man kann direkt vom Zentrum der Stadt auf einen Berg fahren, nämlich auf das Hafelekar in 2300 Meter Höhe. Innsbruck ohne Berge – das kann ich mir gar nicht vorstellen.

Die Hungerburgbahn ist nicht nur ein Verkehrsmittel. Die runden Formen der Stationen von der Architektin Zaha Hadid fallen sofort ins Auge. Nicht alles nur waagerecht oder senkrecht, sondern auch schräge Linien und Kurven. Das ist was für Fans moderner Architektur, also für mich.

Hungerburgbahn, Station Löwenhaus, von Zaha Hadid

Wenn ich dann ins Büro komme, begrüßt mich dieser Quilt an der Wand, ein Bild aus Stoffen von Hand genäht. Ich mag die Farben, ich mag die geometrischen Formen und die vielen Details vom Nähen. Aber vor allem die Idee dahinter ist großartig: Bosna Quilt.

1993 mussten viele Menschen wegen des Krieges aus Bosnien flüchten. In Vorarlberg begann die Künstlerin Lucia Lienhard-Giesinger, mit Flüchtlingsfrauen Quilts zu nähen. Die Frauen konnten so wenigstens für kurze Zeit an etwas anderes denken und ein wenig Kraft schöpfen. Das Projekt gibt es bis heute.

Bosna-Quilt, entworfen von Lucia Lienhard-Giesinger, genäht von Elma Ušanović (107 x 130 cm, 2006)

2

2.16–17

a Kunst im Gespräch. Hören Sie. Zu welchen zwei Kunstwerken bekommen Sie weitere Informationen? Notieren Sie Stichworte und berichten Sie in Ihrer Gruppe.

1. Bild von Max Weiler: ...

b Kunst in Innsbruck. Suchen Sie ein anderes Kunstobjekt in Innsbruck und stellen Sie es vor.

3

a Sind Sie heute schon Kunst begegnet? Was haben Sie auf dem Weg zum Kurs gesehen (Gebäude, Graffiti, Statuen, ...)?

b Welches Kunstwerk hat Sie sehr beeindruckt? Beschreiben Sie es und erzählen Sie im Kurs.

In meiner Schulklasse hing ein großes Poster, ein Bild von Pablo Picasso: Don Quixotte. Ich fand ...

Wir machen Theater!

4

a Haben Sie schon mal Theater gespielt? Was hat Ihnen dabei Spaß gemacht? Was braucht man? Worum muss man sich kümmern? Sprechen Sie im Kurs.

b Lesen Sie den kurzen Bericht und die vier Aussagen. Was ist richtig? Kreuzen Sie an.

Alles geht – aber nicht mit uns!

Nach dem erfolgreichen Theaterstück „Der Letzte macht das Licht aus" arbeitet die Theatergruppe *alles geht* schon wieder für die nächste Premiere. Diesmal bringen die Amateure ein eigenes Stück auf die Bühne. Regie führt Lise Weismüller.
Die Mitglieder der Gruppe arbeiten in völlig verschiedenen Berufen, als Krankenpfleger oder Verkäuferin, als Manager, Elektriker oder Ärztin, und sie kennen die Arbeitswelt von allen Seiten. Das neue Stück heißt „Alles geht – aber nicht mit uns!", die Theaterleute haben es selbst miteinander verfasst. In diesem Stück geht es um die Situation am Arbeitsplatz: Viele Leute haben Angst um ihren Job, andere sind in ihrer Arbeit so belastet, dass sie nicht mehr wissen, wie es weitergehen soll. Andere haben das Gefühl, dass niemand ihre Leistung schätzt. Über die Folgen für das Privatleben redet man am liebsten gar nicht. Zumindest auf der Bühne wollen sich die Schauspieler wehren und zeigen: Man muss kein stummes Opfer sein. Deshalb auch der zweite Teil des Titels „nicht mit uns". Nähere Informationen zur Gruppe und zum Stück finden sie auf

1. Die Gruppe *alles geht* führt zum ersten Mal ein Theaterstück auf.
2. Die Mitglieder der Theatergruppe haben das neue Stück selbst geschrieben.
3. Das Thema des neuen Stücks ist die Arbeitswelt.
4. Nur wenige Menschen haben Probleme in ihrem Beruf.

Wortschatz AB

c Was für Personen und Dinge sucht die Theatergruppe *alles geht*? Was müssen die Personen können? Wozu braucht die Gruppe die Dinge?

Home | News | Programm | Gesucht | Reservierung | Kontakt

GESUCHT

„alles geht" ist unser Motto, darum lässt sich auch dieses Problem mit eurer Hilfe leicht lösen.

- Wir suchen nette Friseurin, die uns vor den Aufführungen mit coolen Frisuren und passender Schminke hilft. Wir bieten nettes Team, großen Spaß und lange Feiern. :-)
- Du weißt, wie man eine Theaterbühne beleuchtet? Du kannst auch mit alten Scheinwerfern und einfacher Ausstattung tolles Licht für die Bühne zaubern? Und du hast noch Platz im Terminkalender? Dann bist du unser Mann / unsere Frau!
- Theater *alles geht* sucht altmodisches Sofa mit hoher Lehne, gerne auch nur zum Ausleihen. Und wer hat ein großes, altes Radio? Es muss nicht mehr funktionieren.
- Bist du Schauspieler oder möchtest du es vielleicht ausprobieren? Dann komm zu uns, wir suchen 60-jähriges Talent für kleine Rolle in spannendem Stück! Am besten mit weißem Bart. Schön wäre, wenn du auch Lust hast zu singen.
- Du kannst gut nähen und liebst Theater? Du bist gern Teil einer netten Gruppe? Du hast kreative Ideen, wie wir auf der Bühne gut aussehen? Und du hast selbst eine Nähmaschine? Wir suchen dich! Deine Aufgabe ist, vorhandene Kostüme anzupassen.

Sie brauchen eine Friseurin, die auch gut schminken kann.

2.18

Gut gesagt: „Theater"-Sprüche
Mach nicht so ein Theater!
So eine Tragödie!
Ich hab so Lampenfieber.
Da würde ich gern mal hinter die Kulissen sehen.

5

a Adjektive ohne Artikel. Lesen Sie die Inserate in 4c noch einmal und ergänzen Sie die Adjektive in den Sätzen 1 bis 5. In welchem Kasus stehen die Adjektive? Notieren Sie und markieren Sie die Endungen.

1. Wir suchen _nette_ Friseurin _(Akk.)_, die uns mit ____________ Frisuren (_____) hilft.
2. Wir bieten ____________ Team (_____) und ____________ Spaß (_____).
3. Du kannst mit ____________ Scheinwerfern (_____) ____________ Licht (_____) für die Bühne zaubern.
4. Das fehlt für die Bühne: ____________ Sofa (_____) mit ____________ Lehne (_____).
5. Wir suchen 60-jähriges Talent, am besten mit ____________ Bart (_____).

b Ergänzen Sie die Tabelle.

Adjektivdeklination ohne Artikel

	maskulin	neutrum	feminin	Plural
Nom.	der Spaß	das Stück	die Gruppe	die Haare
	groß_er_ Spaß	neu___ Stück	nett_e_ Gruppe	lang___ Haare
Akk.	den Spaß	das Stück	die Gruppe	die Haare
	groß___ Spaß	neu___ Stück	nett___ Gruppe	lang___ Haare
Dat.	dem Spaß	dem Stück	der Gruppe	den Haaren
	groß___ Spaß	neu___ Stück	nett___ Gruppe	lang___ Haaren

Adjektive ohne Artikel haben die gleiche Endung wie der bestimmte Artikel: de**r** → große**r** Spaß

c Ergänzen Sie die Inserate.

1. Wir suchen erfahren___ Techniker mit kreativ___ Ideen für toll___ Licht auf der Bühne!
2. Sie sind Friseurin, die mit groß___ Spaß fantasievoll___ Frisuren macht? Willkommen!
3. Sie sind ein kreativer Kopf mit groß___ Fantasie! Nett___ Team sucht genau Sie!
4. Wir brauchen alt___ Möbel: hoh___ Stühle, altmodisch___ Schränke und groß___ Tisch.

d Wählen Sie eine Situation oder erfinden Sie eine andere. Wen/Was suchen Sie dafür? Schreiben Sie drei bis vier Inserate.

Sie wollen den Kursraum neu und schöner gestalten.

Sie wollen eine Musikgruppe / ein Sportteam gründen.

Sie wollen eine Motto-Party machen.

6

2.19

a Vokal am Wortanfang. Hören Sie die Ausdrücke. Welche verbindet man beim Sprechen ⌒, welche spricht man getrennt | ?

1. a jeden⌒Morgen
   b jeden | Abend
2. a vor allem
   b vor Beginn
3. a gibt immer
   b gibt viel
4. a sie spielen
   b sie arbeiten
5. a und alt
   b und jung

2.19

b Hören Sie noch einmal und sprechen Sie nach.

2.20

c Spricht man verbunden oder getrennt? Markieren Sie. Hören Sie dann zur Kontrolle und sprechen Sie nach.

1. Es ist nicht einfach, alles allein zu organisieren. Wir arbeiten deshalb in einem Team.
2. Es macht uns Spaß, ein eigenes Theaterstück zu schreiben und auf die Bühne zu bringen.

Wa(h)re Kunstwerke

7

a Lesen Sie die Texte in Gruppen. Jede Gruppe liest einen Text und schreibt drei Fragen auf einen Zettel. Tauschen Sie dann die Zettel mit einer anderen Gruppe und notieren Sie die Antworten. Die Gruppe, die die Fragen geschrieben hat, kontrolliert die Antworten.

Putzfrau zu ordentlich

In einem Museum reinigte eine Putzfrau gründlich eine scheinbar schmutzige Gummiwanne. Sie hatte nicht erkannt, dass es sich um ein Kunstwerk handelte, und wollte nur ihre Pflicht tun. So zerstörte sie aus Versehen die Installation des bekannten Künstlers Martin Kippenberger im Wert von 800 000 Euro. Jetzt prüft die Versicherung, ob die Reinigungsfirma die Putzfrau vielleicht nicht korrekt informiert hat. Eigentlich darf das Reinigungspersonal nämlich nicht näher als 20 cm an die Kunstwerke herankommen. Das ist nicht das erste Missgeschick dieser Art – auch mit Werken von Joseph Beuys ist Ähnliches passiert.

Tierische Helfer

Ein deutscher Zoo brauchte dringend Geld und hatte eine pfiffige Idee. Bei einer Auktion wurden ganz besondere Bilder verkauft. Die Künstler sind nicht Menschen, sondern Affen und Elefanten. „Wir haben die Tiere nicht gezwungen, alle haben freiwillig gemalt", meinte der Zoodirektor. Die Bilder sind bunt und abstrakt und kommen bei den Auktionsbesuchern gut an – bis zu 500 Euro bezahlten die Besucher für ein Bild. „Für ein originales Kunstwerk ist das preiswert und ich glaube nicht, dass jemand erraten wird, wer das Bild gemalt hat", meinte eine Käuferin.

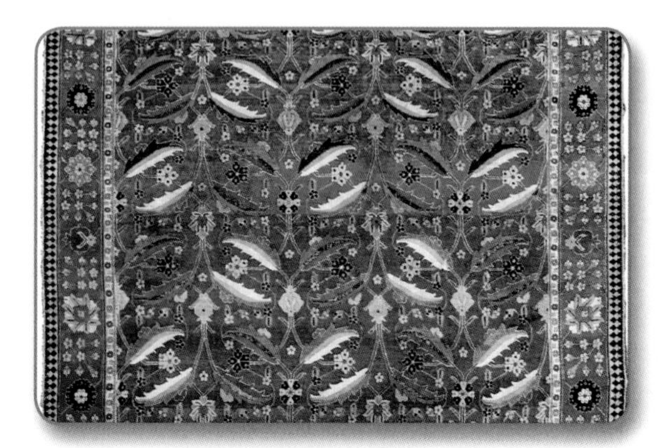

Hoher Preis für alten Teppich

Ein Auktionshaus aus Augsburg hat einer Erbin einen alten Perserteppich für 900 Euro abgekauft. Bei der ersten Auktion erzielte der Teppich einen Preis von 20 000 Euro, worüber die ehemalige Besitzerin überrascht war. Als jetzt aber das Auktionshaus den Teppich in London für 7,2 Millionen Euro verkaufte, staunte die Erbin sehr. Das Auktionshaus hatte den Wert des Teppichs nicht richtig geschätzt. Deshalb verklagt die Erbin nun den Auktionator. Der Besitzer des Auktionshauses jedoch hält sich für nicht schuldig.

b *Nicht*: Lesen Sie die Regeln und die Beispielsätze. Was passt zusammen? Notieren Sie die Regel neben dem Beispiel.

Beispiele

A Er hat das Bild nicht gesehen. 2. a
B Das Bild gefällt mir nicht. ____
C Wir konnten nicht kommen. ____
D Das Bild war nicht teuer. ____
E Ich war nicht heute im Museum. ____
F Sie waren nicht im Museum. ____
G Sie interessiert sich nicht für Kunst. ____

Stellung von *nicht* im Satz

nicht kann den ganzen Satz oder Satzteile verneinen.
1. Wenn *nicht* den ganzen Satz verneint, steht es möglichst am Ende des Satzes.
2. Aber: in der Satzverneinung steht *nicht*
   a) vor dem 2. Verbteil
   b) vor Adjektiven und Adverbien
   c) vor Präpositionalergänzungen
   d) vor lokalen Angaben.
3. Wenn *nicht* nur ein Wort verneint, steht es direkt vor diesem Wort.

c Lesen Sie die Aussagen und verneinen Sie den ganzen Satz.

Die Putzfirma hat ihre Mitarbeiter …

1. Die Putzfirma hat ihre Mitarbeiter ausreichend informiert.
2. Die Putzfrau hat die Installation berührt.
3. Die Käufer erkannten den Wert der Bilder.
4. Die meisten Affen malen gern Bilder.
5. Das Auktionshaus konnte den Teppich teuer verkaufen.
6. Die Erbin ärgerte sich über den Fehler des Auktionshauses.

d Lebendige Sätze. Bilden Sie zu zweit einen langen Satz mit *nicht* und schreiben Sie die Wörter bzw. Wortgruppen auf einzelne Zettel. Jede Gruppe verteilt nacheinander die Zettel an mehrere Personen. Diese bilden nun mit den Zetteln den korrekten Satz.

In der Ausstellung

8

a Sehen Sie das Bild von Heimrad Prem an. Wie gefällt es Ihnen? Wie könnte es heißen?

2.21 **b Hören Sie die Kommentare von Ausstellungsbesuchern zu dem Kunstwerk. Wie vielen Personen gefällt das Bild?**

2.21 **c Lesen Sie die Aussagen und hören Sie noch einmal. Was hören Sie? Kreuzen Sie an.**

Aussagen verstärken

1. Das Bild gefällt mir **total** gut. ☐
2. Das ist doch **schrecklich** banal. ☐
3. Der Künstler hat **wirklich** passende Farben gewählt. ☐
4. Das ist ein **besonders** gutes Beispiel. ☐
5. In der Ausstellung sind **richtig** tolle Bilder zu sehen. ☐
6. Die Bilder waren alle **so** schön. ☐

Aussagen abschwächen

1. Das ist doch **ziemlich** einfach gemalt. ☐
2. Das ist **nicht gerade** ein Bild, das ich mir kaufen würde. ☐
3. Ich finde das **nicht so** überzeugend. ☐
4. Es spricht mich **nicht so** an. ☐

Graduierungspartikel
In der gesprochenen Sprache verwendet man häufig Partikel wie *total, besonders, ziemlich, …*. Sie machen die Aussagen emotionaler.

d Machen Sie eine Ausstellung im Kursraum. Jeder bringt ein Foto oder eine Kopie von einem Kunstwerk mit. Hängen Sie die Kunstwerke im Kursraum auf. Gehen Sie herum und sprechen Sie mit den anderen über die Kunstwerke. Verwenden Sie dabei die Ausdrücke aus 8c.

Gespräch mit einem Regisseur

9

a Lesen Sie die Ankündigung für das Telefoninterview mit Arne Birkenstock. Welche Fragen würden Sie ihm stellen? Arbeiten Sie zu zweit und überlegen Sie sich fünf Fragen.

SONNTAGSTALK

Heute ist Arne Birkenstock bei uns am Telefon. Er ist Regisseur, Produzent, Dozent und Musiker. In seinen Dokumentarfilmen beschäftigt er sich mit so unterschiedlichen Themen wie Tango in Argentinien, einem Gerichtsschiff auf dem Amazonas, Austauschschülern in China oder deutscher Volksmusik. Für seinen Kinderfilm „Chandani und ihr Elefant" hat er den deutschen Filmpreis bekommen. Regisseur ist er eher zufällig geworden, dabei spielte auch Musik eine wichtige Rolle.

Arne Birkenstock

b Lesen Sie die Fragen aus dem Telefoninterview mit Arne Birkenstock und vergleichen Sie mit Ihren Fragen aus 9a. Welche Fragen sind ähnlich?

1. Wie sind Sie auf die Idee gekommen, Regisseur zu werden?
2. Was für eine Ausbildung haben Sie?
3. Was ist das Schöne an Ihrem Beruf?
4. Und was ist das Schwierige?
5. Wie finden Sie die Themen zu Ihren Filmen?
6. Wie lange dauert es vom ersten Drehtag bis zur ersten Filmvorführung?
7. In Ihrem Film „Sound of Heimat" geht es um die deutsche Volksmusik heute. Wie kommt es eigentlich zu diesem deutsch-englischen Titel?
8. Welchen Ihrer Filme mögen Sie selbst am liebsten?

2.22

c Hören Sie das Interview und notieren Sie zu jeder Frage ein bis zwei Informationen in Stichpunkten. Bekommen Sie auch auf Ihre Fragen aus 9a eine Antwort?

1. zufällig, ein Redakteur hat ihn angesprochen

2.22

d Vergleichen Sie Ihre Notizen mit einem Partner / einer Partnerin. Hören Sie dann noch einmal zur Kontrolle.

e Arbeiten Sie zu zweit. Besuchen Sie die Webseite von Arne Birkenstock www.arnebirkenstock.de und suchen Sie Informationen zu den folgenden Fragen.

1. Was ist sein aktuelles Projekt?
2. Wie heißt seine Band?
3. Was sind drei weitere Werke oder Projekte von Arne Birkenstock?

f Schreiben Sie ein Kurzporträt über einen Schauspieler / eine Schauspielerin oder einen Regisseur / eine Regisseurin. Erwähnen Sie nicht den Namen. Lesen Sie Ihr Porträt vor. Die anderen raten, über wen Sie geschrieben haben.

Sound of Heimat

10 a Lesen Sie die Inhaltsbeschreibung des Films „Sound of Heimat" von Arne Birkenstock. Worum geht es in dem Film?

Für „Sound of Heimat" begibt sich der Musiker Hayden Chisholm auf eine Entdeckungsreise quer durch Deutschland und trifft dabei auf alte und junge, traditionelle und moderne Volksmusiker. Auf seiner Reise begegnet er allen möglichen regionalen musikalischen Besonderheiten wie Jodeln im Allgäu und Hiphop in Köln, aber auch klassischen Volksliedern wie „Die Gedanken sind frei". Das gemeinsame Musizieren verbindet über Sprach- und Kulturgrenzen hinweg. Dass die Deutschen ein schwieriges Verhältnis zum Thema Heimat und Volksmusik haben, spielt dabei auch eine Rolle.

9

b Würden Sie den Film gern sehen? Warum (nicht)? Kennen Sie andere Filme zum Thema Musik? Sprechen Sie im Kurs.

11 a „Die Gedanken sind frei". Was bedeutet das für Sie? Sprechen Sie im Kurs.

2.23

b Hören Sie das Lied „Die Gedanken sind frei" von ca. 1810. Wie gefällt Ihnen das Lied? Warum ist der Text immer noch aktuell?

Und sperrt man mich ein im finsteren Kerker,
das alles sind rein vergebliche Werke.
Denn meine Gedanken zerreißen die Schranken
und Mauern entzwei, die Gedanken sind frei.

Mit Reimen lernen
Sie können sich Wörter oder Regeln besser merken, wenn Sie sie mit Reimen lernen. Sie können sich auch selbst etwas ausdenken und kurze Reime oder auch Gedichte und Liedzeilen auswendig lernen.

c Welche anderen deutschen Volkslieder kennen Sie? Gibt es in Ihrer Heimat auch Volkslieder? Wann singt man diese Lieder? Wie gefallen Ihnen diese Lieder? Erzählen Sie.

Sound of Heimat – Deutschland singt

12 **Welche Fotos assoziieren Sie mit *Volksmusik*, welche nicht? Diskutieren Sie die Aussagen.**

Volksmusik gehört zu jedem Fest.

Volksmusik ist langweilig und nur was für alte Leute.

Volksmusik ist Tradition Tracht, Instrumente, Lied und Tänze, alles ist alt.

Kommerzielle Volksmusik, also volkstümliche Musik ist ein großes Geschäft. Melodien und Texte sind meistens kitschig!

Volksmusik ist nicht nur zum Anschauen und Anhören, die Volksmusik lebt und entwickelt sich.

13 **a** **Sehen Sie den Trailer zum Film „Sound of Heimat" an. Was erfahren Sie über Hayden Chisholm? Was interessiert ihn besonders?**

9

9

b **Lesen Sie die Aussagen A bis E. Sehen Sie dann den Trailer noch einmal. Welche Aussage passt zu welchem Foto in 12? Ordnen Sie zu.**

A Jeden Sonntag treffen sich Leute in einem Kölner Gasthaus. Wenn man gemeinsam singt, hat man keine Angst mitzusingen. Und man kann auch mitsingen, wenn man nicht gut singen kann. Foto ____

B Die Musiker haben ein altes Volkslied, den „Schutzmann", ganz neu interpretiert. Sie haben eine Melodie gemacht, wie es ihrer Musik und ihrem Geschmack entspricht. Foto ____

C Die Musikerinnen spielen eine traditionelle Melodie, teils mit traditionellen Instrumenten, und singen dazu einen eigenen Text im Dialekt. Zwei tragen auch eine Tracht. Foto ____

D Traditionelle Musik und Landschaft gehören zusammen, die Musik klingt am besten in der Natur. Foto ____

E Die Musiker spielen einen schnellen Rhythmus und das Publikum tanzt mit Begeisterung. Foto ____

14 **Wählen Sie eine Situation und schreiben Sie eine E-Mail.**

Sie möchten den Film „Sound of Heimat" sehen und einen Freund / eine Freundin überzeugen. Schreiben Sie ihm/ihr, worum es im Film geht.	Sie möchten den Film „Sound of Heimat" nicht sehen. Antworten Sie einem Freund / einer Freundin, der/die Sie in den Film mitnehmen will.

Kurz und klar

Aussagen verstärken

Das Bild gefällt mir **total** gut.
Das ist doch **schrecklich** banal.
Der Künstler hat **wirklich** passende Farben gewählt.
Das ist ein **besonders** gutes Beispiel.
In der Ausstellung sind **richtig** tolle Bilder zu sehen.
Die Bilder waren alle **so** schön.

Aussagen abschwächen

Das ist doch **ziemlich** einfach gemalt.
Das ist **nicht gerade** ein Bild, das ich mir kaufen würde.
Ich finde das **nicht so** überzeugend.

Grammatik

Adjektivdeklination ohne Artikel

	maskulin	neutrum	feminin	Plural
Nominativ	d**er** Spaß	da**s** Stück	di**e** Gruppe	di**e** Haare
	groß**er** Spaß	neu**es** Stück	nett**e** Gruppe	lang**e** Haare
Akkusativ	de**n** Spaß	da**s** Stück	di**e** Gruppe	di**e** Haare
	groß**en** Spaß	neu**es** Stück	nett**e** Gruppe	lang**e** Haare
Dativ	de**m** Spaß	de**m** Stück	de**r** Gruppe	de**n** Haaren
	groß**em** Spaß	neu**em** Stück	nett**er** Gruppe	lang**en** Haaren
Genitiv	de**s** Spaß**es**	de**s** Stück**s**	de**r** Gruppe	de**r** Haare
	groß**en** Spaß**es**	neu**en** Stück**s**	nett**er** Gruppe	lang**er** Haare

Adjektive ohne Artikel haben die gleiche Endung wie der bestimmte Artikel:
der groß**e** Spaß → groß**er** Spaß; das neu**e** Stück → neu**es** Stück

Ausnahme! Genitiv Singular maskulin und neutrum: wegen schlecht**en** Wetter**s**, trotz lang**en** Warten**s**.
Den Genitiv ohne Artikelwort verwendet man fast nur in Verbindung mit *wegen* oder *trotz*.

Stellung von *nicht* im Satz

1. Wenn *nicht* den ganzen Satz verneint, steht es möglichst am Ende des Satzes: Mir gefällt das Bild **nicht**.
2. Aber: In der Satzverneinung steht *nicht* ...
   - vor dem 2. Verbteil: Er hat das Bild **nicht** gesehen. Wir konnten **nicht** kommen.
   - vor Adjektiven und Adverbien: Das Bild war **nicht** teuer. Sie hat **nicht** oft gemalt.
   - vor Präpositionalergänzungen: Sie interessiert sich **nicht** für Kunst.
   - vor lokalen Angaben: Sie waren **nicht** im Museum.
3. Wenn *nicht* nur ein Wort verneint, steht es direkt vor diesem Wort. Sie waren **nicht** heute im Museum, (sondern gestern).

Nicht kann den ganzen Satz oder nur bestimmte Satzteile verneinen.

Wiederholungsspiel

1 **Das Spinnennetz. Spielen Sie in Kleingruppen.**

Sie brauchen einen Würfel, ein Blatt Papier und einen Stift. Jeder Spieler hat eine Spielfigur.
Setzen Sie Ihre Spielfigur auf die Spinne in der Mitte. Sie dürfen nur entlang den Netzlinien ziehen.
Wer die höchste Zahl würfelt, beginnt. Gehen Sie zu einem Feld, das Sie mit Ihrer gewürfelten Zahl erreichen können, und lösen Sie die Aufgabe, die zum Feld gehört. Wenn Sie die Aufgabe richtig lösen, bekommen Sie die Punktzahl, die auf dem Feld steht.
Wenn Sie die Aufgabe falsch lösen, bekommen Sie keine Punkte. Wenn Sie die Aufgabe zum Teil richtig lösen, bekommen Sie weniger Punkte. Die Gruppe entscheidet, wie viele Punkte Sie abziehen müssen. Notieren Sie Ihre eigenen Punkte.
Wer zuerst 200 Punkte hat, hat gewonnen.
Jede Aufgabe kann nur einmal gelöst werden. Markieren Sie deshalb jedes richtig gelöste Feld. Kommt eine andere Person auf ein schon gelöstes Feld, bekommt sie keine Punkte mehr.

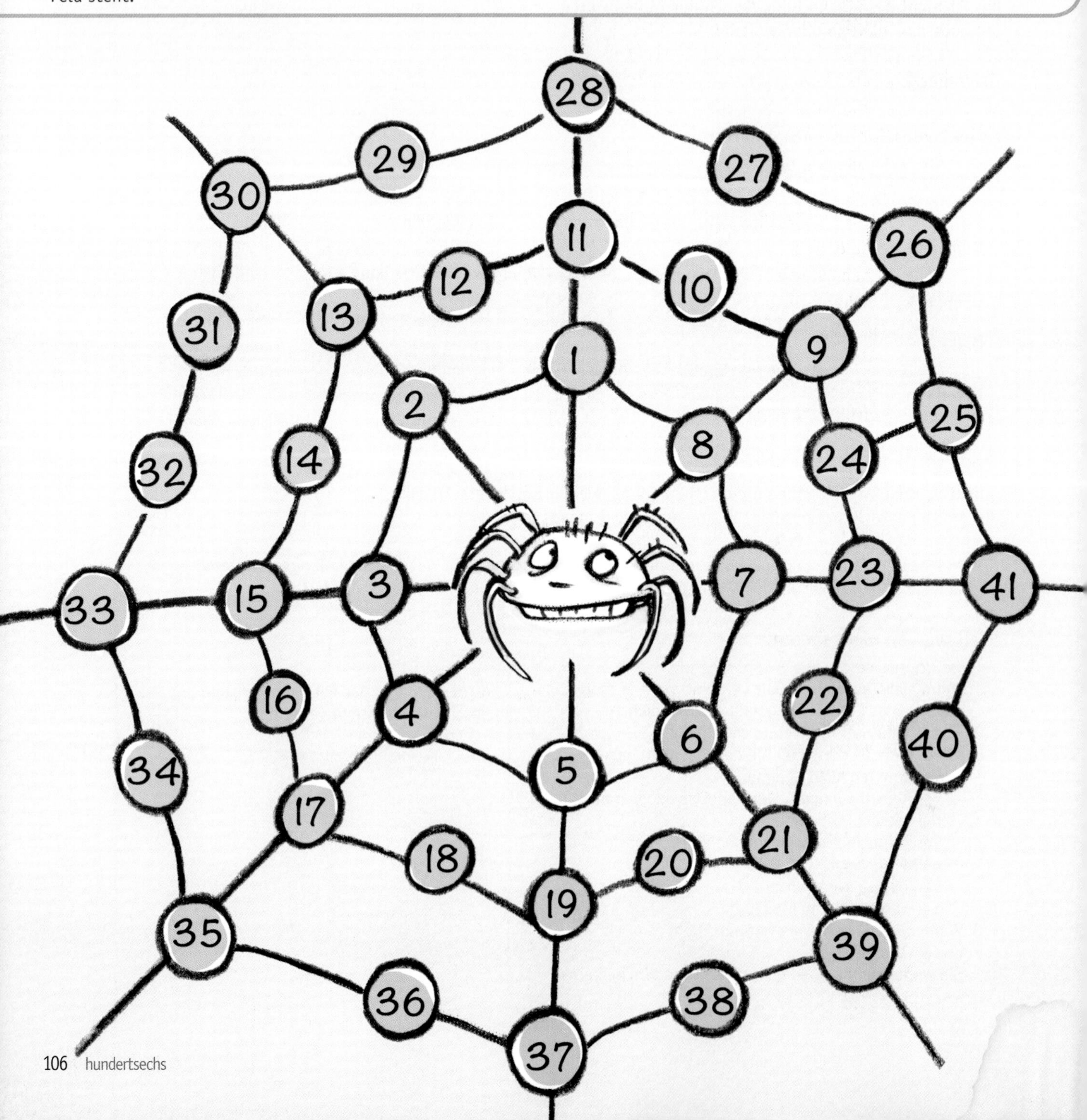

Aufgaben

1. Nennen Sie den Titel eines deutschsprachigen Films.
2. Wer arbeitet im Krankenhaus? Nennen Sie drei Berufe.
3. Welche Lebensmittel sind gesund? Nennen Sie fünf.
4. Ergänzen Sie den Satz: *Bis ich nach Deutschland fahre, ...*
5. Ergänzen Sie den Satz: *Seit ich Deutsch lerne, ...*
6. Ergänzen Sie den Satz: *Während wir im Kurs sind, ...*
7. Was bedeutet *Lampenfieber*? Erklären Sie.
8. Nennen Sie drei berühmte deutsche Künstler oder Künstlerinnen.
9. Was ist ein *Ohrwurm*? Erklären Sie.
10. Erklären Sie, was eine *Patchwork-Familie* ist.
11. Im Krankenhaus: Nennen Sie drei typische Dinge.
12. Verneinen Sie den Satz: *Die Deutschlehrerin war gestern krank.*
13. Nennen Sie drei Dinge, über die sich Paare oft streiten.
14. Ihr Freund ist krank. Sie bieten ihm Ihre Hilfe an. Was sagen Sie?
15. Jemand bietet Ihnen Hilfe an. Sie lehnen höflich ab. Was sagen Sie?
16. Bilden Sie einen Satz mit *bevor.*
17. In Innsbruck gibt es viele Kunstwerke. Nennen Sie zwei.
18. In welcher Reihenfolge machen Sie das? Erzählen Sie: *sich die Haare kämmen, sich die Zähne putzen, sich die Schuhe anziehen*
19. Bilden Sie einen Satz im Plusquamperfekt: *nachdem Prüfung machen – Freunde besuchen*
20. Ergänzen Sie die Anzeige: *Suche* ______________ *Tandempartnerin mit sehr* ______________ *Deutschkenntnissen.*
21. Ergänzen Sie die Anzeige: *Bieten Platz in* ______________ *Deutschkurs mit* ______________ *Menschen.*
22. Sagen Sie es diplomatisch: *Das Radio ist zu laut. Das nervt mich total.*
23. Was ist Ihr Lieblingslied oder Ihre Lieblingsband? Warum? Erzählen Sie.
24. Was hat Ihnen in Ihrer Schule gut gefallen? Erzählen Sie.
25. Ergänzen Sie den passenden zweiteiligen Konnektor: *Er mag Musik sehr gern. Ihm gefällt* ______________ *Popmusik* ______________ *klassische Musik.*
26. Was haben Sie gemacht, nachdem Sie die Schule abgeschlossen hatten?
27. Bilden Sie einen Satz mit *einerseits ... andererseits: ins Konzert gehen, Tickets zu teuer*
28. Welche Wirkung hat Musik auf Sie? Erzählen Sie.
29. Was mögen Sie nicht? Verwenden Sie den zweiteiligen Konnektor *weder ... noch.*
30. Welche Partikel schwächen eine Aussage ab? Nennen Sie zwei und verwenden Sie sie in diesem Satz: *Die Hausaufgabe war schwer.*
31. Welche Partikel verstärken eine Aussage? Nennen Sie zwei und verwenden Sie sie in diesem Satz: *Die Feier war lustig.*
32. Wo steht *nicht* im Satz? Nennen Sie zwei Regeln.
33. Hören Sie gern Volkslieder? Warum (nicht)? Erzählen Sie.
34. Sie warten vor dem Kino auf eine Freundin. Sie ruft an und sagt das Treffen ab. Was sagen Sie?
35. An welches Ereignis in Ihrer Kindheit erinnern Sie sich noch gut? Warum? Erzählen Sie.
36. Wann haben Sie das letzte Mal etwas vergessen, z.B. einen Geburtstag? Erzählen Sie.
37. Welches Kunstwerk gefällt Ihnen? Warum? Erzählen Sie.
38. Wie sollte Ihrer Meinung nach eine gute Schule sein? Erzählen und begründen Sie.
39. Welchen Film haben Sie zuletzt gesehen? Erzählen Sie kurz den Inhalt.
40. Wie lernen Sie schwierige deutsche Wörter? Erzählen Sie.
41. Reimen Sie: *Das Spiel ist nun aus –* ______________________

Märchenhaft

2 a **Welche Märchen aus Deutschland oder aus Ihrem Land kennen Sie? Wie beginnen Märchen oft? Wie enden sie? Liest oder erzählt man bei Ihnen noch Märchen? Berichten Sie.**

b **Was sind typische Figuren in Märchen? Sammeln Sie.**

die Königin, ...

3 a **Sehen Sie die Bilder an. Kennen Sie das Märchen vielleicht? Oder kommt Ihnen eine Szene bekannt vor?**

b **Lesen Sie den Text und bringen Sie die Bilder in die richtige Reihenfolge.**

Rumpelstilzchen

Es war einmal ein Müller, der war arm, aber er hatte eine schöne Tochter. Nun sagte er eines Tages zum König: „Ich habe eine Tochter, die kann Stroh zu Gold spinnen." Der König sagte: „Wenn deine Tochter so geschickt ist, wie du sagst, so bring sie morgen in mein Schloss, da will ich sie auf die Probe stellen."
Als nun das Mädchen zu ihm gebracht wurde, führte er es in eine Kammer, die ganz voll Stroh lag, gab ihr
5 ein Spinnrad und sprach: „Jetzt mache dich an die Arbeit, und wenn du heute Nacht das Stroh nicht zu Gold gesponnen hast, musst du sterben." Da saß nun die arme Müllerstochter allein in der Kammer und wusste keinen Rat. Sie konnte gar nicht Stroh zu Gold spinnen, und ihre Angst wurde immer größer, sodass sie zu weinen anfing. Da öffnete sich die Tür und ein kleines Männchen trat herein und sprach: „Guten Abend, warum weinst du so sehr?" „Ach", antwortete das Mädchen, „ich soll Stroh zu Gold spinnen und kann das
10 nicht." Da sprach das Männchen: „Was gibst du mir, wenn ich es dir spinne?" „Mein Halsband", sagte das Mädchen. Das Männchen nahm das Halsband, setzte sich vor das Rädchen, und schnurr, schnurr, schnurr, dreimal gezogen, war die Spule voll. Dann steckte es eine andere auf, und schnurr, schnurr, schnurr, dreimal gezogen, war auch die zweite Spule voll. Am Morgen war das Stroh versponnen, und alle Spulen waren voll Gold. Bei Sonnenaufgang kam schon der König, und als er das Gold
15 sah, freute er sich, aber sein Herz wurde nur noch goldgieriger. Er ließ die Müllerstochter in eine andere Kammer bringen, die noch viel größer war und befahl ihr, auch dieses Stroh in einer Nacht zu Gold zu spinnen. Das Mädchen weinte. Da ging wieder die Tür auf. Das kleine Männchen erschien und sprach: „Was gibst du mir, wenn ich dir das Stroh zu Gold spinne?" „Meinen Ring von dem Finger", antwortete das Mädchen. Das Männchen nahm den Ring, fing wieder an zu schnurren mit dem Rad und hatte bis zum Morgen alles
20 Stroh zu Gold gesponnen. Der König hatte aber immer noch nicht genug Gold und ließ die Müllerstochter in

eine noch größere Kammer voll Stroh bringen und sprach: „Die musst du noch in dieser Nacht verspinnen. Gelingt dir es, so sollst du meine Frau werden." Als das Mädchen allein war, kam das Männlein zum dritten Mal wieder und sprach: „Was gibst du mir, wenn ich dir auch diesmal das Stroh spinne?" „Ich habe nichts mehr, das ich dir geben könnte", antwortete das Mädchen. „So versprich mir, wenn du Königin wirst, dein
25 erstes Kind." Die Müllerstochter wusste sich in der Not nicht anders zu helfen; sie versprach also dem Männchen, was es verlangte, und das Männchen spann dafür noch einmal das Stroh zu Gold.
Und als am Morgen der König alles fand, wie er gewünscht hatte, heiratete er die schöne Müllerstochter und sie wurde Königin. Im nächsten Jahr brachte sie ein Kind zur Welt und dachte gar nicht mehr an das Männchen. Da trat es plötzlich in ihre Kammer und sprach: „Nun gib mir, was du versprochen hast." Die
30 Königin erschrak und bot dem Männchen alle Reichtümer des Königreichs an, wenn es ihr das Kind lassen wollte, aber das Männchen sprach: „Nein, etwas Lebendes ist mir lieber als alle Schätze der Welt." Da fing die Königin so an zu jammern und zu weinen, dass das Männchen Mitleid hatte: „Drei Tage will ich dir Zeit lassen", sprach es, „wenn du bis dahin meinen Namen weißt, so sollst du dein Kind behalten."
Nun überlegte die Königin die ganze Nacht und dachte an alle Namen, die sie jemals gehört hatte. Sie
35 schickte einen Boten aus, der sich erkundigen sollte, was es sonst noch für Namen gab. Als am nächsten Tag das Männchen kam, fing sie an mit „Caspar, Melchior, Balthasar" und sagte alle Namen, die sie wusste, aber bei jedem sprach das Männlein: „So heiß ich nicht." Am zweiten Tag ließ sie in der Nachbarschaft herumfragen, wie die Leute da hießen, und sagte dem Männlein die ungewöhnlichsten und seltsamsten Namen vor. Aber es antwortete immer: „So heiß ich nicht." Am dritten Tag kam der Bote wie-
40 der zurück und erzählte: „Ich konnte keinen einzigen neuen Namen finden, aber ich sah im Wald ein kleines Haus, und vor dem Haus brannte ein Feuer, und um das Feuer sprang ein lächerliches Männchen, hüpfte auf einem Bein und schrie: „Heute back' ich, morgen brau' ich, übermorgen hol' ich der Königin ihr Kind; ach, wie gut, dass niemand weiß, dass ich Rumpelstilzchen heiß!"
45 Die Königin war sehr froh, als sie den Namen hörte, und als bald danach das Männlein hereintrat und fragte: „Nun, Frau Königin, wie heiß ich?" Da fragte sie erst: „Heißt du Kunz?" „Nein." „Heißt du Heinz?" „Nein." „Heißt du etwa Rumpelstilzchen?" „Das hat dir der Teufel gesagt, das hat dir der Teufel gesagt!", schrie das Männlein und packte in seiner
50 Wut den linken Fuß mit beiden Händen und riss sich selbst mitten entzwei.

Gebrüder Grimm
Jakob Grimm (1785–1863) und Wilhelm Grimm (1786–1859) waren Sprachwissenschaftler und die Sammler und Herausgeber von Märchen. Neben ihren weltberühmten Märchensammlungen veröffentlichten sie auch „Das deutsche Wörterbuch" und „Die deutsche Grammatik". Sie gelten als Gründungsväter der Germanistik.

c **Wie sind die Personen in diesem Märchen? Arbeiten Sie zu zweit und notieren Sie Stichpunkte zu ihren Charakteren. Vergleichen Sie dann im Kurs.**

König: will noch reicher werden, ...
Müller: ...
Müllerstochter: ...
Rumpelstilzchen: ...

d **Erstellen Sie einen Zeitstrahl zu den Ereignissen in dem Märchen.**

Müller spricht mit König

4

Theater-Projekt: ein Märchen spielen. Bilden Sie Gruppen und wählen Sie ein Märchen („Rumpelstilzchen" oder ein anderes Märchen). Bearbeiten Sie folgende Punkte.

- Entscheiden Sie, welche Szenen Sie vorspielen wollen und was der Erzähler sagt.
- Schreiben Sie ein Drehbuch und erfinden Sie Dialoge für die Szenen im Märchen.
- Verteilen Sie die Rollen (Erzähler, König, Prinzessin, ...)
- Besorgen Sie die Gegenstände, die Sie brauchen.
- Üben Sie Ihr Theaterstück.
- Spielen Sie das Märchen vor.

Lernziele

Texte über soziales Engagement verstehen und darüber sprechen
Vorgänge beschreiben
einen Zeitungsartikel verstehen
Projekte und Vorgänge beschreiben
über Projekte sprechen
Informationen über die EU verstehen
eine kurze Präsentation halten

Grammatik

Passiv Präsens, Präteritum und Perfekt
Passiv mit Modalverben
Präpositionen mit Genitiv: *innerhalb, außerhalb*

Miteinander

1 **a** **Werte in der Gesellschaft. Arbeiten Sie zu zweit. Welche Begriffe passen zu welchem Bild? Ordnen Sie zu.**

die Gerechtigkeit • die Freiheit • die Zivilcourage • die Gesundheit • die Fairness • die Demokratie • die Rücksicht • die Bildung • die Sicherheit • der Respekt • die Ehrlichkeit • die Hilfsbereitschaft • die Toleranz • die Gleichberechtigung

Wortschatz AB **b** **Vergleichen Sie Ihre Zuordnungen mit einem anderen Team.**

2

2.24–26

a Welche Werte finden die Menschen besonders wichtig? Hören Sie und notieren Sie in der Tabelle.

	Person 1	Person 2	Person 3
Werte			
Gründe/Beispiele			

2.24–26

b Hören Sie noch einmal. Welche Gründe/Beispiele nennen die Personen? Notieren Sie Stichpunkte in der Tabelle.

c Welche Werte finden Sie für das Leben in einer Gesellschaft am wichtigsten? Begründen Sie.

Für mich ist Toleranz wichtig, weil ich meine Religion ausüben möchte.

Ich finde Bildung sehr wichtig, weil Bildung die Zukunft sichert.

Freiwillig

3

a Soziales Engagement. Sehen Sie die Fotos an. Was denken Sie: Für wen oder was setzen sich die Leute ein? Was machen sie?

b Arbeiten Sie zu dritt. Jeder liest einen Text und macht Notizen zu den Fragen. Informieren Sie dann die anderen über Ihren Text.

Was machen die freiwilligen Helfer? Wem oder wann helfen sie? Welche wichtigen Informationen oder Zahlen über die Organisation gibt es?

A Freiwillige Feuerwehr

Besonders auf dem Land und in kleineren Städten engagieren sich viele Menschen bei der Freiwilligen Feuerwehr. Alle Vereinsmitglieder werden in Erster Hilfe ausgebildet und machen verschiedene Lehrgänge. In der Stadt unterstützen sie die

Berufsfeuerwehr, z. B. wenn es brennt, bei Unfällen oder Hochwasser. Die Freiwillige Feuerwehr in Frankfurt Ginnheim rückt z. B. jährlich zwischen 40- bis 60-mal aus. Auf dem Land müssen sie Einsätze oft allein bewältigen. Die Feuerwehrleute werden von der Zentrale alarmiert. Das kann zu jeder Tages- oder Nachtzeit sein. Immer dann, wenn andere Menschen Hilfe brauchen.

B Die *Tafel*

Käse, Braten, Soße, Margarine oder sogar frische Möhren – in Deutschland werden täglich viele Tonnen Lebensmittel vernichtet, obwohl

man sie noch essen kann. Gleichzeitig gibt es viele Menschen, die nicht genug zu essen haben. Lebensmittel werden oft weggeworfen, besonders von Supermärkten und Kantinen. Die Lebensmittel, die qualitativ noch gut sind, werden von der *Tafel* gesammelt und an arme Menschen verteilt. Viele Lebensmittel werden von Firmen gespendet. Die *Tafel* ist in ganz Deutschland aktiv. 1,5 Millionen Menschen werden unterstützt, ein Drittel davon sind Kinder und Jugendliche. 50 000 Menschen engagieren sich ehrenamtlich für die Organisation. Allein in Köln gibt es 38 Ausgabestellen, wo bedürftige Menschen diese Lebensmittel abholen können.

C Patenschaften

Eine gute Möglichkeit, sich für die Gesellschaft zu engagieren, ist Pate zu sein. Manche Familien haben Schwierigkeiten, den Alltag allein zu bewältigen. Diese Familien werden von Paten unterstützt. Paten helfen bei Behördengängen, bei der Wohnungs- und Arbeitssuche und bei den Hausaufgaben der Kinder. Viele Paten kümmern sich zum Beispiel um ein Kind, unternehmen etwas mit ihm und hören bei Problemen zu. Normalerweise trifft sich ein Pate einmal pro Woche mit der Familie bzw. dem Kind. So entstehen oft auch Freundschaften und der Pate begleitet die Familie manchmal über viele Jahre. Die Kontakte werden von vielen Organisationen

vermittelt, die meist in Broschüren über ihre Arbeit informieren. So eine Organisation ist z. B. BiffyBerlin. Dieser Verein ist 2004 gegründet worden und hat inzwischen zahlreiche Patenschaften vermittelt.

c Freiwillige Feuerwehr, die *Tafel* oder Patenschaften. Welche Organisation gefällt Ihnen am besten? Wo würden Sie selbst gern mithelfen? Begründen Sie.

Ich würde mich gern als Pate engagieren, denn …

Die Tafel gefällt mir am besten, weil …

Ich könnte mir vorstellen, bei …

4

a Aktiv und Passiv. Lesen Sie Text B noch einmal, ergänzen Sie die Passivsätze aus dem Text.

Aktiv → Wer tut etwas?	**Passiv → Was passiert?**
1. Supermärkte werfen oft Lebensmittel weg.	1. ______________________
2. Firmen spenden viele Lebensmittel.	2. ______________________
3. Die Organisation unterstützt 1,5 Millionen Menschen.	3. ______________________

Aktiv
Die *Tafel* verteilt **die Lebensmittel.**
Akkusativ
Passiv
Die Lebensmittel werden verteilt.
Nominativ + *werden* + Partizip II

b Gibt es in Ihrer Sprache eine Passivform? Wie bildet man sie?

c Ein Tag bei der *Tafel*. Was passiert? Formulieren Sie Sätze im Passiv.

1. Tagesablauf planen – morgens
2. Lebensmittel einsammeln – am Vormittag
3. mittags – Lebensmittel zu den Ausgabestellen bringen
4. am Nachmittag – Lebensmittel verteilen

1. Morgens wird der Tagesablauf geplant.

5

a Passiv in der Vergangenheit. Lesen Sie den Text und markieren Sie die Passivformen. Ergänzen Sie dann den Grammatikkasten.

Die erste deutsche *Tafel* wurde 1993 in Berlin gegründet. Das Konzept dazu wurde aus den USA übernommen. Durch das große Interesse der Medien wurde die Idee der *Tafel* schnell im ganzen Land verbreitet. Mittlerweile sind bundesweit mehr als 900 *Tafeln* gegründet worden.

Für das **Passiv in der Vergangenheit** verwendet man meistens das Präteritum.

Passiv in der Vergangenheit

Präteritum: ______________ + Partizip II | Perfekt: *sein* + Partizip II + ______________

b Bei der freiwilligen Feuerwehr. Was ist hier passiert? Schreiben Sie Passivsätze im Präteritum.

ein Feuer melden

die Feuerwehrleute alarmieren

den Brand löschen

die Bewohner retten

6

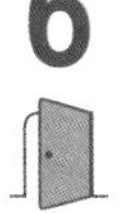

Welche sozialen Projekte gibt es in Ihrem Land? Für wen oder was würden Sie sich gern engagieren (z. B. für die Umwelt, für Kinder, für alte Menschen, ...)? Recherchieren Sie dazu im Internet ein interessantes Projekt. Schreiben Sie einen kurzen Text, ähnlich wie in Aufgabe 3b.

Mini-München

7

a Alltag in einer Stadt. Was passt zusammen? Notieren Sie.

die Straßen	den Bürgermeister
den Müll	Geld
einen Ausweis	ein Grundstück
das Gehalt	die Arbeitszeiten

wählen • erhalten • eintragen • ~~reinigen~~ • entsorgen • kaufen • sparen • auszahlen

die Straßen reinigen
...

b Lesen Sie den Text und erklären Sie in ein bis zwei Sätzen, was Mini-München ist.

Mini-München

Alle zwei Jahre organisieren Kinder in München zwei Wochen lang eine Stadt: Mini-München. Die Kinder machen alles selbst und lernen, wie eine Stadt funktioniert.

Mini-München gibt es bereits seit 1979. Eine große Halle im Olympiapark wird zu einer Stadt für Kinder von 7 bis 15 Jahren. Bis zu 2000 Kinder kommen täglich. Eltern sind nur als Besucher in der Spielstadt willkommen, sie 5 dürfen nicht mitmachen. Die meiste Zeit warten sie außerhalb des Spielstadt-Gebiets im Eltern-Café.

Wie funktioniert Mini-München?
In einer Stadt muss viel erledigt werden: Der Müll muss entsorgt werden, Straßen müssen gereinigt werden, 10 Menschen suchen Arbeit beim Jobcenter, gehen arbeiten und bekommen dafür Gehalt. Das Gehalt muss ausgezahlt werden, Restaurants müssen geführt werden, es gibt eine Uni, ein Theater, ein Kino, eine Zeitung, ein Kaufhaus und vieles mehr. Der Bürgermeister der 15 Stadt muss gewählt werden und, und, und. In Mini-München organisieren und machen das alles die Kinder – und zwar ganz demokratisch. Und wenn etwas nicht gut funktioniert, dann droht schon auch mal Streik – wie im letzten Jahr an der Mini-München-Hochschule.

20 Beim ersten Besuch erhalten die Kinder einen Mini-München-Ausweis. Es gibt wenige und klare Regeln, sodass jeder sofort mitspielen kann. In den Ausweis werden Arbeits- und Studienzeiten eingetragen. Im Jobcenter suchen sich die Kinder dann aus mehr als 800 25 Arbeitsplätzen eine freie Stelle. Innerhalb einer Stunde sind fast alle Arbeitsplätze besetzt. Das verdiente Spielgeld kann – nach Abzug einer Steuer – entweder gespart oder im Kaufhaus, 30 Gasthaus, Kino oder Theater ausgegeben werden. Über 500 Studienplätze werden täglich angeboten. Wer vier Stunden gearbeitet und vier 35 Stunden studiert hat, kann „Vollbürger" werden. „Vollbürger" dürfen wählen und können sich zum Beispiel als Bürgermeister wählen lassen. Sie können ein Grund- 40 stück kaufen und ein Haus bauen.

In allen Bereichen innerhalb der Spielstadt übernehmen die Kinder die Berufe: Zum Beispiel arbeiten sie als Köche und kochen die Speisen im Gasthaus oder sie schreiben die Artikel für die Zeitung. Sie organi- 45 sieren, wer welche Arbeit macht, sie bestimmen das Gehalt, den Ein- und Verkauf und die Preise. Kurz: Sie sorgen völlig selbstständig dafür, dass die Stadt funktioniert. Mini-München ist auch global und international: In Mini-München eröffnen die Kinder 50 Botschaften verschiedenster Länder. Außerdem gibt es weltweit inzwischen ähnliche Projekte, z. B. in Japan. Aus vielen Ländern (z. B. auch aus Indien) reisen Jugendgruppen an, um bei Mini-München mitzumachen und gleichzeitig ihr Deutsch zu verbessern.

***außerhalb* und *innerhalb* + Genitiv**
Die Eltern warten **außerhalb des** Stadt-Gebiets.
Innerhalb einer Stunde ist alles besetzt.

c Lesen Sie den Text noch einmal. Welche Aussagen sind richtig? Kreuzen Sie an.

Mini-München ...

1 ist ein Spiel, bei dem Kinder eine Stadt organisieren.
2 gibt es seit über 30 Jahren.
3 findet jährlich in München statt.
4 wird von den Eltern der Kinder organisiert und betreut.

In Mini-München ...

5 können Kinder Dinge tun, die sonst nur Erwachsene machen.
6 müssen die Kinder selbst Müll wegräumen und alles sauber halten.
7 wird das Essen von ausgebildeten Köchen zubereitet.
8 darf nicht gestreikt werden.

d Wie finden Sie die Idee von Mini-München? Würden Sie Ihre Kinder dorthin schicken? Diskutieren Sie mit einem Partner / einer Partnerin.

Ich habe keine Kinder, aber die Idee von Mini-München ist doch toll, stimmt's?

Ja. Ich würde ...

2.27

Gut gesagt: Partikel bei Fragen

Mini-München war toll, **stimmt's**?
Das war super, **gell**? (im Süden)
Wir gehen morgen wieder hin, **ne**? (im Norden)
Wir machen in zwei Jahren wieder mit, **oder**?

8

a Passiv mit Modalverb. Lesen Sie in 7b noch einmal die Zeilen 7–9 und ergänzen Sie die Sätze.

In einer Stadt ____________ viel ______________________________.

Der Müll ______________________________.

Straßen ______________________________.

Passiv mit Modalverb

In der Stadt **muss** viel **gemacht werden**.
Modalverb + Partizip II + *werden*

b Was muss hier alles gemacht werden?

den Müll entsorgen • die Straßenlaterne reparieren • das Geschirr abräumen • die Lieferung in den Keller bringen • die Blumen gießen • die Fenster putzen

9

2.28

a Satzmelodie: Kontrastakzente in *oder*-Fragen. Hören Sie die Sätze und markieren Sie die stark akzentuierten Kontrastwörter.

1. Finden Sie den Text über Mini-München interessant oder uninteressant?
2. Möchten Sie mehr über das Projekt erfahren oder haben Sie genug Informationen bekommen?
3. Hätten Sie als Kind gerne bei Mini-München mitgemacht oder lieber nicht?

2.29

b Lesen Sie die Sätze laut und achten Sie auf die Satzmelodie mit Kontrastakzenten. Hören Sie zur Kontrolle.

1. Willst du den Text morgen oder nächste Woche schreiben?
2. Hast du dich schon für ein Projekt entschieden oder überlegst du noch?
3. Sollen wir heute zusammen lernen oder machen wir das lieber am Wochenende?

Europa

10 a Was fällt Ihnen zu Europa und der Europäischen Union (EU) ein? Sammeln Sie an der Tafel.

b Lesen Sie den kurzen Text über die EU. Welche Informationen sind neu? Ergänzen Sie die Sammlung in 10a.

Nach dem Zweiten Weltkrieg beschlossen die Politiker in Europa, besser zusammenzuarbeiten, um Kriege in Zukunft zu vermeiden. Sie waren sich sicher, dass Länder, die wirtschaftlich eng zusammenarbeiten, keinen Grund mehr haben, Krieg zu führen. So gründeten zunächst sechs Staaten 1952 die Europäische Gemeinschaft. Aus dieser Gemeinschaft wurde dann 1992 mit dem Vertrag von Maastricht die Europäische Union.
Seit es die EU gibt, ist einiges passiert: Seit 2002 benutzen immer mehr EU-Länder dasselbe Geld, den Euro. Die Bürgerinnen und Bürger der EU können seit 1995 ohne Grenzkontrollen reisen, in anderen EU-Ländern studieren und arbeiten und in der ganzen EU Waren und Dienstleistungen kaufen. Aber natürlich gibt es auch Kritik an der EU. Skeptiker befürchten z. B., dass die nationalen Besonderheiten der einzelnen EU-Länder verschwinden könnten.

c Ordnen Sie Ihre Sammlung aus 10a und b thematisch und erstellen Sie eine Übersicht (Tabelle, Mindmap, ...).

11 a Eine Präsentation über die EU. Hören Sie den Vortrag. Welche Themen aus Ihrer Übersicht kommen vor? Vergleichen Sie.

2.30

b Hören Sie noch einmal. Was passt zusammen? Verbinden Sie.

2.30

1. Sechs Länder wollten 1952
2. Ihr Ziel war,
3. Dabei sagt das Motto der EU, dass
4. Die Vorteile der EU sind, dass

A jedes Land seine eigenen Traditionen bewahren kann.
B es gemeinsames Geld und keine Grenzkontrollen gibt und dass alle EU-Bürger in allen EU-Ländern arbeiten oder studieren können.
C wirtschaftlich eng zusammenarbeiten.
D nie wieder einen Krieg zu führen.

c Wie sollte ein Vortrag aufgebaut sein? Ordnen Sie die Teile in die Übersicht.

die wichtigsten Punkte zusammenfassen • Beispiele nennen • Vor- und Nachteile nennen • Informationen zum Thema geben • sich bedanken • über eigene Erfahrungen sprechen • die eigene Meinung sagen • das Thema vorstellen • Inhalt und Struktur der Präsentation erklären

Einleitung	Hauptteil	Schluss

d Erinnern Sie sich oder hören Sie noch einmal. Was hat Ihnen an dem Vortrag gut gefallen, was hat Ihnen nicht so gut gefallen? Lesen Sie die Tipps und formulieren Sie im Kurs noch weitere Tipps für Präsentationen oder Vorträge.

Tipps für eine Präsentation / einen Vortrag
Notieren Sie nur Stichpunkte, keine ganzen Sätze.
Lesen Sie nicht vom Blatt ab, sondern sprechen Sie frei.
Sehen Sie Ihr Publikum an.

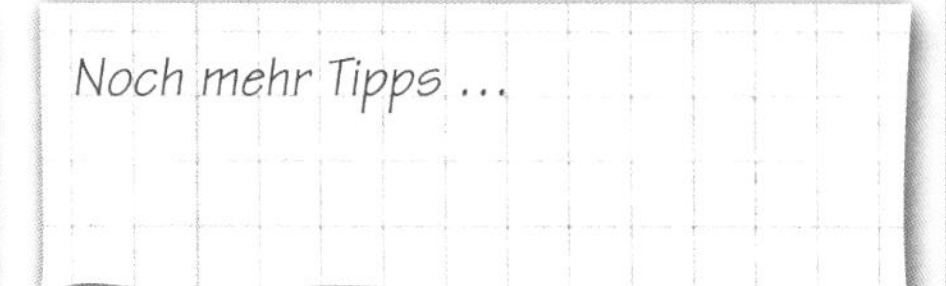

10

12

a Wählen Sie nun ein Thema und bereiten Sie eine Präsentation vor. Machen Sie Notizen und nutzen Sie auch die Checkliste in 11c.

Praktikum im Ausland • Sprachen in der EU • Reisen in Europa • Freiwilliges Engagement • Wählen schon mit 16 • Traditionen in Europa • ...

b Arbeiten Sie zu zweit. Jeder bereitet seine Präsentation vor und übt sie dann mit einem Partner / einer Partnerin. Er/Sie gibt ein Feedback. Beachten Sie die Tipps in 11d und verwenden Sie die Ausdrücke im Kasten.

Einleitung
Ich mache heute eine Präsentation zum Thema ...
Mein Thema heute ist ...

Ich spreche über folgende Punkte: ...
Meine Präsentation ist folgendermaßen gegliedert: ...

Hauptteil
Zu meiner ersten Frage / meinem ersten Punkt: ...
Damit komme ich zum zweiten Punkt.
Ich möchte ein Beispiel nennen: ... / Ich gebe Ihnen ein Beispiel: ...
Ich bin der Meinung, dass ...
Meiner Meinung nach sollte/könnte ...

Schluss
Abschließend möchte ich kurz zusammenfassen: ...
Zum Schluss möchte ich noch einmal sagen, dass ...

Vielen/Herzlichen Dank für Ihre Aufmerksamkeit.

Gibt es / Haben Sie noch Fragen zum Thema?

c Halten Sie Ihren Vortrag jetzt im Kurs.

d Sprechen Sie mit einem neuen Partner / einer neuen Partnerin. Welche Tipps aus Aufgabe 11 haben Ihnen geholfen, was könnten Sie bei Ihrer nächsten Präsentation besser machen?

Was ist ein Simultanübersetzer?

13 **Was macht ein Simultanübersetzer? Wo arbeitet er/sie? Was muss er/sie besonders gut können? Sammeln Sie in Gruppen.**

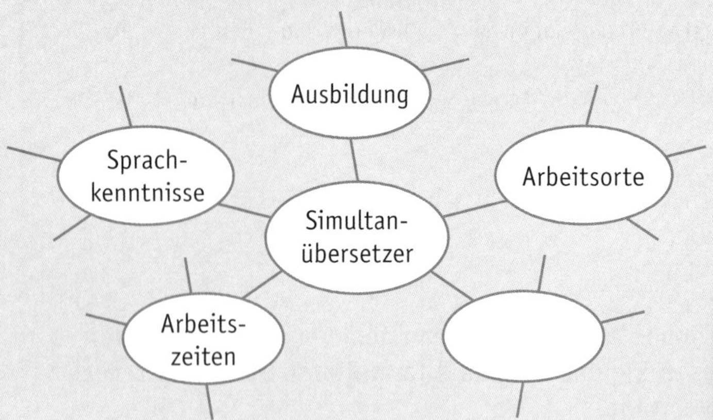

14 a **Sehen Sie den Film an. Wo sind die Personen? Was machen sie? Warum?**

10

b **Sehen Sie den Film noch einmal. Simultanübersetzer unterteilen Sprachen bzw. Sprachkenntnisse sehr strikt. Welche Erklärung passt zu welcher Sprache? Verbinden Sie.**

10

A-Sprache	1. Man kann aus dieser Sprache übersetzen, aber nicht in sie.
B-Sprache	2. Die Muttersprache, in die übersetzt wird.
C-Sprache	3. Weitere Sprache, in die und aus der übersetzt werden kann.

c **Der Beruf Simultanübersetzer ist anstrengend. Welche Lösungen werden dafür im Film genannt? Kreuzen Sie an.**

1. Nach spätestens einer halben Stunde machen die Übersetzer eine Pause. ☐
2. Sie nehmen nicht so viele Aufträge an. ☐
3. Simultanübersetzer arbeiten oft zu zweit. ☐
4. Sie übersetzen normalerweise nur in ihre Muttersprache. ☐

d **Lesen Sie die folgende Aussage aus dem Film. Können Sie ihr zustimmen oder nicht? Sprechen Sie im Kurs und begründen Sie.**

„Man beherrscht keine Sprache so gut wie die Muttersprache. Das liegt an Gefühlen und Erfahrungen, die wir nur in der Muttersprache machen und deshalb auch nur mit ihr assoziieren."

15 a **Machen Sie ein kleines Experiment. Arbeiten Sie zu dritt und spielen Sie Dialoge zu den Situationen 1 bis 3. Jeweils zwei Personen sprechen miteinander auf Deutsch. Die dritte Person versucht, diesen Dialog simultan, also gleichzeitig, in ihre Muttersprache zu übersetzen.**

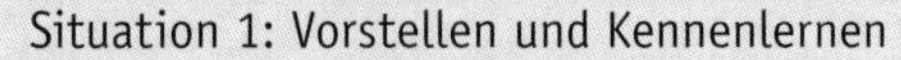

Situation 1: Vorstellen und Kennenlernen
Situation 2: Im Kaufhaus
Situation 3: Im Restaurant

b **Können Sie sich vorstellen, Simultanübersetzer zu werden? Warum? Warum nicht?**

Ich finde, das ist ein toller Beruf. Man lernt viele Menschen kennen. …

Kurz und klar

Eine Präsentation halten

Einleitung

Ich mache heute eine Präsentation zum Thema ...
Mein Thema heute ist ...

Ich spreche über folgende Punkte: ...
Meine Präsentation ist folgendermaßen gegliedert: ...

Hauptteil

Zu meiner ersten Frage / meinem ersten Punkt: ...
Damit komme ich zum zweiten Punkt.
Ich möchte ein Beispiel nennen: ... / Ich gebe Ihnen ein Beispiel: ...
Ich bin der Meinung, dass ...
Meiner Meinung nach sollte/könnte ...

Schluss

Abschließend möchte ich kurz zusammenfassen: ...
Zum Schluss möchte ich noch einmal sagen, dass ...

Vielen/Herzlichen Dank für Ihre Aufmerksamkeit.

Gibt es noch Fragen? / Haben Sie noch Fragen zum Thema?

Grammatik

Passiv

Aktiv → **Wer** tut etwas?	Die *Tafel* verteilt **die Lebensmittel**. (Akkusativ)
Passiv → **Was** passiert?	**Die Lebensmittel** werden verteilt. **Die Lebensmittel** werden von der *Tafel* verteilt. (Nominativ)

Wenn man weiß, wer etwas tut, kann man den Akteur im Passivsatz mit *von* + Dativ nennen.

Bildung des Passivs

Präsens	*werden* + Partizip II	Die Feuerwehr **wird alarmiert**.
Präteritum	*wurde* + Partizip II	Die Feuerwehr **wurde alarmiert**.
Perfekt	*sein* + Partizip II + **worden**	Die Feuerwehr **ist alarmiert worden**.

Passiv mit Modalverb

Modalverb + Partizip II + *werden* im Infinitiv	Die Lampe	**muss**	**repariert**	**werden**.
	Das Spielgeld	**kann**	**gespart**	**werden**.

Präpositionen mit Genitiv: *innerhalb, außerhalb*

Lokale Bedeutung

Innerhalb der Spielstadt übernehmen die Kinder alle Berufe.
Die Eltern warten **außerhalb des** Stadt-Gebiet**s**.

Temporale Bedeutung

Innerhalb einer Stunde sind alle Arbeitsplätze besetzt.
Außerhalb der Ferien gibt es kein Programm.

Man verwendet in der gesprochenen Sprache auch *von* + Dativ statt dem Genitiv. Das gilt ganz besonders für Städte- und Ländernamen ohne Artikel: Reisen **innerhalb von** Deutschland ist einfach.

Lernziele

Forumskommentare verstehen
über Stadt/Land sprechen
wichtige Informationen verstehen
einen Bericht schreiben
Meinungen über Städterankings verstehen
eine Stadt beschreiben
ein Rankingergebnis vorstellen
einen Text über eine Besonderheit von Köln verstehen
verschiedenen Empfängern schreiben
Attraktionen einer Stadt beschreiben

Grammatik

Artikelwörter als Pronomen: *einer, keiner, meiner, ...*
Adjektive als Substantive
Relativpronomen *was* und *wo*

Vom Leben in Städten

1

a Die Stadt Leipzig. Sehen Sie die Bilder an. Welche finden Sie typisch für „Leben in der Stadt"? Vergleichen Sie in Gruppen und begründen Sie.

b Wählen Sie ein Foto. Welche Wörter und Ausdrücke im Kasten passen? Verwenden Sie auch ein Wörterbuch.

das Amt • das Angebot • das Gebiet / die Zone • das Stadtzentrum • das Tempo / die Geschwindigkeit • der Abfall • der Arbeitsplatz • der Bewohner / die Bewohnerin • der Dreck / der Schmutz • der Gehsteig • der Lärm • der Rand / der Stadtrand • das Schaufenster • der Stadtteil / das Viertel • der Verkehr • die Fahrzeuge (Pl.) • die Fahrbahn • die Abgase (Pl.) • die Fußgängerzone • die Lage • die Luft • der Betrieb • der Nachbar / die Nachbarin • das Geschäft

c Erzählen Sie Ihrem Partner / Ihrer Partnerin von Ihrem Foto. Folgende Fragen können Ihnen helfen.

Wer wohnt oder arbeitet da? Welche Vorteile und Nachteile gibt es? Wie ist die Atmosphäre?

2

a Stimmen aus Leipzig. Worüber sprechen die Personen? Kreuzen Sie die Themen an.

2.31–33

	Wohnen	Arbeit	Verkehr	kulturelles Angebot
Person 1				
Person 2				
Person 3				

2.31–33 11

b Bilden Sie 4er-Gruppen. Hören Sie noch einmal. Jeder notiert wichtige Informationen zu einem Thema aus 2a. Tauschen Sie sich dann in Ihrer Gruppe aus und ergänzen Sie fehlende Informationen.

3

Welche Orte in einer Stadt sind wichtig für Sie? Was machen Sie dort?

Für mich ist mein Arbeitsplatz am wichtigsten.

Ich finde, eine schöne Einkaufsstraße muss sein. Mit interessanten Geschäften und …

Bist du ein Stadtmensch?

4

a Lesen Sie die Kommentare und die Sätze 1 bis 3. Zu wem passt der Satz? Ergänzen Sie die Forumsnamen.

Han Solo Hallo! Was für ein Stadttyp seid ihr? Was braucht ihr, was nicht? Ich brauche die Uni und das Studentenleben. Shopping und Kultur und so, das ist nicht mein Ding.

☐ ↳ **W&W** Was heißt hier Stadttyp? Hier wohne ich, hier arbeite ich, hier wohnen fast alle meine Freunde. Aber am Wochenende in der Stadt bleiben, das geht nicht. Ich brauche einen See zum Baden und den Wald, wo mich keiner sieht. Stadtmensch? Bin ich also einer oder nicht?

Sattmann Ich bin vor 10 Jahren vom Land in die Stadt gezogen. Und ich will nie mehr raus aus der Stadt. Ein kleines Haus irgendwo auf dem Land und stolz sagen „Das ist meins!" – nee! Und dauernd den Garten pflegen – oh je! Ich bin einer, der in die Stadt gehört! Nur da kann ich leben, wie ich will. Was ich mache oder nicht, das geht doch keinen was an! Und zu W&W: Gerade das Wochenende zählt. Stadtmensch bist du keiner.

2.34

Gut gesagt: Langweilige Orte
Da ist nix los!
Da ist tote Hose.
Da sagen sich Fuchs und Hase gute Nacht.

☐ ↳ **Grünling** Ich gebe Ihnen recht. Aber was haben Sie gegen Gärten? Es gibt auch in der Stadt welche! Ich sage nur: interkultureller Garten in Hamburg-Wilhelmsburg, wo ich wohne und glücklich bin!

1. ________________ geht nach der Arbeitswoche in der Stadt raus in die Natur.
2. ________________ wohnt gern in der Stadt und liebt Gärten.
3. ________________ glaubt, dass man nur in der Stadt wirklich frei leben kann.

b Und Sie? Sind Sie ein Stadtmensch oder ein Landmensch? Sprechen Sie im Kurs.

c Lesen Sie den Kasten und markieren Sie in den Forumstexten alle Artikelwörter, die als Pronomen verwendet werden.

Artikelwörter als Pronomen

der Stadttyp	Bin ich **ein** Stadttyp? → Nein, du bist **keiner**.
das Haus	Ist das **dein** Haus? → Ja, das ist **meins**.
die Stadt	Was für **eine** Stadt ist das? → Das ist **eine**, in der ...
die Gärten	Gärten gibt es nur auf dem Land. → Unsinn! Es gibt auch in der Stadt **welche**.

d Ergänzen Sie die Pronomen.

1. Wo ist denn hier der Hafen? – Hafen? Hier gibt es ________________ (kein).
2. In welches Theater gehen wir eigentlich? – Hier gibt es nur ________________ (ein).
3. Welchen Bus kann ich zum Bahnhof nehmen? – Oh je! Es gibt ________________ (welch), aber ich kenne mich mit den Linien nicht aus.
4. Ist heute Markt? – Nee, heute ist ________________ (kein). Nur freitags.
5. In welchem Park kann man gut joggen? – Es gibt nur ________________ (ein), den Stadtgarten.

5

Spielen Sie in 5er-Gruppen. Jeder legt zwei persönliche Sachen auf einen Tisch. Wem gehört das? Fragen und antworten Sie.

Wenn die Stadt erwacht

6 **a** **Morgens um fünf in einer Stadt. Wer arbeitet schon zu der Zeit? Oder immer noch? Welche Aktivitäten gibt es um diese Zeit? Sammeln Sie.**

b **Lesen Sie den Magazinbericht. Welche Personen machen was am frühen Morgen?**

Morgens um fünf

Morgens um 5.00 Uhr im Allgemeinen Krankenhaus. Pfleger Fery ist seit 21.00 Uhr im Dienst. Noch eine Stunde, bis die Kollegen von der Frühschicht kommen. Die Nacht war eher unruhig heute, zwei Patienten hatten Probleme. „Einer hatte nach einer Operation plötzlich hohes Fieber, ein anderer hat mich sicher

zehnmal gerufen. Also ein ganz normaler Nachtdienst." Fery beginnt jetzt, alles für die Übernahme vorzubereiten, um 7.00 ist für ihn Schluss.

Nicht weit vom Krankenhaus entfernt ist die Bäckerei Bucher. Fünf Personen sind seit 2.00 Uhr bei der Arbeit. In der Backstube ist es sehr warm, es riecht nach frischem Brot, die Angestellten und der Chef arbeiten auf Hochtouren. Pünktlich um 5.00 Uhr, wie jeden Morgen, kommt Vera, die Fahrerin, mit einem Lehrling. Sie lädt große Körbe mit frischem Brot in das Auto, der Lehrling hilft ihr dabei. „Ich fahre jetzt zu den größeren Kunden und bringe ihnen ihre Bestellungen."

Zur gleichen Zeit beginnt der Arbeitstag auch im städtischen Bauhof. Das große Tor wird geöffnet, ein Reinigungsfahrzeug macht sich auf den Weg. Bevor sich das automatische Tor wieder schließt, geht ein Obdachloser mit seinem Schlafsack

hinein, keiner hält ihn auf oder sagt etwas. Er lächelt und sagt: „Max fährt immer als Erster weg. Er macht dann das Tor nicht sofort zu und ich kann rein. Bis elf habe ich dann einen trockenen Platz zum Schlafen. Der Max ist ein Guter!" Wo der Obdachlose bisher die Nacht verbracht hat, das sagt er nicht.

c **Lesen Sie die Texte noch einmal. Richtig oder falsch? Kreuzen Sie an.**

	r	f
1. Fery hatte heute im Nachtdienst nicht mehr Arbeit als üblich.	☐	☐
2. In der Bäckerei arbeiten seit 2 Uhr nachts fünf Angestellte.	☐	☐
3. Eine Angestellte hilft der Fahrerin, das frische Brot ins Auto zu laden.	☐	☐
4. Im Bauhof der Stadt wird die ganze Nacht gearbeitet.	☐	☐
5. Der Fahrer vom Reinigungsfahrzeug lässt das Tor für einen Obdachlosen kurz offen.	☐	☐

☐ **d** **Ergänzen Sie die Endungen in den Sätzen 1 bis 4.**

1. Ich habe mit einem Deutsch____ gesprochen.
2. Er ist Sozialarbeiter und betreut Jugendlich____.
3. Eine Bekannt____ von mir arbeitet auch mit Jugendlich____.
4. Sie ist Angestellt____ bei der Stadt.

Adjektive als Substantive: Nominativ

der Obdachlose ~~Mann~~	**ein** Obdachlos**er** ~~Mann~~
die Angestellte ~~Bäckerin~~	**eine** Angestellte ~~Bäckerin~~
die Obdachlose**n** ~~Leute~~	■ Obdachlos**e** ~~Leute~~

Adjektive als Substantive haben die gleiche Endung wie gewöhnliche Adjektive.

7 **Die erste Stunde Ihres Tages. Was passiert um Sie herum? Was geschieht außerhalb Ihrer Wohnung? Schreiben Sie einen kurzen Text. Tauschen Sie ihn mit Ihrem Partner / Ihrer Partnerin und korrigieren Sie.**

Wenn ich aufwache, höre ich draußen …

Lebenswerte Städte

8

a Sehen Sie die Grafik an. Wo liegen die Städte und was wissen Sie über sie? Was könnte diese Städte lebenswert machen?

Zufriedenheit mit der Stadt insgesamt
Wie zufrieden sind Sie mit Ihrer Stadt insgesamt?

1. Hamburg	84,4
2. Düsseldorf	81,0
3. Dresden	80,3
4. Hannover	79,6
5. München	79,4
6. Leipzig	79
7. Frankfurt a. M.	77,5
8. Bremen	76,3
9. Stuttgart	74,3
10. Bonn	73,6
11. Berlin	73,3
12. Köln	72,8
13. Essen	68,5

© Deutsche Post

b Was sind die beliebtesten Städte in Ihrem Land? Berichten Sie.

9

a Städterankings. Lesen Sie den Text. Warum gibt es Städterankings? Was ist die zentrale Aussage zu dieser Frage?

Artikel | Diskussion

Städterankings vergleichen und bewerten Städte nach verschiedenen Kriterien. Meist werden Listen mit Rankingplätzen erstellt. Die Kriterien der Rankings sind verschieden. Oft werden z. B. Wohnraum, Arbeits-/Ausbildungsplätze, Einkommensstruktur usw. verglichen. Die Rankings dienen als Informationsquelle für Wohnungs- und Arbeitssuchende, Arbeitgeber, Ministerien und sonstige Interessierte. Sie sind sehr populär und jede größere Stadt in Deutschland versucht, auf die vorderen Ränge eines der vielen Rankings zu kommen. Denn: Wer einen guten Platz im Ranking erreicht, zieht Investoren und auch Firmen an. Es geht also – wie so oft – ums Geld.

2.35

b Hören Sie den Beitrag zum Thema Städteranking. Wer sagt was? Kreuzen Sie an.

	Leonie Winter	Jens Becker	Ilse Naumann
1. Ich fühle mich nur dort wohl, wo ich gute Freunde habe.			
2. Für mich kann das, was in Rankings steht, sehr interessant sein.			
3. Ich weiß nicht, ob alles, was in Rankings steht, auch wirklich stimmt.			
4. Ich bin nicht sicher, ob München die Stadt ist, wo ich studieren möchte.			
5. Das, was in seriösen Rankings steht, kann für Firmen sehr interessant sein.			

10

a Relativsätze mit *was* und *wo*. Lesen Sie noch einmal die Aussagen in Aufgabe 9b. Markieren Sie in den Sätzen die Ausdrücke, auf die sich *was* und *wo* beziehen.

b Ergänzen Sie *was* oder *wo*. Schreiben Sie die Sätze zu Ende.

1. Ich finde alles interessant, _____ ...
2. Ich möchte in einer Stadt wohnen, _____ ...
3. Für mich gibt es in dieser Stadt nichts, _____ ...
4. Ein schöner Ort ist für mich eine Stadt, _____ ...
5. Es gibt immer neue Städterankings, _____ ich ... finde.
6. Es gibt viele Freizeitmöglichkeiten, _____ ...

Relativpronomen *was* und *wo*
- ***was*** bezieht sich auf ganze Sätze oder auf Pronomen wie *alles, etwas, nichts, das*
- ***wo*** bezieht sich auf Ortsangaben

Beides geht: lokale Präposition oder Relativpronomen:
*Die Stadt, **in der** ich wohne.*
Relativsatz mit *wo:*
*Die Stadt, **wo** ich wohne.*

11

a Zufriedenheit mit einer Stadt. Arbeiten Sie in Gruppen und diskutieren Sie: Welche Themenbereiche finden Sie wichtig? Machen Sie eine Übersicht. Ergänzen Sie dann Unterthemen.

Themenbereiche:	*Ausbildung/Arbeit*	*Wohnen*	*Freizeit*	...
Unterthemen:	*Universitäten* *Gehaltsniveau*			

b Wählen Sie einen Themenbereich aus Ihrer Übersicht und bewerten Sie Ihren Kursort. Geben Sie Noten von 1 (= sehr gut) bis 6 (= ganz schlecht) für die Unterthemen.

c Stellen Sie die Ergebnisse Ihres Rankings im Kurs vor.

Unsere Gruppe hat folgendes Thema für das Ranking ausgewählt: ...
Wir haben uns auf diese Unterthemen geeinigt, was nicht so leicht war / was kein Problem war: ...
Alles, was uns wichtig ist, haben wir bewertet.
Für das Thema ... haben wir die Note ... gegeben.
Wir waren uns nicht einig, ob ... eine Stadt ist, wo man ...
Wir waren uns einig, dass ...
Wir sind zu folgendem Ergebnis gekommen: ...

12

a Texte vorlesen: Satzzeichen helfen. Lesen Sie den Text und ergänzen Sie die Satzzeichen. Korrigieren Sie, wenn nötig, auch die Satzanfänge.

Ich wohne in Köln mir gefällt die Stadt sehr gut ich verstehe allerdings nicht warum sie in sämtlichen Rankings immer so weit hinten steht ich kann mir keine schönere Stadt vorstellen warum es mir so gut in Köln gefällt das ist ganz einfach zu beantworten hier gibt es schöne Museen viele gute Theater und Kinos kleine Cafés den Rhein mit den vielen Schiffen und hier wohnen meine Freunde außerdem habe ich hier eine sehr gute Arbeit gefunden

Pausen
Satzzeichen helfen beim Lesen: Sie zeigen, wo man beim Lesen eine Pause machen kann und wo inhaltliche Zusammenhänge sind.

2.36

b Hören Sie den Text zur Kontrolle. Lesen Sie dann den Text noch einmal, erst leise, dann laut.

Typisch Kölsch

13 a Öffnungszeiten. Hören Sie zwei Gespräche. Welches Gespräch passt zu den beiden Fotos?

2.37–38

Situation 1 ☐
Situation 2 ☐

b Was kann man in Ihrem Land am späten Abend oder an Feiertagen einkaufen – und wo?

14 a In Köln. Lesen Sie den Text. Um welche Kölner Attraktion geht es?

Meine ersten Tage in Köln

Samstagabend, 19:57 Uhr – ich freue mich auf einen guten Krimi im Fernsehen und mein Magen knurrt. Ich habe große Lust auf eine Cola, Chips und ein Sandwich – am liebsten mit Hühnerfleisch und Currygewürz. Auf dem Weg in die Küche habe ich schon so eine Ahnung ... Ist doch klar: Der Kühlschrank ist (natürlich) leer. Ich rase das Treppenhaus hinunter – das dauert, denn ich wohne in der vierten Etage – und renne zum Supermarkt. Zu spät. Der Laden hat gerade zugemacht. Und jetzt? Eine Frau lächelt mich an und sagt: „Neu in Köln? Gehen Sie doch einfach zum Büdchen an der Ecke. Da bekommen Sie fast alles: Aprikosen und Katzenfutter, Spülmittel und Zeitschriften, Ketchup und Konfitüre, Streichhölzer oder Feuerzeuge, Lebensmittel und, und, und." Sie begleitet mich zum Büdchen – übrigens typisch für den kölschen Dialekt: Alles wird mit „-chen" klein gemacht. Die Bude, also ein kleines Haus, ist hier natürlich „das Büdchen" (gesprochen: „et Büdsche"). Karoline – wir sind inzwischen per du – erzählt mir, dass es die Büdchen schon lange gibt. Zuerst waren es kleine Verkaufsstände in der Nähe der Parks. Heute gibt es sie an jeder Ecke in Köln und sie haben fast rund um die Uhr geöffnet.
Als neuer Kunde werde ich freundlich begrüßt und erfahre, dass es in Köln 800 bis 1000 Büdchen gibt. Echten Kölnern ist ihr Stamm-Büdchen genauso wichtig wie anderen Leuten ihre Stammkneipe. Man kennt sich und der Besitzer hat immer Zeit für ein „Verzällchen" – eine Unterhaltung. Fast überall in Deutschland muss man lange suchen, bis man an Feiertagen oder nachts irgendwo ein Geschäft findet, in dem man etwas zu essen kaufen kann. In Köln ist das kein Problem – und die Büdchen sind inzwischen sogar als Attraktion für Touristen bekannt: Viele Stadtführer bieten spezielle Büdchenführungen an.
Als ich mit meinem Sandwich, der Cola und den Chips nach Hause komme, ist der Krimi schon zur Hälfte um, der Tote ist schon längst gefunden worden, die Zeugen und Verdächtigen vernommen und der Täter ist zwar noch auf der Flucht, aber so gut wie festgenommen. Aber mein Abend war toll und morgen früh bin ich zum Frühstück bei Karoline eingeladen. Die Brötchen bringe ich mit – die hole ich am Morgen beim Büdchen.

b Ergänzen Sie die Aussagen mit den Informationen aus dem Text.

1. Der Erzähler hat es eilig, weil ...
2. Er wohnt seit ... in Köln.
3. Der Supermarkt ...
4. Das Besondere an Kölner Büdchen ist, dass ...
5. Für Köln-Touristen ...
6. Als der Erzähler nach Hause kommt, ...

c Gibt es in Ihrer Stadt auch eine Besonderheit wie die Kölner Büdchen? Erzählen Sie.

Meine Stadt

15 a Tourismus in Ihrer Stadt. Recherchieren Sie: Was sind typische Sehenswürdigkeiten in Ihrer Stadt oder einer anderen Stadt in Ihrem Heimatland? Machen Sie Notizen.

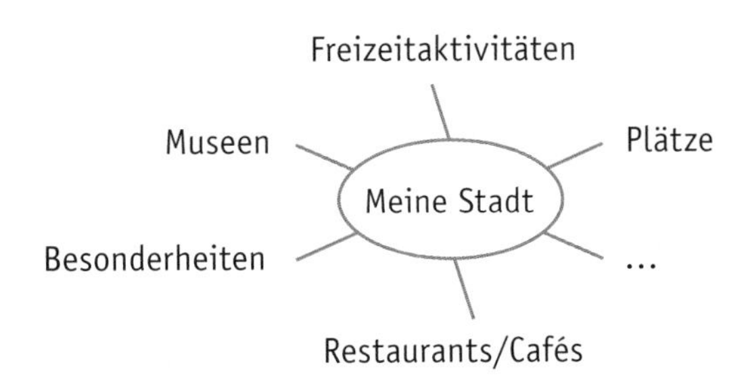

b Sie wollen einen Brief / eine E-Mail mit Vorschlägen für einen Tag in Ihrer Stadt schreiben. Welche Formulierungen passen zu welchem Empfänger? Ordnen Sie zu.

bald kommen Sie zu uns nach ... • Bis bald • Gerne zeigen meine Kollegen und ich Ihnen einige der genannten Sehenswürdigkeiten. • Hallo ..., • Hoffentlich gefallen dir die Vorschläge. • Viele Grüße • Hoffentlich haben Sie Lust bekommen, die Stadt kennenzulernen. • Ich freue mich schon darauf, dir meine Stadt zu zeigen. • Ich freue mich sehr, dass du mich bald besuchen kommst. • Liebe ..., / Lieber ..., • Meine Kollegen und ich freuen uns schon darauf, Sie kennenzulernen. • Mit freundlichen Grüßen • Sehr geehrter Herr ..., / Sehr geehrte Frau ..., • Ich freue mich / Wir freuen uns, Sie bald hier zu begrüßen.

	A Sie schreiben an einen guten Freund / eine gute Freundin, der/die Sie besuchen will.	**B Sie schreiben an einen Geschäftspartner / eine Geschäftspartnerin, den/die Sie noch nicht kennen und der/die für zwei Tage in Ihre Stadt kommt.**
Anrede	*Liebe ..., / Lieber ...,*	
Einleitung		
Abschluss		
Gruß		

c Wählen Sie aus 15b Spalte A oder B und schreiben Sie den Brief / die E-Mail.

Briefe/E-Mails schreiben
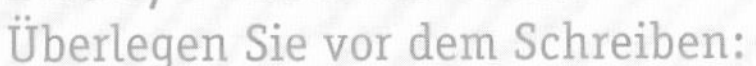
Überlegen Sie vor dem Schreiben:
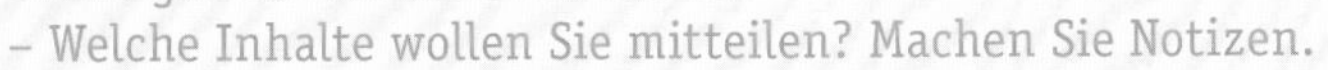
- Welche Inhalte wollen Sie mitteilen? Machen Sie Notizen.
- An wen schreiben Sie? Welche Anrede ist passend?
- Wählen Sie Formulierungen für die Anrede, die Einleitung, den Schluss und den Gruß.
- Vergessen Sie in Briefen nicht das Datum und bei formellen Briefen den Betreff.

Salzburg

16 Ein Vormittag in Salzburg. Was würden Sie gern ansehen? Sprechen Sie in Kleingruppen.

1 Festung Hohensalzburg
8 Dom
18 Museum der Moderne
20 Mozarts Geburtshaus und Getreidegasse

Mozart wurde 1756 in Salzburg geboren. Sein Geburtshaus kann man heute besichtigen und dabei viel über das Leben Mozarts und seine Zeit erfahren.

Die Festung wurde 1077 erbaut und ist die größte erhaltene Burg Mitteleuropas. Die Räume sind prachtvoll, besonders das „Goldene Wohnzimmer“.

Die Einkaufsstraße „Getreidegasse“ erhält ihren Charme durch hohe und schmale Häuser, schöne Innenhöfe und Geschäfte.

17

a **Sehen Sie den Film an. Welche Sehenswürdigkeiten aus der Liste in Aufgabe 16 werden gezeigt?**

11

b **Drei Berufe in Salzburg. Sehen Sie den Film noch einmal und lesen Sie die Sätze im Kasten. Was passt zu welchem Beruf? Ordnen Sie zu.**

11

Koch

Stadtjäger

Bergputzer

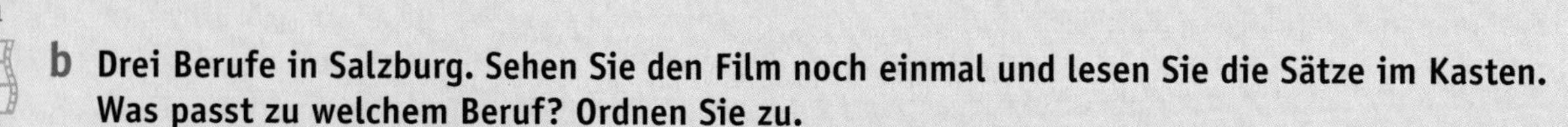

ein alter Traditionsberuf mit Aussicht • Goldener Hirsch • die grüne Lunge Salzburgs • die Berge sind sein Zuhause • „Nockerl“ symbolisieren die Berge um Salzburg • untersuchen die Felswände • kümmert sich um die Tiere, besonders um Gämsen

c **Möchten Sie selbst einmal Salzburger Nockerl machen? Dann sehen Sie den Film noch einmal und notieren Sie das Rezept.**

11

18

a **Die Altstadt von Salzburg steht auf der Liste des Unesco-Weltkulturerbes. Arbeiten Sie in Kleingruppen. Recherchieren Sie Informationen zu einer weiteren Unesco-Weltkulturerbe-Stätte in Deutschland (www.unesco-welterbe.de), Österreich (www.unesco.at) oder der Schweiz (www.welterbe.ch). Gestalten Sie ein Poster mit Bildern und Informationen.**

b **Machen Sie eine Ausstellung im Kursraum.**

Kurz und klar

Ergebnisse einer Gruppenarbeit vorstellen

Unsere Gruppe hat folgendes Thema ausgewählt: ... • Wir haben uns auf diese Unterthemen geeinigt, was nicht so leicht war / was kein Problem war: ... • Alles, was uns wichtig ist, haben wir bewertet. • Für das Thema ... haben wir die Note ... gegeben. • Wir waren uns nicht einig, ob ... eine Stadt ist, wo man ... • Wir waren uns einig, dass ... • Wir sind zu folgendem Ergebnis gekommen: ...

Briefe / E-Mails schreiben

	informell	**(halb-)formell**
Anrede	Liebe ..., / Lieber ..., Hallo ...,	Sehr geehrter Herr ..., / Sehr geehrte Frau ...,
Einleitung	Ich freue mich sehr, dass du ... • Ich freue mich schon darauf, dir ... zu ...	bald kommen Sie ... • Meine Kollegen und ich freuen uns schon darauf, Sie kennenzulernen / ... zu ...
Abschluss	Hoffentlich gefallen dir die Vorschläge.	Hoffentlich haben Sie Lust bekommen, ... kennenzulernen. • Gerne zeige ich Ihnen die genannten ... • Ich freue mich / Wir freuen uns, Sie bald hier zu begrüßen.
Gruß	Bis bald • Viele Grüße	Mit freundlichen Grüßen

Grammatik

Artikelwörter als Pronomen

der Stadttyp	Bin ich **ein** Stadttyp? → Nein, du bist **kein**er.
das Haus	Ist das **dein** Haus? → Ja, das ist **mein**(e)s.
die Stadt	Was für **eine** Stadt ist das? → Das ist **ein**e, in der ...
die Gärten	Gärten gibt es nur auf dem Land → Unsinn! Es gibt auch in der Stadt welche.

Artikelwörter als Pronomen: Formen

Nominativ maskulin	Das ist der/ein Hund.	Das ist einer/keiner/meiner.
Nominativ neutrum	Das ist das/ein Haus.	Das ist ein(e)s/kein(e)s/mein(e)s.
Akkusativ neutrum	Ich sehe das/ein Haus.	Ich sehe ein(e)s/kein(e)s/mein(e)s.

In allen anderen Fällen sind die Formen wie bei den Artikelwörtern *ein/kein/mein*.

Adjektive als Substantive

maskulin Singular	**der Obdachlose** ~~Mann~~	**ein Obdachloser** ~~Mann~~
feminin Singular	**die Angestellte** ~~Bäckerin~~	**eine Angestellte** ~~Bäckerin~~
Plural	**die Obdachlosen** ~~Leute~~	■ **Obdachlose** ~~Leute~~

Adjektive als Substantive haben die gleiche Endung wie gewöhnliche Adjektive.

Oft gebrauchte Adjektive als Substantive:
der/die Angehörige, der/die Angestellte, der/die Arbeitslose, der/die Bekannte, der/die Deutsche, der/die Erwachsene, der/die Jugendliche, der/die Kranke, der/die Tote, der/die Verwandte

Relativpronomen *was* und *wo*

was bezieht sich auf ganze Sätze oder auf Pronomen wie *alles, etwas, nichts, das:*	Hier gibt es viele Freizeitmöglichkeiten, **was** ich toll finde. Ich finde alles interessant, **was** du vorgeschlagen hast.
wo bezieht sich auf Ortsangaben:	Ich fahre nach Hamburg, **wo** ich gute Freunde habe. Hamburg ist eine Stadt, **wo** ich gerne wohnen würde.

Lernziele

Informationen in einem Werbetext finden
Gespräche in der Bank verstehen
Gespräche in der Bank führen
Hinweise verstehen
Argumente verstehen
Meinungen erkennen und äußern
Personen, Dinge, Situationen näher beschreiben
über Verhalten diskutieren
eine Gewissensfrage schreiben
einen informativen Text verstehen
über etwas berichten

Grammatik

Sätze mit *je ... desto*
Partizip I und II als Adjektiv

A

Szene ____

Geld regiert die Welt

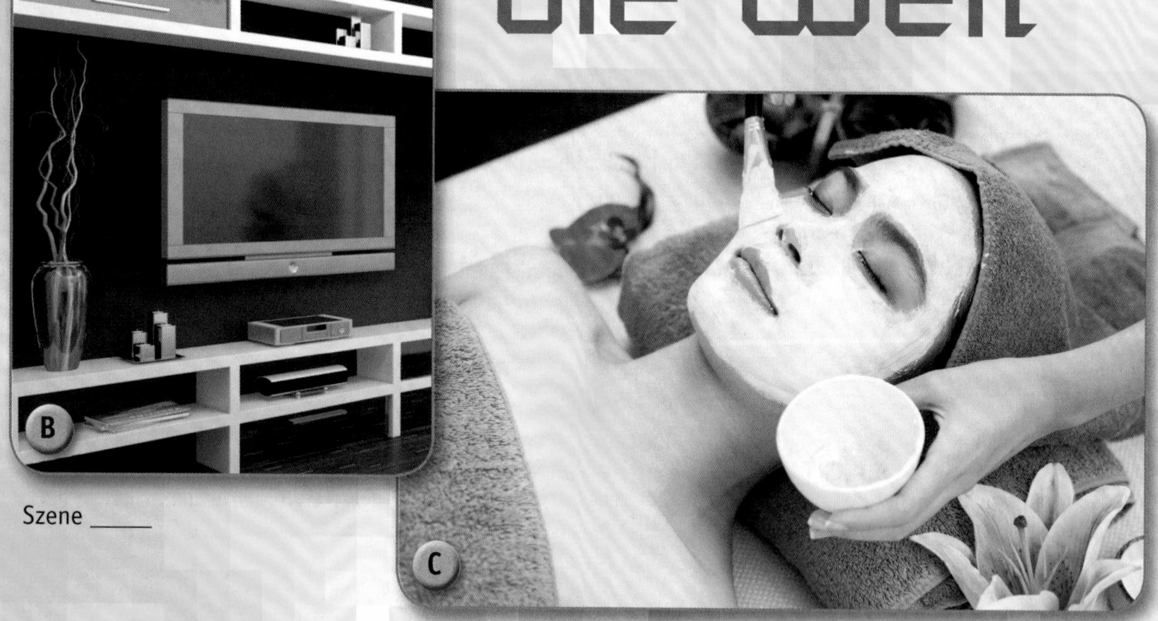

B

Szene ____

C

Szene ____

1 **a** **Wenn Ihnen jemand viel Geld schenken würde, wofür würden Sie es ausgeben? Was wäre Ihnen nicht wichtig? Sprechen Sie in Kleingruppen.**

2.39–44 **b** **Hören Sie die Szenen und sehen Sie die Fotos an. Welches Foto passt zu welcher Szene?**

2.39–44 **c** **Hören Sie noch einmal und notieren Sie jeweils den Grund, warum die Person dafür Geld ausgegeben hat.**

Wortschatz AB

Szene 1 ____________________ Szene 4 ____________________
Szene 2 ____________________ Szene 5 ____________________
Szene 3 ____________________ Szene 6 ____________________

Szene _____

Szene _____

Szene _____

2

a Wie viel kosten diese Produkte an Ihrem Kursort? Finden Sie das teuer oder billig? Sprechen Sie im Kurs.

1 Kilo Brot • 1 Tasse Kaffee • 1 Kilo Bananen • 1 Tafel Schokolade

b War früher wirklich alles billiger? Arbeiten Sie zu dritt. Sehen Sie die Tabelle an. Wie lange musste man in Deutschland arbeiten, bis man sich etwas kaufen konnte? Wie ist das heute? Was fällt Ihnen auf?

Früher und heute – wie lange arbeitet man für diese Produkte?	Einheit	Arbeitszeit 1950 (in Std.)	Arbeitszeit 2009 (in Std.)
Mischbrot	1 kg	0:27	0:11
Eier	10 Stück	2:01	0:08
Vollmilch	1 l	0:19	0:03
Bohnenkaffee	500 g	26:22	0:19
Schweinekotelett	1 kg	3:54	0:32
Herrenanzug	1 Stück	108:38	17:00
Kleiderschrank	1 Stück	146:59	38:24
Fernseher (Wert für 1960)	1 Stück	351:38	35:31

c Was ist bei Ihnen viel teurer oder billiger geworden? Warum?

In der Bank

3 **a** **Die Traumbank. Lesen Sie den Werbetext und markieren Sie die Informationen, die nicht realistisch sind.**

Wechseln Sie jetzt zur Traumbank.

Wir bieten Ihnen ein Girokonto ohne Gebühren und schenken Ihnen 500,– € zur Kontoeröffnung. Sie bekommen 3 EC-Karten und 7 Kreditkarten umsonst und können damit an allen Geldautomaten weltweit kostenlos abheben. Und wir bieten Ihnen noch mehr!

- Je mehr Geld Sie bei uns sparen, desto mehr Geld schenken wir Ihnen.
- Je reicher Sie sind, desto freundlicher sind wir zu Ihnen.
- Je teurer die anderen Banken werden, desto günstiger werden wir.

b **Noch mehr traumhafte Angebote. Setzen Sie die Sätze fort. Schreiben Sie auch einen eigenen Satz.**

1. Je mehr Geld Sie ausgeben, ...
2. Je schneller Sie ...
3. Je netter ...
4. ...

Sätze mit *je* ... *desto* ...

Je reicher Sie sind, **desto freundlicher** sind wir zu Ihnen.
je + Komparativ — *desto* + Komparativ

4 Wortschatz AB

a **Louis und der Geldautomat. Sehen Sie die Fotos an. Was passiert? Was ist das Problem?**

der Geldautomat
die EC-Karte

die PIN / die Geheimnummer eingeben

das Portemonnaie
Geld vom Konto abheben

der Bankangestellte

einen Kredit bekommen

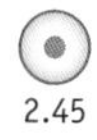
2.45

b **Hören Sie das Gespräch. Warum hatte Louis Probleme am Geldautomaten?**

2.46

Gut gesagt: Geld in der Umgangssprache
Euronen • Kohle • Kröten • Mäuse

2.45

c **Hören Sie das Gespräch noch einmal. Welche Ausdrücke kommen vor? Kreuzen Sie an.**

Bankkunde

1. Ich kann kein Geld abheben. ☐
2. Ich brauche aber dringend Geld. ☐
3. Ich habe meine EC-Karte verloren. ☐
4. Der Automat hat meine Karte eingezogen. ☐
5. Kann ich mit der Kreditkarte Geld abheben? ☐
6. Der überwiesene Betrag ist noch nicht da. ☐
7. Wieso dauert die Überweisung so lang? ☐
8. Da wäre ich Ihnen sehr dankbar. ☐

Bankangestellte/r

1. Ihre Karte ist gesperrt, weil ... ☐
2. Haben Sie die Geheimzahl richtig eingegeben? ☐
3. Wie ist denn Ihre Kontonummer? ☐
4. Bargeld von der Kreditkarte kostet Gebühren. ☐
5. Sie haben Ihren Kredit überzogen. ☐
6. Dann muss ich Ihre Karte sperren und eine neue bestellen. ☐
7. Wir können den Kredit kurzfristig erhöhen. ☐
8. Sie können auch hier am Schalter Geld abheben. ☐

d Bankprobleme. Arbeiten Sie zu zweit und spielen Sie die Dialoge. Eine/r ist Bankangestellte/r, der/die andere ist Kunde/Kundin. Tauschen Sie dann die Rollen. Verwenden Sie Ausdrücke aus 4c.

A Der Bankautomat hat Ihre Karte eingezogen.

B Sie haben Ihre EC-Karte verloren und brauchen dringend Geld.

5

a Bank-Informationen. Lesen Sie die Sätze. Welche Bedeutung passt zu den markierten Teilen: a oder b? Kreuzen Sie an.

1. [a] Es dauert länger als zwei Tage, bis das Geld beim Empfänger ist.
   [b] Nach zwei Tagen wird das Geld an den Empfänger überwiesen.
2. [a] Auf dem Kontoauszug gibt es keine Informationen zu den Daueraufträgen.
   [b] Wenn Daueraufträge ausgeführt wurden, steht das auf dem Kontoauszug.
3. [a] Wenn man die Karte im Geldautomaten vergessen hat, nehmen andere Kunden sie mit.
   [b] Der Geldautomat behält die Karten, die vergessen wurden.
4. [a] Wenn eine Karte gesperrt wurde und man sie wiederfindet, soll man sie kaputt machen.
   [b] Wenn Karten beschädigt sind, dann funktionieren sie automatisch nicht mehr.

Wichtige Hinweise für Neukunden

Mit der EC-Karte können Sie online oder am Geldautomaten Überweisungen machen. Der überwiesene Betrag ist maximal zwei Arbeitstage später auf dem Konto des Empfängers. Am Geldautomaten können Sie weitere Bankgeschäfte erledigen. Sie können Daueraufträge einrichten und verwalten. Die ausgeführten Daueraufträge finden Sie auf Ihrem Kontoauszug.

Um Geld abzuheben, benötigen Sie nur Ihre EC-Karte und die Geheimnummer. Für den Fall, dass Sie den abgehobenen Geldbetrag nicht entnehmen, zieht der Automat den Betrag ein und er wird Ihrem Konto gutgeschrieben. Vergessene Karten werden automatisch eingezogen. Diese erhalten Sie in der für Sie zuständigen Filiale zurück.

Unsere EC-Karten haben einen Geldkarten-Chip, den Sie am Automaten aufladen können. Mit dem Chip bezahlen Sie zum Beispiel an Fahrkarten- oder Parkautomaten.

Bitte melden Sie sich bei Verlust oder Diebstahl Ihrer Karte umgehend in Ihrer Filiale. Ihre Karte wird sofort gesperrt und wir schicken Ihnen innerhalb von zwei Tagen eine neue Karte zu. Falls Sie die gesperrte Karte wiederfinden, bitten wir Sie, diese zu zerstören.

b Lesen Sie die Regel und ergänzen Sie die Partizipien in der richtigen Form.

zuschicken • einzahlen • verlieren • ausfüllen • wünschen

Partizip II als Adjektiv
Viele Partizipien können als Adjektiv verwendet werden.
Sie werden wie Adjektive dekliniert.
– der Betrag, der ausgezahlt wurde → der ausgezahl**te** Betrag
– die Gebühren, die berechnet wurden → die berechnete**n** Gebühren

1. Für Ihre Kontoeröffnung benötigen wir das ______________ Formular.
2. Sie können auch Bargeld einzahlen. Die ______________ Beträge werden umgehend auf Ihrem Konto gutgeschrieben.
3. Sie müssen die ______________ Geheimnummer sicher aufbewahren.
4. Die Bank ersetzt Ihre ______________ EC-Karte innerhalb einer Woche.
5. Geben Sie am Automaten den ______________ Geldbetrag ein.

12

Total global

6

2.47

a Hören Sie das Gespräch zum Thema *Globalisierung* und notieren Sie, welche Aspekte zu diesem Thema genannt werden.

Wirtschaft hat sich verändert, …

b Globalisierung – Was ist das? Welche Aspekte gehören noch dazu? Sammeln Sie im Kurs.

7

a Meinungen zur Globalisierung. Arbeiten Sie zu zweit. Jeder liest einen Text und notiert die Argumente aus dem Text in Stichworten.

A Ich finde es eigentlich gut, dass unser Leben internationaler geworden ist. Man bekommt durch das Internet sofort alle Informationen, egal wo auf der Welt etwas passiert ist. Auch in der Forschung werden ständig weltweit Informationen ausgetauscht und es wird mehr zusammengearbeitet. Das ist doch ein großer Vorteil. Durch die Globalisierung verbreitet sich technischer Fortschritt mit rasender Geschwindigkeit und wir haben eine viel größere Auswahl an Produkten als früher. Durch die große Konkurrenz gibt es auch viele billige Produkte. Wir Konsumenten profitieren von den sinkenden Preisen. Positiv ist auch, dass viele Länder von der Globalisierung profitieren und es dort viel mehr Wohlstand als früher gibt. Außerdem gefällt es mir, dass heute alles mobiler ist, auch in der Arbeitswelt. Ich habe zum Beispiel fünf Jahre in Asien gearbeitet, jetzt lebe und arbeite ich in Frankreich. In anderen Ländern zu arbeiten ist heute viel einfacher als früher. Ich finde, es gibt viele überzeugende Argumente für die Globalisierung.

Bernd Christiansen, Toulouse

B Ich sehe die Globalisierung eher kritisch. Mein Nachbar hat bei einem Handyhersteller in der Produktion gearbeitet und gerade seine Stelle verloren. Das ist natürlich eine furchtbare Situation für die Familie. Die komplette Produktion wurde in ein anderes Land verlegt. Und warum? Weil die Firma dort billiger produzieren kann. Das ist doch ein wichtiges Argument gegen die Globalisierung. Dort arbeiten die Leute dann unter schlechteren Bedingungen für weniger Geld. Man muss auch bedenken, dass auf dem wachsenden Weltmarkt nur die großen Firmen überleben können, und die werden dann immer größer. Kleinere Firmen schaffen es bei dieser starken Konkurrenz oft nicht. Und diese schrecklichen Finanzkrisen gehören ja leider auch zur Globalisierung. Plötzlich sind wir betroffen, weil Banker in der ganzen Welt falsch spekulieren. Das ist für mich eine beunruhigende Situation. Insgesamt haben wir sinkende Löhne durch die Globalisierung, aber die Topmanager wissen nicht, wohin mit ihrem Geld. Ich finde es wirklich sehr problematisch, dass die Unterschiede zwischen Arm und Reich immer größer werden.

Kati Grubens, Mannheim

b Informieren Sie Ihren Partner und erstellen Sie zusammen eine Tabelle mit den Vor- und Nachteilen der Globalisierung.

Vorteile	*Nachteile*

c Lesen Sie die Texte noch einmal. Mit welchen Formulierungen drücken die Personen ihre Meinung aus? Markieren Sie im Text und sammeln Sie im Kurs.

Text A: Ich finde es eigentlich gut …

d Was ist Ihre Meinung? Was hat sich in Ihrem Land durch die Globalisierung verändert? Sprechen Sie in Gruppen und nennen Sie Beispiele. Verwenden Sie dabei die Redemittel, die Sie in 7c gesammelt haben.

8

a Partizip I als Adjektiv. Lesen Sie die Erklärungen im Kasten und schreiben Sie wie im Beispiel.

1. sinkende Löhne → *Löhne, die sinken*
2. steigende Preise → ______
3. der wachsende Weltmarkt → ______
4. ein überzeugendes Argument → ______
5. eine beunruhigende Situation → ______

Partizip I als Adjektiv

Partizip I: Infinitiv + *d*
sinken → sinken**d**
die sinken**den** Löhne
rasen → rasen**d**
mit rasen**der** Geschwindigkeit

Partizipien werden wie Adjektive dekliniert.

b Rund um die Welt. Was ist auf dem Bild? Arbeiten Sie zu zweit und notieren Sie.

1. *ein schwitzender/laufender Mann*
2. ______
3. ______
4. ______
5. ______
6. ______
7. ______
8. ______
9. ______
10. ______

9

2.48

a Wortakzent. Hören Sie und markieren Sie den Wortakzent.

1. zahlen – bezahlen – die Bezahlung
2. fahren – erfahren – die Erfahrung
3. ändern – verändern – die Veränderung
4. sprechen – versprechen – das Versprechen

b Lesen Sie die Wörter in 9a laut und klopfen Sie beim Wortakzent mit der Hand auf den Tisch.

2.49

c Wortakzent bei zusammengesetzten Substantiven. Hören Sie und markieren Sie den Wortakzent. Lesen Sie dann alle Wörter laut vor.

1. der Markt – der Weltmarkt
2. die Welt – die Arbeitswelt
3. die Krise – die Finanzkrise
4. der Betrag – der Geldbetrag
5. der Automat – der Geldautomat
6. die Nummer – die Geheimnummer

Bei zusammengesetzten Substantiven liegt der Wortakzent meistens auf dem ersten Wortteil.

Mit gutem Gewissen

10 a Gewissensfragen. Sehen Sie zuerst nur die Bilder an und beschreiben Sie die Situationen.

b Lesen Sie nun die Texte. Sind die Situationen so, wie Sie sie in 10a beschrieben haben?

A

B

A *Bei uns in der Stadt gibt es Zeitungskästen, aus denen man sich die Zeitungen einfach nehmen kann und das Geld selbst einwirft. Das Konzept basiert also auf der Ehrlichkeit der Kunden, denn niemand kann nachprüfen, ob man bezahlt hat oder ob man betrügt. Dieben wird das Stehlen so leicht gemacht. Ich hole mir jeden Morgen meine Zeitung am Kasten. Aber natürlich habe ich nicht immer genug Kleingeld. Ist es okay, an manchen Tagen gar nicht oder zu wenig zu bezahlen? Und dafür an anderen Tagen mehr? Im Durchschnitt bezahle ich ja für jede Zeitung. Aber wenn das Geld dann zwischendurch aus dem Kasten geholt wird, ist vielleicht zu wenig drin. Muss ich deshalb auf meine Zeitung verzichten, wenn ich das Kleingeld nicht habe?*

LARS S., MÜNCHEN

B *Zu meinem letzten Geburtstag habe ich von Bekannten eine wirklich hässliche und altmodische Vase bekommen. Ich war ein bisschen überrascht. Denn wer mich gut kennt, schenkt mir so etwas nicht. Jetzt steht die Vase im Keller und verstaubt. Nächste Woche hat meine Großtante Erika Geburtstag. Ich weiß, dass sie die Vase wunderschön finden würde. Ist es in Ordnung, wenn ich ein Geschenk, das ich bekommen habe, weiterverschenke? Ich will diese Vase nicht und jemand anders würde sich freuen. Aber wären meine Bekannten nicht verletzt, wenn sie das herausfinden würden? Oder kann man mit geschenkten Dingen tun, was man möchte? Schließlich gehört die Vase ja jetzt mir und ich kann entscheiden. Niemand kann mir einen Vorwurf machen, oder?*

ANJA P., BIELEFELD

c Bilden Sie kleine Gruppen und diskutieren Sie die beiden Situationen aus Aufgabe 10b. Was ist Ihre Meinung? Was würden Sie tun? Begründen Sie.

etwas akzeptieren/befürworten	**etwas ablehnen**
Ich finde es in Ordnung, wenn …	Ich kann es nicht leiden, wenn …
Für mich ist es okay, …	Auf keinen Fall sollte man …
Ich habe kein Problem damit, dass …	Ich finde es falsch/schlimm/ unmöglich, …
Man muss das akzeptieren/tolerieren, wenn/dass, …	So ein Verhalten lehne ich ab, weil …

In Diskussionen zu Wort kommen
- Signalisieren Sie durch Blickkontakt, Räuspern oder das Wort *Entschuldigung*, dass Sie etwas sagen möchten.
- Nutzen Sie Pausen der anderen und sprechen Sie dann.

d Schreiben Sie zu zweit eine weitere Gewissensfrage wie in 10b auf ein Blatt Papier. Mischen Sie alle Blätter und verteilen Sie sie neu. Diskutieren Sie zu zweit.

Gutes tun mit Geld

11 a Wen oder was würden Sie gern finanziell unterstützen, wenn Sie genug Geld hätten? Erzählen und begründen Sie.

Dem Kindergarten bei uns um die Ecke würde ich gern Geld geben. Denn …

Ich würde Greenpeace unterstützen, weil …

b Die Fuggerei in Augsburg. Lesen Sie den Text und notieren Sie zu jedem Absatz eine Frage.

Die Fuggerei

Die Fuggerei in Augsburg ist die älteste Sozialsiedlung der Welt. Jakob Fugger, Mitglied der reichen und bekannten Augsburger Kaufmannsfamilie, gründete 1521 diese Siedlung, um armen und bedürftigen Augsburgern zu helfen. Für die damalige Zeit war die Konzeption „Hilfe zur Selbsthilfe" sehr fortschrittlich.

Handwerker und Arbeiter, die ohne Schuld, z. B. durch Krankheit, in finanzielle Schwierigkeiten geraten waren, konnten in die Fuggerei ziehen. Dort oder auch außerhalb der Fuggerei konnten sie arbeiten und Geld verdienen. Wenn sie sich finanziell erholt hatten, zogen sie wieder aus. Von 1681 bis 1694 lebte auch Franz Mozart, der Urgroßvater von Wolfgang Amadeus Mozart, in der Fuggerei.

Die Wohnungen sind jeweils 60 Quadratmeter groß, was in der Entstehungszeit ziemlich groß war. Die

Fuggerei mit acht Gassen, einer „Stadtmauer", drei Toren und einer Kirche ist wie eine Stadt in der Stadt. Für Besucher ist heute aber nur noch ein Tor geöffnet, das jede Nacht geschlossen und von 22 bis 5 Uhr von einem Nachtwächter bewacht wird. Fuggereibewohner, die bis 24 Uhr durch das Tor gehen, geben dem Nachtwächter 50 Cent, danach 1 Euro.

Noch heute wohnen in den 140 kleinen Wohnungen der 67 Häuser 150 bedürftige Augsburger Bürger. Die Bewohner zahlen dafür eine symbolische Jahresmiete von 0,88 Euro plus Nebenkosten. Um dort wohnen zu dürfen, muss man allerdings Augsburger und katholisch sein. Außerdem beten die Bewohner dreimal täglich. Bis heute wird die Siedlung aus dem Stiftungsvermögen von Jakob Fugger finanziert, zu dem zahlreiche Wälder und Immobilien gehören.

Inzwischen zählt die Fuggerei auch zu den touristischen Attraktionen der Stadt Augsburg. Neben einem Spaziergang durch die Fuggerei kann man das Fuggereimuseum besuchen. Auch zwei Wohnungen kann man besichtigen: eine im Originalzustand mit Möbeln aus dem 18. Jahrhundert und eine Wohnung, die zeigt, wie die Bewohner heute leben.

c Tauschen Sie die Fragen mit Ihrem Partner / Ihrer Partnerin und beantworten Sie seine/ihre Fragen. Kontrollieren Sie sich gegenseitig.

d Welche Information finden Sie besonders interessant?

12 Gutes tun mit Geld. Kennen Sie andere Beispiele? Recherchieren Sie in Gruppen und stellen Sie im Kurs ein Projekt / eine Aktion vor.

So erkennt man ... Falschgeld

13 a Nehmen Sie einen Geldschein und arbeiten Sie in Gruppen. Was ist auf dem Schein abgebildet? Woran erkennt man, dass der Schein echt ist? Sammeln Sie.

die Qualität des Papiers • das Wasserzeichen • die Dicke des Papiers • ...

b Welche Umschreibungen passen? Ordnen Sie zu.

1. etwas mit Gewissheit sagen können
2. achtsam sein / die Augen offen halten
3. im Umlauf sein
4. die Blüte
5. sich einschleichen
6. einen Schaden haben

A aufpassen
B einen (meist finanziellen) Verlust haben
C ganz sicher sein / etwas ganz sicher wissen
D unbemerkt irgendwo hinkommen
E auf dem Markt sein
F das Falschgeld

14 a Sehen Sie den ersten Teil des Films an. Woran erkennt die Kassiererin, dass der Schein echt ist? Beschreiben Sie.

12.1

b Sehen Sie den zweiten Teil an. Woran erkennt man einen echten Geldschein? Erklären Sie: Was kann man fühlen, was sehen und was kann man durch Kippen erkennen?

12.2

c Sehen Sie den zweiten Teil noch einmal. Was passiert, wenn man eine „Blüte" annimmt? Welche Aussage ist richtig? Was halten Sie von dieser Regelung?

12.2

[1] Man kann den falschen Schein bei der Bank gegen einen echten tauschen.
[2] Man darf den Schein nicht benutzen, bekommt aber auch keinen Ersatz.
[3] Man darf das Geld auf sein Konto einzahlen.

15 Recherchieren Sie: Welche Bedeutung haben die Bilder auf den Euro-Scheinen? Oder: Welche Bedeutung haben die Bilder auf den Geldscheinen Ihrer Währung? Präsentieren Sie die Ergebnisse im Kurs.

Kurz und klar

Gespräche in der Bank führen

Bankkunde
Ich kann kein Geld abheben.
Ich brauche aber dringend Geld.
Ich habe meine EC-Karte verloren.
Der Automat hat meine Karte eingezogen.
Kann ich mit der Kreditkarte Geld abheben?
Der überwiesene Betrag ist noch nicht da.
Wieso dauert die Überweisung so lang?
Da wäre ich Ihnen sehr dankbar.

Bankangestellte/r
Ihre Karte ist gesperrt, weil …
Haben Sie die Geheimzahl richtig eingegeben?
Wie ist denn Ihre Kontonummer?
Bargeld von der Kreditkarte kostet Gebühren.
Sie haben Ihren Kredit überzogen.
Dann muss ich Ihre Karte sperren und eine neue bestellen.
Wir können den Kredit kurzfristig erhöhen.
Sie können auch hier am Schalter Geld abheben.

Argumente nennen / eine Meinung ausdrücken

positiv
- Ich finde es eigentlich gut, dass …
- …, das ist doch ein (großer) Vorteil.
- Positiv ist auch, dass …
- Außerdem gefällt mir, dass …

negativ
- Ich sehe … eher kritisch.
- … Das ist doch ein wichtiges Argument gegen …
- Ich finde es wirklich sehr problematisch, dass …

neutral
- Ich finde, es gibt …
- Man muss auch bedenken, dass …
- Das ist für mich …

etwas akzeptieren/befürworten

Ich finde es in Ordnung, wenn …
Für mich ist es okay, …
Ich habe kein Problem damit, dass …
Man muss das akzeptieren/tolerieren, wenn/dass, …

etwas ablehnen

Ich kann es nicht leiden, wenn …
Auf keinen Fall sollte man …
Ich finde es falsch/schlimm/unmöglich, …
So ein Verhalten lehne ich ab, weil …

Grammatik

Sätze mit *je … desto …*

Je reicher	Sie	sind,	**desto freundlicher**	sind	wir zu Ihnen.
Je mehr Geld	Sie bei uns	sparen,	**desto** mehr Geld	schenken	wir Ihnen.
je + Komparativ		Verb (Ende)	*desto* + Komparativ	Verb (Position 2)	

Partizip als Adjektiv

Partizip II
der ausgezahlte Betrag
= der Betrag, der ausgezahlt wurde
ein gekauftes Produkt
= ein Produkt, das gekauft wurde
die berechneten Gebühren
= die Gebühren, die berechnet wurden

Partizip I → Infinitiv + *d*
sinkende Löhne
= Löhne, die sinken
der wachsende Weltmarkt
= der Weltmarkt, der wächst
eine beunruhigende Situation
= eine Situation, die beunruhigt

Partizipien werden wie Adjektive dekliniert.

4 Plattform

Wiederholungsspiel

1 **Spielen Sie zu viert. Sie brauchen einen Würfel und für jeden eine Spielfigur, einen Zettel und einen Stift.**

Spielbeginn: Alle Figuren stehen auf START. Wer die höchste Zahl würfelt, darf beginnen.

Spielverlauf: Gehen Sie mit Ihrer Figur so viele Felder, wie Sie gewürfelt haben, in eine beliebige Richtung. Zählen Sie auch Knoten mit. Wenn Sie auf ein Aufgabenfeld kommen, beantworten Sie die Frage schriftlich auf einem Zettel. Achtung! Arbeiten Sie allein und zeigen Sie Ihre Antworten nicht den anderen Spielern.

Dann ist der nächste Spieler dran. Auf einem Feld darf immer nur ein Spieler stehen.

Auf einem Knoten macht man eine Pause.

Spiel-Ende: Wer zuerst alle 12 Fragen beantwortet hat, ruft „Stopp". Jetzt werden die Punkte gezählt: Für jede beantwortete Frage gibt es einen Punkt. Dann vergleichen alle Spieler gemeinsam ihre Antworten. Für jede richtige Antwort gibt es noch einen Punkt. Wer hat die meisten Punkte?

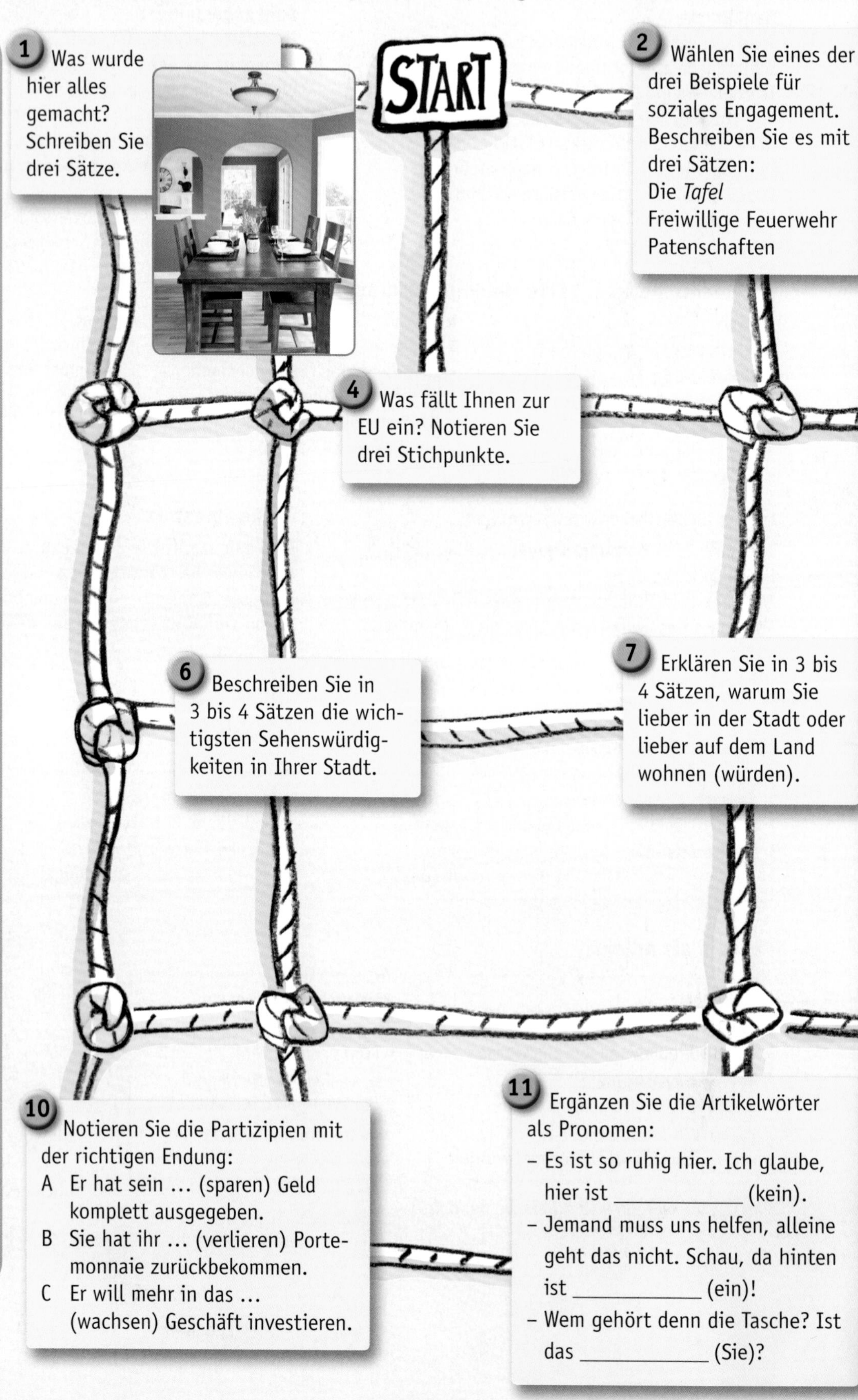

3 Notieren Sie drei Sätze, die Sie in einer Präsentation verwenden können.

5 Ergänzen Sie die Relativsätze:
- Ich finde alles wichtig, ...
- Ich fahre nach Köln, ...

8 Ergänzen Sie die Aussagen:
- Ich finde es in Ordnung, wenn ...
- Ich habe kein Problem damit, dass ...
- Ich finde es unmöglich, ...

9 Rund um das Bankkonto: Notieren Sie 3 Substantive und 3 Verben zum Thema.

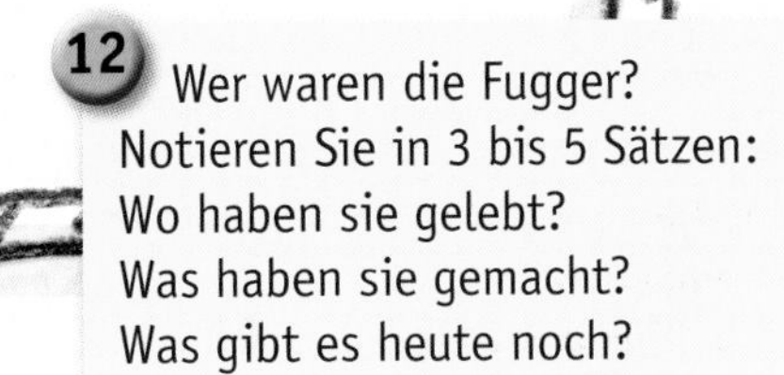

12 Wer waren die Fugger? Notieren Sie in 3 bis 5 Sätzen:
Wo haben sie gelebt?
Was haben sie gemacht?
Was gibt es heute noch?

Zwei Gedichte

2

a **Sehen Sie die Zeichnung an. Was denkt der Mann wohl? Wie fühlt er sich? Sammeln Sie im Kurs.**

2.50

b **„Der Radwechsel" von Bertolt Brecht. Hören Sie das Gedicht und lesen Sie mit. Was kann der Titel „Radwechsel" bedeuten? Sammeln Sie Assoziationen zum Titel.**

Der Radwechsel
Ich sitze am Straßenhang.
Der Fahrer wechselt das Rad.
Ich bin nicht gern, wo ich herkomme.
Ich bin nicht gern, wo ich hinfahre.
Warum sehe ich den Radwechsel
mit Ungeduld?

Bertolt Brecht (1898–1956)

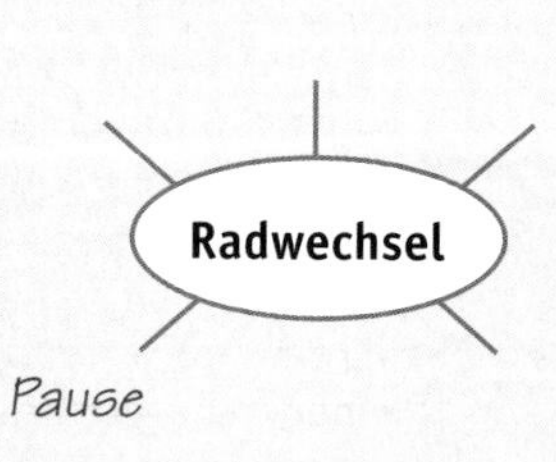

© Bertolt-Brecht-Erben / Suhrkamp Verlag 1988

c **Lesen Sie die beiden Sätze aus dem Gedicht. Was denken Sie: Welche Situationen können das sein? Notieren Sie Ihre Gedanken. Vergleichen Sie in Gruppen.**

Ich bin nicht gern, wo ich herkomme. *Man kommt aus der Firma, wo es viel Stress und ...*

Ich bin nicht gern, wo ich hinfahre.

d **Lesen Sie das Gedicht noch einmal. Warum ist der Mann ungeduldig? Was denken Sie?**

3

2.51

a „Der kleine Unterschied“ von Mascha Kaléko. Hören Sie das Gedicht und lesen Sie mit. Warum ist die Person nicht glücklich? Was könnten die Gründe sein? Sprechen Sie im Kurs.

Der kleine Unterschied

Es sprach zu Mister Goodwill
ein deutscher Emigrant:
»Gewiß, es bleibt dasselbe,
sag ich nun *land* statt Land,
sag ich für Heimat *homeland*
und *poem* für Gedicht.
Gewiß, ich bin sehr *happy*:
Doch glücklich bin ich nicht.«

Mascha Kaléko (1907–1975)

b Lesen Sie die Informationen zum Leben von Mascha Kaléko. Welche Erfahrung aus ihrem Leben verarbeitet sie in diesem Gedicht?

Artikel | Diskussion

Maschka Kaléko

Maschka Kaléko wurde 1907 in Chrzanów im heutigen Polen geboren, zog 1914 mit ihrer Mutter nach Deutschland und verbrachte ihre Schul- und Studienzeit in Berlin.
Dort wurde sie ab 1930 als Dichterin bekannt: 1933 erschien die Gedichtsammlung „Das lyrische Stenogrammheft", zwei Jahre später „Das kleine Lesebuch für Große". Mascha Kaléko hatte viel Erfolg und schrieb auch Texte für Radio und Kabarett. Sie hatte engen Kontakt zu vielen anderen Künstlern ihrer Zeit. Aber 1935 erhielt sie von den Nazis Schreibverbot und 1938 musste Sie mit ihrer Familie – kurz nach ihrer Hochzeit mit ihrem zweiten Mann Chemjo Vinaver – vor den Nazis fliehen und in die USA emigrieren.
1957 kehrte sie aus dem Exil nach Berlin zurück, hatte aber nicht mehr so viel Erfolg wie vor 1938. 1960 zog sie mit ihrem Mann nach Israel, jedoch fühlte sie sich dort kulturell und sprachlich isoliert. 1975 starb sie in Zürich – nach einem Besuch in Berlin, auf der Rückreise nach Jerusalem.

c Lesen Sie das Gedicht noch einmal. Hat die letzte Zeile jetzt für Sie eine andere Bedeutung?

d Was ist anders, wenn Sie nicht Ihre Sprache sprechen, sondern Deutsch? Wie fühlen Sie sich? Sprechen Sie in Gruppen.

e Wann haben Sie sich mit Deutsch richtig wohl gefühlt? Beschreiben Sie ein Erlebnis. Geben Sie in Ihrem Text Informationen zu mindestens drei Fragen.

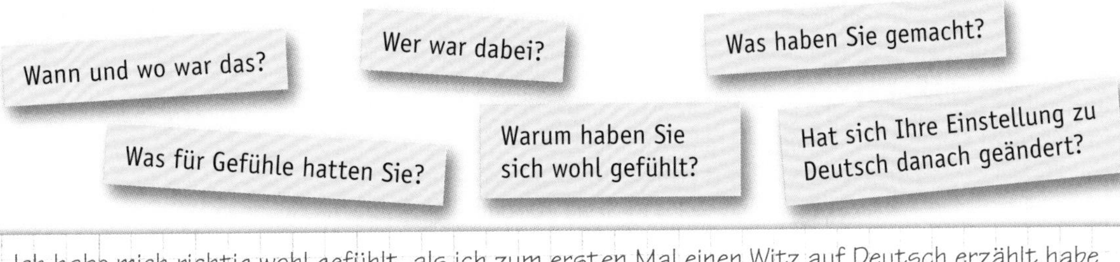

Ich habe mich richtig wohl gefühlt, als ich zum ersten Mal einen Witz auf Deutsch erzählt habe und die anderen gelacht haben. Das war …

G Grammatikübersicht

Verb

Verb *lassen*

K1, K3

ich lasse	wir lassen	Präsens:	Ich	**lasse**	das	**machen.**
du lässt	ihr lasst	Präteritum:	Ich	**ließ**	das	**machen.**
er/es/sie lässt	sie/Sie lassen	Perfekt:	Ich	**habe**	das	**machen lassen.**
		mit Modalverb:	Ich	**kann/konnte**	das	**machen lassen.**

Ich bügle mein Hemd. = Ich mache das selbst. • Ich lasse mein Hemd bügeln. = Jemand macht das für mich.

Präteritum: Formen

K3

regelmäßige Verben: suchen		
ich	such**te**	**-e**
du	such**test**	**-est**
er/es/sie	such**te**	**-e**
wir	such**ten**	**-en**
ihr	such**tet**	**-et**
sie/Sie	such**ten**	**-en**

Regelmäßige Verben: -t + Endung

unregelmäßige Verben: geben, gehen			
ich	gab	ging	--
du	gab**st**	ging**st**	**-st**
er/es/sie	gab	ging	--
wir	gab**en**	ging**en**	**-en**
ihr	gab**t**	ging**t**	**-t**
sie/Sie	gab**en**	ging**en**	**-en**

Unregelmäßige Verben: Vokalwechsel, 1. + 3. Person ohne Endung

Verben mit Vokalwechsel und regelmäßiger Endung: *kennen – er kannte, nennen – er nannte, rennen – er rannte, wissen – er wusste, mögen – er mochte, denken – er dachte, bringen – er brachte*

Über Vergangenes berichten

K3

1. Beim Sprechen oder in Texten wie E-Mails oder SMS verwendet man meistens das **Perfekt**:
   Ich **bin** gestern ins Kino **gegangen**. Ich **habe** einen Film über die DDR **gesehen**.
2. In der geschriebenen Sprache (offizielle Briefe, Zeitungen, Berichte, ...) verwendet man häufig das **Präteritum**: In den 50er-Jahren **übernahm** Schweisfurth das Familienunternehmen.
3. Einige Verben verwendet man fast immer im Präteritum: *sein, haben* und Modalverben:
   Er **war** im Kino. Er **hatte** eigentlich keine Zeit, aber er **wollte** den Film trotzdem sehen.

Vorvergangenheit ausdrücken: Plusquamperfekt

K7

jetzt	Wir leben in einem großen Haus.	Gegenwart → Präsens
früher	Es gab oft Streit. Wir haben Hilfe gesucht.	Vergangenheit → Präteritum, Perfekt
noch früher	Nina **hatte** allein mit Dominik **gelebt**. Sascha **war** zur Welt **gekommen**.	Vorvergangenheit → Plusquamperfekt

Futur I

K6

Ich	**werde**	oft in der Bibliothek	**sein.**
Angelo	**wird**	seiner Tochter etwas	**schenken.**
	werden		Infinitiv

Über die Zukunft kann man auch folgendermaßen sprechen:
- Verb im Präsens + Zeitangabe: Wir **schreiben in zwei Wochen** einen Test.
- mit Modalverb *wollen* oder *möchten*: Isabella **will** ihren Zeitplan beim Lernen einhalten.
- mit Verben wie *vorhaben, anfangen, ...*: Isabella **hat vor**, in der Bibliothek zu lernen.

Passiv

K10

Aktiv → **Wer** tut etwas?	Die Firmen spenden **Lebensmittel**. Akkusativ
Passiv → **Was** passiert?	**Lebensmittel** werden gespendet. Nominativ

Wenn man weiß, wer etwas tut, kann man den Akteur im Passivsatz mit *von* + Dativ nennen: Lebensmittel werden **von Firmen** gespendet.

Bildung des Passivs

K10

Präsens: *werden* + Partizip II	Die Feuerwehr **wird alarmiert**.
Präteritum: *wurde* + Partizip II	Die Feuerwehr **wurde alarmiert**.
Perfekt: *sein* + Partizip II + **worden**	Die Feuerwehr **ist alarmiert worden**.

Passiv mit Modalverb

K10

Modalverb + Partizip II + *werden* im Infinitiv	Die Lampe	**muss**	**repariert**	**werden.**
	Das Problem	**kann**	**gelöst**	**werden.**

Konjunktiv II der Modalverben

K4

ich	könnte	müsste	dürfte	wollte	sollte
du	könn**test**	müss**test**	dürf**test**	woll**test**	soll**test**
er/es/sie	könnte	müsste	dürfte	wollte	sollte
wir	könnt**en**	müsst**en**	dürft**en**	wollt**en**	sollt**en**
ihr	könnt**et**	müsst**et**	dürft**et**	wollt**et**	sollt**et**
sie/Sie	könnt**en**	müsst**en**	dürft**en**	wollt**en**	sollt**en**

Irreale Bedingungssätze mit Konjunktiv II

K4

Ich **könnte** besser **arbeiten**,	**wenn** ich einen neuen Computer **hätte**.
Wenn Boris nicht so gestresst **wäre**,	**wäre** die Pause lustiger.
Wenn Herr Jeschke nicht so lange **arbeiten müsste**,	**würde** er gern **mitkommen**.

Verben mit Präposition

K4

Sie **interessiert sich für** die Stelle.	sich interessieren für + Akk.
Warten Sie schon lange **auf** eine Antwort?	warten auf + Akk.
Zu einer Bewerbung **gehört** auch ein Foto.	gehören zu + Dat.
Er wollte nicht **mit** mir **über** das Problem **sprechen**.	sprechen mit + Dat. / über + Akk.

Weitere Verben: sich ärgern über + Akk., denken an + Akk., sich freuen auf + Akk. / über + Akk., verzichten auf + Akk., sich vorbereiten auf + Akk., sich kümmern um + Akk., suchen nach + Dat., teilnehmen an + Dat., ...

nicht/kein + brauchen + zu
nur + brauchen + zu

K8

nicht + brauchen + zu	Das **brauchst** du **nicht zu** machen. = Das musst du nicht machen.
kein/keine + brauchen + zu	Sie **brauchen keine** Angst **zu** haben. = Sie müssen keine Angst haben.
nur + brauchen + zu	Sie **brauchen** mich **nur zu** rufen. = Sie müssen mich nur rufen.

Substantive

Genitiv

K2

maskulin	**des**	eines	kein**es**	mein**es**	Kühlschrank**s**
neutrum	**des**	eines	kein**es**	mein**es**	Haus**es**
feminin	**der**	einer	kein**er**	mein**er**	Wohnung
Plural	**der**		kein**er**	mein**er**	Informationen

Statt des unbestimmten Artikels im Genitiv Plural verwendet man *von* + Dativ: das Alter **von** Häuser**n**
Fragewort: **Wessen** Idee war das?

Mehrsilbige maskuline und neutrale Substantive: meistens Endung *-s* → das Zimmer – des Zimmer**s**
Einsilbige maskuline und neutrale Substantive: oft mit Endung *-es* → der Raum – des Raum**es**
Substantive auf *-s*, *-ß*, *-(t)z*, *-sch*, *-st*: oft mit Endung *-es* → der Fuß – des Fuß**es**, der Tisch – des Tisch**es**
Feminine Substantive: keine Endung → die Küche – der Küche, die Frau – der Frau

n-Deklination

K5

Manche maskuline Substantive haben im Singular außer im Nominativ immer die Endung: ***-(e)n***.

Akkusativ	Dieser Brief ist für **Herrn** Müller. / Siehst du den **Elefanten**?
Dativ	Hast du dem **Jungen** das Buch gegeben? / Gehst du mit deinem **Kollegen** zum Mittagessen?
Genitiv	Ich muss den Schlüssel noch in den Briefkasten meines **Nachbarn** werfen.

Das betrifft:

- maskuline Substantive mit der Endung ***-e***: der Kollege, der Name, der Junge, der Löwe, der Kunde, der Experte, ...
- viele Bezeichnungen für Personen, Berufe und Tiere: der Bär, der Bauer, der Herr, der Nachbar, der Mensch, ...
- Internationalismen auf *-graf*, *-ant*, *-ent*, *-ist*, *-at* und *-oge*: der Fotograf, der Praktikant, der Student, der Journalist, der Automat, der Pädagoge, ...

Adjektive als Substantive

Nominativ

K11

maskulin Singular	**der** Obdachlos**e** ~~Mann~~	**ein** Obdachlos**er** ~~Mann~~
feminin Singular	**die** Angestellt**e** ~~Bäckerin~~	**eine** Angestellt**e** ~~Bäckerin~~
Plural	**die** Obdachlos**en**	■ Obdachlos**e**

Adjektive als Substantive haben die gleiche Endung wie gewöhnliche Adjektive. Oft gebrauchte Adjektive als Substantive sind: der/die Angehörige, der/die Angestellte, der/die Arbeitslose, der/die Bekannte, der/die Deutsche, der/die Erwachsene, der/die Jugendliche, der/die Kranke, der/die Tote, der/die Verwandte

Adjektive

Komparativ und Superlativ vor Substantiven

K5

Der Geschirrspüler ist **besser**.
Das ist ein **besser**e**r** Geschirrspüler.
Eine Stofftasche ist **am besten**.
Eine Stofftasche ist die **best**e Alternative.

keine Endung: mehr/weniger
Baden verbraucht **mehr** Energie als Duschen.
Wenn man duscht und nicht badet, verbraucht man **weniger** Wasser.

Komparative und Superlative, die vor Substantiven stehen, haben die gleichen Endungen wie Adjektive in der Grundform.

Adjektive nach dem bestimmten und unbestimmten Artikel: Genitiv

K2

	maskulin	neutrum	feminin	Plural
best. Artikel	des kleinen Baums	des kleinen Autos	der neuen Uhr	der neuen CDs
unbest. Artikel	eines kleinen Baums	eines kleinen Autos	einer neuen Uhr	neuer CDs

Adjektive mit Artikelwort im Genitiv haben die Endung ***-en***.
Ausnahme: unbestimmter Artikel im Plural

Adjektivdeklination ohne Artikel

K9

	maskulin	neutrum	feminin	Plural
Nominativ	der Spaß groß**er** Spaß	das Stück neu**es** Stück	die Gruppe nett**e** Gruppe	die Haare lang**e** Haare
Akkusativ	den Spaß groß**en** Spaß	das Stück neu**es** Stück	die Gruppe nett**e** Gruppe	die Haare lang**e** Haare
Dativ	dem Spaß groß**em** Spaß	dem Stück neu**em** Stück	der Gruppe nett**er** Gruppe	den Haaren lang**en** Haaren
Genitiv	des Spaß**es** groß**en** Spaß**es**	des Stücks neu**en** Stücks	der Gruppe nett**er** Gruppe	der Haare lang**er** Haare

Adjektive ohne Artikel haben die gleiche Endung wie der bestimmte Artikel:
de**r** groß**e** Spaß → groß**er** Spaß; da**s** neu**e** Stück → neu**es** Stück

Ausnahme! Genitiv Singular maskulin und neutrum:
wegen de**s** schlechten Wetter**s** → wegen schlecht**en** Wetter**s**, trotz de**s** langen Warten**s** → trotz lang**en** Warten**s**
Den Genitiv ohne Artikelwort verwendet man fast nur in Verbindung mit *wegen* oder *trotz*.

Partizip als Adjektiv

K12

Partizip II

der ausgezahlt**e** Betrag = der Betrag, der ausgezahlt wurde
ein gekauft**es** Produkt = ein Produkt, das gekauft wurde
die berechnet**en** Gebühren = die Gebühren, die berechnet wurden

Partizip I → Infinitiv + *d*

sinken**de** Löhne = Löhne, die sinken
der wachsen**de** Weltmarkt = der Weltmarkt, der wächst
eine beunruhigen**de** Situation = eine Situation, die beunruhigt

Partizipien werden wie Adjektive dekliniert:
Sie können das gekauft**e** Produkt innerhalb von zwei Wochen umtauschen.
Wegen der steigend**en** Preise haben viele Leute Probleme.

Pronomen

Reflexivpronomen im Akkusativ und Dativ

Ich ziehe		**mich**	an.
Ich ziehe	**mir**	**den** Pullover	an.
	Dativ	**Akkusativ**	

Reflexivpronomen im Dativ

K8

Singular		Plural	
ich	mir	wir	uns
du	dir	ihr	euch
er/es/sie	sich	sie/Sie	sich

Wenn es bei reflexiven Verben ein Reflexivpronomen und ein Akkusativobjekt gibt, steht das Reflexivpronomen im Dativ.

Pronomen mit Präposition und Pronominaladverbien

K4

Präpositionen + Pronomen stehen für Personen:	Pronominaladverbien (*da(r)* + Präposition) stehen für Dinge/Ereignisse:
Der **Chef** ist sehr nett. Man kann **mit ihm** über Probleme sprechen.	Viele Institutionen bieten **ein Bewerbungstraining** an. **Daran** kann jeder teilnehmen.

Artikelwörter als Pronomen

K11

der Stadttyp	Bin ich ein Stadttyp? → Nein, du bist **keiner**.
das Haus	Ist das **dein** Haus? → Ja, das ist **mein(e)s**.
die Stadt	Was für eine Stadt ist das? → Das ist **eine**, in der ...
die Autos	Auf dem Land gibt es wenig Autos. → In der Stadt sind überall **welche**.

Artikelwörter als Pronomen haben die gleiche Endung wie bestimmte Artikel.

Artikelwörter als Pronomen: Formen

K11

	maskulin	neutrum	feminin	Plural
Nom.	Da ist **ein** Hund. Da ist **einer**/ **keiner**/**meiner**.	Da ist **ein** Haus. Da ist **ein(e)s**/ **kein(e)s**/**mein(e)s**.	Da ist **eine** Katze. Da ist **eine**/ **keine**/**meine**.	Da sind **keine** Autos. Da sind **welche**/ **keine**/**meine**.
Akk.	Ich sehe **einen** Hund. Ich sehe **einen**/ **keinen**/**meinen**.	Ich sehe **ein** Haus. Ich sehe **ein(e)s**/ **kein(e)s**/**mein(e)s**.	Ich sehe **eine** Katze. Ich sehe **eine**/ **keine**/**meine**.	Ich sehe **keine** Autos. Ich sehe **welche**/ **keine**/**meine**.
Dat.	Ich komme mit **einem** Hund. Ich komme mit **einem**/**keinem**/ **meinem**.	Ich komme mit **einem** Auto. Ich komme mit **einem**/**keinem**/ **meinem**.	Ich komme mit **meiner** Katze. Ich komme mit **einer**/**keiner**/ **meiner**.	Wir kommen mit **unseren** Autos. Wir kommen mit **welchen**/**keinen**/ **unser(e)n**.

Die Formen der Artikelwörter als Pronomen sind wie bei den Artikelwörtern *ein/kein/mein*. Ausnahmen sind: der Nominativ maskulin und neutrum, der Akkusativ neutrum, der Plural.

Relativpronomen *was* und *wo*

K11

was bezieht sich auf ganze Sätze oder auf Pronomen wie *alles, etwas, nichts, das*	Hier gibt es viele Freizeitmöglichkeiten, **was** ich toll finde. Ich finde alles interessant, **was** du vorgeschlagen hast. Da ist etwas, **was** ich dir sagen muss.
wo bezieht sich auf Ortsangaben	Ich fahre nach Hamburg, **wo** ich gute Freunde habe. Hamburg ist eine Stadt, **wo** ich gerne wohnen würde.

Ebenso möglich: Hamburg ist eine Stadt, **in der** ich gerne wohnen würde.

Präpositionen

Präpositionen mit Genitiv

K2

wegen und *trotz*

Claudia C. ist beeindruckt,	weil es tolle Möglichkeiten gibt.	
Claudia C. ist	**wegen der** tollen Möglichkeiten	beeindruckt.
Niko B. fühlt sich nicht sicher,	obwohl es eine moderne Kamera gibt.	
Niko B. fühlt sich	**trotz der** modernen Kamera	nicht sicher.

Bei Personalpronomen verwendet man *wegen* und *trotz* mit Dativ: **Wegen dir** kommen wir zu spät!
In der gesprochenen Sprache verwendet man *wegen* und *trotz* oft mit Dativ:
Wegen den hohen Preisen in der Stadt wohnen wir auf dem Land.
Trotz dem schlechten Wetter feiern wir im Garten.

innerhalb und *außerhalb*

K10

Lokale Bedeutung	Temporale Bedeutung
Innerhalb der Spielstadt übernehmen die Kinder alle Berufe. Die Eltern warten **außerhalb des** Stadt-Gebiet**s**.	**Innerhalb einer** Stunde sind alle Arbeitsplätze besetzt. **Außerhalb der** Ferien gibt es kein Programm.

In der Schriftsprache verwendet man den Genitiv. In der gesprochenen Sprache verwendet man statt des Genitivs auch *von* + Dativ. Das gilt ganz besonders für Städte- und Ländernamen ohne Artikel:
Reisen **innerhalb von** Deutschland ist einfach.

Temporale Präpositionen *vor, nach, während*

K3

vor + Dativ *nach* + Dativ *während* + Genitiv	**Vor** de**m** Umzug haben ihr viele Freunde davon abgeraten. **Nach** de**r** Sendung bekam sie viele Mails. **Während** ihre**s** Studium**s** lernte Selina ihren Mann kennen.

aus + Material

K5

Papier ist **aus** Holz.
Fahrkarten sind **aus** Papier.

Nach *aus* steht das Material ohne Artikel.

Wortstellung

Stellung von *nicht* im Satz

K9

1. Wenn *nicht* den ganzen Satz verneint, steht es möglichst am Ende des Satzes: Mir gefällt das Bild **nicht**.
2. Aber: In der Satzverneinung steht *nicht* ...
   - vor dem 2. Verbteil: Er hat das Bild **nicht** gesehen.
     Wir konnten **nicht** kommen.
   - vor Adjektiven und Adverbien: Das Bild war **nicht** teuer.
     Sie hat **nicht** oft gemalt.
   - vor Präpositionalergänzungen: Sie interessiert sich **nicht** für Kunst.
   - vor lokalen Angaben: Sie waren **nicht** im Museum.
3. Wenn *nicht* nur ein Wort verneint, steht es direkt vor diesem Wort.
   Sie waren **nicht** heute im Museum (sondern gestern).

Nicht kann den ganzen Satz oder nur bestimmte Satzteile verneinen.

Sätze verbinden

Temporale Nebensätze: *bevor, nachdem, seit/seitdem, während, bis*

K7

bevor	Elisa diskutierte lange mit den Eltern, **bevor** sie in Urlaub fuhren. **Bevor** Elisa ausgehen darf, muss sie das Geschirr abspülen.
nachdem	Elisa findet es richtig nett am Meer, **nachdem** sie Freunde gefunden hat. **Nachdem** Elisa weggefahren war, war Jasmin so allein.
seit/seitdem	**Seit/Seitdem** sie zusammen wohnen, streiten sie oft.
während	**Während** du telefonierst, räume ich auf.
bis	Tim will sparen, **bis** er sich ein Haus kaufen kann.

Im *nachdem*-Satz verwendet man ein anderes Tempus als im Hauptsatz:
- im Hauptsatz Präsens → im Nebensatz Perfekt
- im Hauptsatz Präteritum oder Perfekt → im Nebensatz Plusquamperfekt

Folgen ausdrücken

K3

deshalb, darum, deswegen

Hauptsatz 1			Hauptsatz 2		
Bens Freunde	sind	weit weg,	**deshalb**	ist	er manchmal traurig.
Ben	vermisst	seine Geschwister,	**darum**	ruft	er sie oft an.
Seine Frau	hat	viele Freunde,	**deswegen**	gehen	sie oft aus.

sodass, so ... dass

K3

Hauptsatz			Nebensatz		
Der Spanischkurs	macht	Spaß,	**sodass**	Ben gern	**lernt.**
Ich	spreche	so wenig Spanisch,	**dass**	ich fast nichts	**verstehe.**

Gründe und Gegengründe ausdrücken: *weil/da, obwohl*

K2, K5

	Konnektor		Verb	
Das Handy geht oft aus,	**weil**	der Akku leer	**ist.**	
	Weil	der Akku leer	**ist,**	geht das Handy oft aus.
Duschen ist besser,	**da**	man nicht so viel Energie	**verbraucht.**	
	Da	man nicht so viel Energie	**verbraucht,**	ist Duschen besser.
Er kauft das Gerät,	**obwohl**	es sehr teuer	**ist.**	
	Obwohl	das Gerät sehr teuer	**ist,**	kauft er es.

Nebensätze mit *weil/da* drücken einen Grund aus. Nebensätze mit *obwohl* drücken einen Gegengrund aus.

Infinitiv mit *zu*

K1

nach Verben	anfangen, aufhören, sich entscheiden, planen, vergessen, versuchen, vorhaben, ...	Ich habe vergessen, dich **anzurufen.**
nach Adjektiven (+ *sein/finden/...*)	anstrengend, interessant, ... sein gut, langweilig, spannend, ... finden	Es ist langweilig, den ganzen Tag am Strand **zu sein.**
nach Substantiven (+ *haben/machen*)	(keine) Lust haben, (keine) Zeit haben, Spaß machen, ...	Ich habe keine Zeit, ins Reisebüro **zu gehen.**

Relativsätze: Relativpronomen im Dativ

K6

Alex geht zu Frau Ebert. Er bringt **ihr** einen frischen Kaffee.

Alex geht zu Frau Ebert,	**der**	er einen frischen Kaffee	**bringt.**

Alex kommt zu Lisa und Hannah Graf. Er hilft **ihnen** bei der Arbeit.

Alex kommt zu Lisa und Hannah Graf,	**denen**	er bei der Arbeit	**hilft.**

mask.	der	**dem**
neutr.	das	**dem**
fem.	die	**der**
Plural	die	**denen**

Relativsätze: Relativpronomen mit Präposition

K6

Das sind meine Freunde,	**mit**	**denen**	ich nach Hamburg fahren möchte.	
Der Zug,	**für**	**den**	ich die Fahrkarten gekauft habe,	fährt um 10 Uhr.
Hamburg ist die Stadt,	**in**	**der**	wir aufgewachsen sind.	
Hamburg ist die Stadt,	**in**	**die**	er schon lange fahren möchte.	

Die Präposition bestimmt den Kasus des Relativpronomens:
mit + Dativ → mit **denen** (Plural), *für* + Akkusativ → für **den** (maskulin, Singular)
Bei Wechselpräpositionen fragt man „Wo?" oder „Wohin?", um den Kasus zu bestimmen:
aufwachsen → Wo? → *in* + Dativ → die Stadt, in **der** wir aufgewachsen sind
fahren → Wohin? → *in* + Akkusativ → die Stadt, in **die** er schon lange fahren möchte

Verben mit Präposition und Nebensatz

K4

warten auf → Worauf wartet man?
Man wartet **auf** eine Antwort. Man wartet **darauf**, **dass** die Firma sich **meldet**.

sich freuen über → Worüber freue ich mich?
Ich freue mich **über** die neue Stelle. Ich freue mich **darüber,** eine neue Stelle **zu haben**.

Zweiteilige Konnektoren

K8

das eine **und** das andere	Ich höre **sowohl** Klassik **als auch** Pop. Ich höre **nicht nur** Klassik, **sondern auch** Pop.
das eine **oder** das andere	Er hört **entweder** Rock **oder** Techno.
das eine **nicht und** das andere auch **nicht**	Sie hört **weder** Trip-Hop **noch** Jazz.
das eine **mit Einschränkungen**	Ich höre **zwar** gern Jazz, **aber** lieber höre ich Salsa.
Gegensatz; eine Sache hat **zwei Seiten**	Ich höre **einerseits** gern laute Musik, **andererseits** stört sie mich manchmal auch, dann mag ich es ganz ruhig.

Zweiteilige Konnektoren können Satzteile oder ganze Sätze verbinden:
Satzteile: Ella spielt nicht nur Gitarre, sondern auch Klavier.
Ganze Sätze: Brian spielt nicht nur Gitarre, sondern er singt auch gut.

Sätze mit *je ... desto ...*

K12

Je öfter	ich Geld zur Bank	bringe,	**desto freundlicher**	ist	der Angestellte.
Je mehr Touristen	ins Land	kommen,	**desto mehr** Geld	verdienen	viele Leute.
je + Komparativ		Verb (Ende)	*desto* + Komparativ	Verb (Position 2)	

Alphabetische Wortliste

So geht's:

Hier finden Sie alle Wörter aus den Kapiteln 1–12 von **Netzwerk** Kursbuch B1.
Die fett markierten Wörter sind besonders wichtig. Sie brauchen sie für die B1-Prüfungen.
Diese Wörter müssen Sie also gut lernen. **Arbeitgeber**, der, – 4/9b
Ein Strich unter einem Vokal zeigt: Sie müssen den Vokal lang sprechen. **Ehepaar**, das, -e 1/14a
Ein Punkt bedeutet: Der Vokal ist kurz. erben 3/3a
Ein Strich nach einem Präfix bedeutet: Das Verb ist trennbar. Hinter unregelmäßigen Verben finden Sie auch die 3. Person Singular, das Präteritum und das Perfekt. **aus|gehen** (geht aus, ging aus, ist ausgegangen) 2/3a
Oft gibt es weitere grammatische Angaben in Klammern, z. B. bei reflexiven Verben oder Verben mit einer festen Präposition. **freuen** (sich) (über + Akk.) 4/10b
Für manche Wörter gibt es auch Beispiele oder Beispielsätze. alle (Die Leute pflanzen alle möglichen Blumen.) 5/13a
Manche Wörter findet man im Arbeitsbuch, sie sind mit „AB" gekennzeichnet: **arbeitslos** AB 3/3a
In der Liste stehen keine Personennamen, keine Zahlen, keine Städte und keine grammatischen Formen.

So sieht's aus:

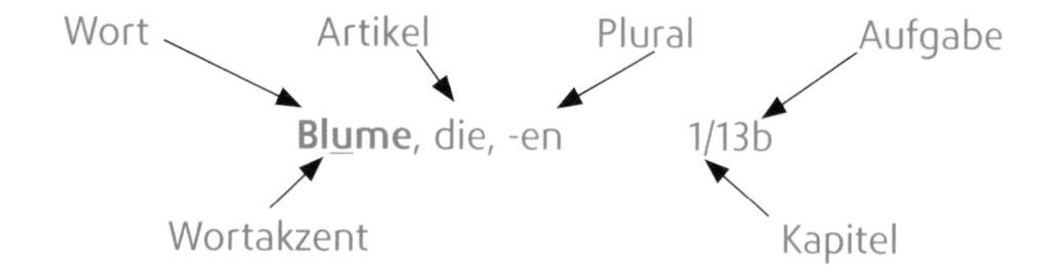

ab|bauen 3/3c
ab|heben 12/3a
ab|kaufen 9/7a
ab|raten (rät ab, riet ab, hat abgeraten) 3/6a
ab|räumen 10/8b
ab|schwächen 9/8c
ab|spülen 7/4a
ab|stimmen AB 10/1c
ab|ziehen (zieht ab, zog ab, ist abgezogen) (Lachend zog der Hirsch ab.) 7/11b
Abfall, der, Abfälle 11/1b
Abgas, das, -e 11/1b
Abgeordnete, der/die, -n AB 10/1c
abgeschliffen 5/8b
abgeschlossen 8/10a
Abneigung, die, -en 1/2
Abzug, der (Singular) 10/7b
Achtung, die (Singular) 3/3d
Adressat, der, -en 2/8b
Affe, der, -n 5/9b
Ägypten 5/8b
Ahnung, die, -en 11/14a
Akku, der, -s 2/3a
Akte, die, -n AB 4/1a
Aktion, die, -en 5/7
aktiv 1/4b
akzeptieren 4/9b
alarmieren 10/3b
Alarmknopf, der, Alarmknöpfe 8/6b
alle (Die Leute pflanzen alle möglichen Blumen.) 5/13a
alleinerziehend 3/1b
allerdings 11/12a
alltäglich 5/8b
Alm, die, -en 1/14a
Almaufenthalt, der, -e 1/14b
Almsommer, der, – 1/14a
Almurlaub, der, -e 1/14a
als auch (sowohl ... als auch) 8/7b
als ob 8/7b
Altersdurchschnitt, der, -e 6/6c
Altersheim, das, -e AB 3/3a
Älterwerden, das (Singular) 6/6b
Alzheimer, der (Singular) 8/7b
Amateur, der, -e 9/4b
Amerika 6/10b
amerikanisch 8/7b
an|gehen (geht an, ging an, ist angegangen) (Was ich mache, geht dich nichts an.) 11/4a
an|haben (hat an, hatte an, hat angehabt) 8/11a
an|kommen (auf + Akk.) (es kommt darauf an, kam darauf an, ist darauf angekommen) 4/10a
an|kommen (kommt an, kam an, ist angekommen) (bei + Dat.) (Die Fotos kommen bei den Besuchern gut an.) 9/7a
an|lächeln 11/14a
an|nehmen (nimmt an, nahm an, hat angenommen) 5/8b
an|passen 2/10a
an|reisen 10/7b
an|schaffen AB 12/1b
an|schalten 2/7
an|schauen 9/1b
an|schließen (schließt an, schloss an, hat angeschlossen) 2/7
an|sprechen (spricht an, sprach an, hat angesprochen) 2/12b
an|stehen (steht an, stand an, hat angestanden) 3/10b
an|strengen (sich) 8/1a
an|ziehen (zieht an, zog an, hat angezogen) (Gute Rankings ziehen Investoren an.) 11/9a
Analyse, die, -n 4/1b
andererseits 8/7b
ändern 2/8b
Angehörige, der/die, -n AB 3/3a
ängstlich AB 7/2a
Anhang, der, Anhänge 3/4c
Ankündigung, die, -en 9/9a
Anlass, der, Anlässe 8/7b
Anteil, der, -e 5/1b
Antike, die (Singular) 6/1b
anwesend AB 10/1c
Anwohner, der, – 5/13a
Apparat, der, -e 8/6b
apropos 2/8b
Arbeiter, der, – 12/11b
Arbeitgeber, der, – 4/9b
Arbeitsamt, das, -ämter 10/3b
Arbeitsbedingungen (Plural) 3/1b
Arbeitserlaubnis, die (Singular) AB 3/3a
Arbeitskraft, die, Arbeitskräfte 3/1b
arbeitslos AB 3/3a
Arbeitssuche, die (Singular) 10/3b
Arbeitssuchende, der/die, -n 11/9a
Arbeitsweise, die, -n 4/14b
Arbeitswoche, die, -n 11/4a
Argentinien 9/9a
Argument, das, -e 5/7
arm, ärmer, am ärmsten 7/10b
Artikel, der, – 3/3b
Asien 12/7a
Aspirin, das (Singular) 2/11d
assoziieren 8/14a
Astrologe, der, -n 6/1b
Astrologie, die (Singular) 6/1a
Atelier, das, -s 7/10b
Attraktion, die, -en 11/14a
ätzend 7/4a
auf|bauen 10/11c
auf|bewahren 8/6b
auf|fallen (fällt auf, fiel auf, ist aufgefallen) 2/8b
auf|führen 9/4b
auf|geben (gibt auf, gab auf, hat aufgegeben) (Alte Freundschaften muss man nicht aufgeben.) 3/6b
auf|geben (gibt auf, gab auf, hat aufgegeben) (Er ist ein Mensch, der nie aufgibt.) 3/3c
auf|halten (hält auf, hielt auf, hat aufgehalten) 11/6b
auf|laden (lädt auf, lud auf, hat aufgeladen) 12/5a
auf|lösen AB 8/3a
auf|teilen 8/6b
auf|treten (tritt auf, trat auf, ist aufgetreten) AB 9/4a
auf|wachen 11/7
auf|wachsen (wächst auf, wuchs auf, ist aufgewachsen) 6/7a
Aufforderung, die, -en 7/9
Aufführung, die, -en 9/4c
Aufmerksamkeit, die (Singular) 4/14b
Aufnahme, die, -n AB 10/1c
Aufregung, die (Singular) 4/14b
Auge, das, -n (ins Auge fallen) 9/1b
Auktion, die, -en 9/7a
Auktionator, der, Auktionatoren 9/7a
Auktionsbesucher, der, – 9/7a
Auktionshaus, das, -häuser 9/7a
Aus, das (Singular) (Der Ball ist nicht im Aus.) 2/1b
aus|bilden 10/3b
aus|denken (sich) (denkt sich aus, dachte sich aus, hat sich ausgedacht) 8/13a
aus|drucken 5/8b
aus|führen 12/5a
aus|füllen 12/5b
aus|gehen (geht aus, ging aus, ist ausgegangen) 2/3a

aus|gleichen 8/14b
aus|lösen 8/7b
aus|machen 9/4b
aus|rücken (Die Feuerwehr rückt fast jede Nacht aus.) 10/3b
aus|ruhen (sich) 1/8a
aus|sagen 7/11c
aus|sterben (stirbt aus, starb aus, ist ausgestorben) 5/13a
aus|üben 10/2c
aus|zahlen 10/7b
aus|ziehen (zieht aus, zog aus, ist ausgezogen) (Wir sind aus unserer Wohnung ausgezogen.) 12/11b
Ausbildungsplatz, der, Ausbildungsplätze 11/9a
Auseinandersetzung, die, -en 6/1b
Ausgabe, die, -n AB 12/4a
Ausgabestelle, die, -n 10/3b
Ausgang, der, Ausgänge 1/11b
ausgebildet 10/7c
ausgestattet 3/10c
ausnahmslos 8/14b
ausreichend 8/1a
aussagekräftig 4/9b
ausschließlich 8/14b
Ausschnitt, der, -e 3/6b
außerhalb (+ Genitiv) 10/7b
äußerst 6/1b
Äußerung, die, -en 8/10a
Ausstattung, die, -en 9/4c
Ausstellungsbesucher, der, – 9/8b
Austauschschüler, der, – 9/9a
Auswahl, die (Singular) 12/7a
auswendig 6/9d
Auswertung, die, -en 8/1b
Autofahren, das (Singular) 5/6a
Autofahrer, der, – 3/4c
Autofirma, die, Autofirmen 2/12b
Automat, der, -en 5/9b
automatisiert 3/1b
autoritär 3/1b
Autounfall, der, Autounfälle 3/4c
Autoverkehr, der (Singular) 5/13a
Backstube, die, -n 11/6b
Bademantel, der, -mäntel 8/6b
Badewanne, die, -n 5/4b
Bahnhofshalle, die, -n 9/1b
bald darauf 7/3b
Ballett, das, -s AB 9/4a
banal 9/8c
Band, der, Bände 5/1b
Bankangestellte, der/die, -n 12/4a
Bankautomat, der, -en 12/4d
Banker, der, – 12/7a
Bankgeschäft, das, -e 12/5a
Bankkunde, der, -n 12/4c
Bargeld, das (Singular) 12/4c
Bart, der, Bärte 9/4c
basieren (auf + Akk.) 12/10b
Bass, der, Bässe 6/10a
Bauchnabel, der, – 3/3c
Bauer, der, -n AB 4/1a
Bauernregel, die, -n 6/1b
Bauhof, der, Bauhöfe 11/6b
beachten 7/12b
bearbeiten 4/1b
bedenken (bedenkt, bedachte, hat bedacht) 12/7a
Bedeutung, die, -en 12/5a
Bedingung, die, -en 12/7a
Bedürfnis, das, -se 6/6b
bedürftig 10/3b
beeindruckt 2/10c
beeinflussen 7/10b
Beerdigung, die, -en 8/7b
befragen 6/3b
befreien 3/3c
befürworten 12/10c
begeben (sich) (begibt sich, begab sich, hat sich begeben) 9/10a
begegnen (begegnet, begegnete, ist begegnet) 1/5a
begeistern AB 10/1c
Begriff, der, -e 5/3
behalten (behält, behielt, hat behalten) 12/5a
behandeln 5/4b
behindert AB 10/1c
Behördengang, der, Behördengänge 10/3b
beißen (beißt, biss, hat gebissen) 7/11b
Beispielsatz, der, -sätze 9/7b
bekleckern 4/7a
belastet 9/4b
Beleg, der, -e AB 12/1b
beleuchten 9/4c
bemerken 2/8b
bemühen (sich) (um + Akk.) 8/14b
benötigen 12/5a
beobachten 8/7b
beraten 1/8a
Beratung, die, -en 7/3b
Beratungsstelle, die, -n 7/3b
berechnen 5/3
Bereich, der, -e 4/13b
bereit 6/9e
bereits 10/7b
berücksichtigen 6/6c
Berufsfeuerwehr, die, -en 10/3b
berufstätig 3/1b
beruhigend 8/7b
berühren 2/8b
beschädigen 12/5a
beschäftigen 6/1b
Bescheid, der, -e 1/9a
Bescheinigung, die, -en 4/9b
beschildert 8/6b
Beschleunigung, die (Singular) 2/11c
beschließen (beschließt, beschloss, hat beschlossen) 10/10b
besetzt 4/13b
besiegen 6/9e
Besitzer, der, – 9/7a
bestätigen 5/13a
Besuchszeit, die, -en 8/6a
beteiligen (sich) (an + Dat.) 8/14b
beten 12/11b
Betrag, der, Beträge 12/4c
betragen (beträgt, betrug, hat betragen) 8/6b
Betreuer, der, – 8/14b
Betreuung, die (Singular) 6/6b
Betrieb, der, -e 11/1b
betroffen sein 12/7a
betrügen (betrügt, betrog, hat betrogen) 12/10b
Bettdecke, die, -n AB 5/1b
beunruhigend 12/7a
Beurteilung, die (Singular) 4/14b
Beute, die (Singular) 7/11b
Bevölkerung, die (Singular) 6/6b
bevor 3/6a
bewachen 12/11b
bewahren 10/11b
bewältigen 10/3b
Bewegung, die, -en 3/3c
beweisen (beweist, bewies, hat bewiesen) 3/3c
Bewerber, der, – 4/9b
Bewerbung, die, -en 4/9a
Bewerbungsschreiben, das, – 4/9b
Bewerbungstraining, das, -s 4/9b
Bewerbungsunterlagen, die (Plural) 4/9b
bewerten 11/9a
Bewertung, die, -en 1/9a
bewölkt 5/11a
Bezeichnung, die, -en 5/9b
beziehen (sich) (auf + Akk.) (bezieht sich, bezog sich, hat sich bezogen) 4/10b
Beziehung, die, -en 3/6b
Beziehungskiste, die, -n 7/1
BIC, der, -s AB 12/4a
Biene, die, -n 8/1a
Bildung, die (Singular) 6/7c
Bio-Fleisch, das (Singular) 5/1b
Bio-Limonade, die, -n 2/11c
bis (Wie lange dauert es, bis du kommst?) 7/5c
Blei, das (Singular) 6/1b
Bleigießen, das (Singular) 6/1b
Blickkontakt, der (Singular) 12/10c
Blinde, der/die, -n AB 10/1c
blitzen 5/11a
Blockade, die, -n 3/3c
Blödmann, der, Blödmänner 7/4a
blond AB 7/2a
Blumenzwiebel, die, -n 5/13a
blutig 8/1a
Boden, der, Böden 6/1b
Bohnenkaffee, der (Singular) 12/2b
Boot, das, -e 1/2
Bosnien 9/1b
Botschaft, die, -en AB 1/10
Branche, die, -n 4/14b
Brand, der, Brände 10/5b
Braten, der, – 10/3b
Brauch, der, Bräuche 6/1b
brechen (bricht, brach, hat gebrochen) 3/3c
brennen (brennt, brannte, hat gebrannt) 10/3b
Briefmarke, die, -n 5/8a
Brieftasche, die, -n AB 9/1b
Briefträgerin, die, -nen 4/1b
Briefumschlag, der, Briefumschläge 5/8a
Brille, die, -n 2/11c
Broschüre, die, -n AB 9/4a
Brunnen, der, – 9/1b
buchen 1/3b
Büchse, die, -n AB 5/1b
Büdchen, das, – 11/14a
Bude, die, -n 11/14a
Büfett, das, -s AB 9/4a
bügeln 1/8a
Bühne, die, -n (ein Stück auf die Bühne bringen) 9/4b
Bundeskanzler, der, – AB 10/1c
Bundeskanzlerin, die, -nen AB 10/1c
Bundesrepublik, die (Singular) 3/10a
Bundestag, der (Singular) AB 10/1c
bundesweit 10/5a
Burg, die, -en 9/1b
Bürger, der, – 6/7b
Bürgermeister, der, – AB 10/1c
Busverspätung, die, -en 4/14b
bzw. (beziehungsweise) 7/10c
CD-Player, der, – 2/2a
Charakter, der, Charaktere 6/1b
Chemikalie, die, -n 5/4b
Chemikerin, die, -nen 4/1b
Chinese, der, -n 5/8b
Chip, der, -s (Ich brauche einen Chip für den Parkautomat.) 12/5a
Chipkarte, die, -n 8/6b
Chips, die (Plural) (Isst du auch so gerne Chips wie ich?) 11/14a
Computerkurs, der, -e 4/4b
Computerstimme, die, -n 2/8b
contra 5/7
Currygewürz, das, -e 11/14a
da (Er ist sehr engagiert, da er dieses Thema wichtig findet.) 7/10c
da vorne 6/5a
dabei 2/1b
dagegen 3/6a
daher 8/7b
damalig 12/11b
dankbar 12/4c
darauf 4/9b
daraus 3/3c
darin 4/9b
darüber 2/12b
darum (1) (Ich habe nicht aufgepasst. Darum habe ich mein Handy verloren.) 2/1b
darum (2) (Es geht darum, neugierig zu machen.) 2/12b
darunter 6/6b
dasselbe, derselbe, dieselbe 10/10b
Dauerauftrag, der, -aufträge 12/5a
dauerhaft 8/12b
dauernd 11/4a
davon 2/12a
davor 5/8b
DDR, die (Singular) 3/10b
Decke, die -n AB 5/1b
deklinieren 12/5b
Demokratie, die, -n 3/10c
demokratisch 3/10b
dennoch 8/14b
derzeit 6/1b
desto (je ..., desto ...) 12/3a
deswegen 2/12b
Detail, das, -s 9/1b
Diagramm, das, -e 4/7a
Dialekt, der, -e 11/14a
Diät-Assistentin, die, -nen 8/6b
diätisch 8/6b
dicht 6/6b
dick 5/1b
Dieb, der, -e 12/10b
Diebstahl, der, Diebstähle 12/5a
dienen (als + Akk.) 11/9a
Dienst, der, -e (im Dienst sein) 11/6b
Dienstleistung, die, -en 10/10b
diesmal 9/4b
diktieren 1/11c
Dilemma, das, -s 3/8a
Diplomat, der, -en 5/9b
diplomatisch 7/8a
Diskussion, die, -en 5/7
Dokument, das, -e 4/9b
Dokumentarfilm, der, -e 9/9a
dokumentieren 7/10c
donnern 5/11a
dorthin 7/11c
Dozent, der, -en 9/9a
Dreck, der (Singular) 11/1b
Drehtag, der, -e 9/9b
drin 12/10b
Droge, die, -n AB 3/3a
Drogerie, die, -n AB 5/1b
drohen 10/7b
Druck, der (Singular) 8/14b
drucken 2/7
dunkelhaarig AB 7/2a
Dunkle, das (Singular) 6/9e
dünn 5/8b
Dur-Tonart, die, -en 8/7b
Dusche, die, -n 7/4a
Duschzeit, die, -en 5/4b
Dusel, der (Singular) 1/10a
Dutzende 5/13a
E-Book-Leser, der, – 5/4b
E-Book-Reader, der, – 5/4b
eben 1/3b
ebenso 8/6b
EC-Karte, die, -n 12/3a
Eck, das, -en (Österreich) AB 9/1b
effizient 5/4b
Ehe, die, -n 7/10c
ehemalig 9/7a
Ehepaar, das, -e 1/14a
eher 1/14a

ehrenamtlich 10/3b
Ehrlichkeit, die (Singular) 10/1a
eignen (sich) (für + Akk.) 8/6b
eilig 7/11c
Eimer, der, – 5/13a
ein wenig 9/1b
ein|bringen (bringt ein, brachte ein, hat eingebracht) 8/14b
ein|cremen 8/1a
ein|nehmen (nimmt ein, nahm ein, hat eingenommen) AB 8/3a
ein|parken 7/1b
ein|richten 12/5a
ein|schätzen 8/1b
ein|schlagen (schlägt ein, schlug ein, hat eingeschlagen) 3/3b
ein|setzen 2/5c
ein|sperren 9/11b
ein|tragen (trägt ein, trug ein, hat eingetragen) 10/7b
ein|werfen (wirft ein, warf ein, hat eingeworfen) 12/10b
ein|zahlen AB 12/4a
ein|ziehen (1) (zieht ein, zog ein, ist eingezogen) (Elisa zieht bei Tom und Nina ein.) 7/3c
ein|ziehen (2) (zieht ein, zog ein, hat eingezogen) (Der Automat hat meine Karte eingezogen.) 12/4c
Einbürgerung, die, -en AB 10/1c
einerseits 8/7b
Einfall, der, Einfälle AB 9/4a
Einfluss, der, Einflüsse 5/8b
Einheit, die, -en 12/2b
einig sein (sich) 11/11c
einigen (sich) (auf + Akk.) 11/11c
Einkauf, der, Einkäufe 10/7b
Einkaufsstraße, die, -n 11/3
Einkommensstruktur, die, -en 11/9a
Einnahme, die, -n AB 12/4a
Einparkhilfe, die, -n 2/1a
Einsamkeit, die (Singular) 1/14a
Einschätzung, die, -en 7/2c
Einschränkung, die, -en 8/8a
Einwanderer, der, – AB 10/1c
einzeln 9/7d
Einzelne, der/die, -n 5/7
einzigartig 3/10c
Eisenbahn, die -en AB 5/1b
Eiswürfel, der, – 8/1a
elektrisch AB 5/1b
Elektrogeschäft, das, -e 2/7
Elektronik, die (Singular) 4/1b
Elektronikmarkt, der, Elektronikmärkte 2/4a
elektronisch 2/4a
empfangen (empfängt, empfing, hat empfangen) 8/6b
Ende, das, -n (am Ende sein) 7/3b
endlos 7/4a
Engagement, das (Singular) 5/13a
entdecken 8/14b
Entdeckungsreise, die, -n 9/10a
entgegen|strömen 3/10c
Entlassung, die, -en 8/6b
entnehmen (entnimmt, entnahm, hat entnommen) 12/5a
entsorgen 10/7a
entspannend 1/5a
entsprechen (entspricht, entsprach, hat entsprochen) 2/10b
Entstehungszeit, die, -en 12/11b
entweder (entweder ... oder) 8/7b
entwickeln 5/8b
Entwicklung, die, -en 8/14b
entzwei 9/11b
erarbeiten 8/14b
erben 3/3a
Erbin, die, -nen 9/7a
Erdapfel, der, Erdäpfel (Österreich) AB 9/1b
Erdöl, das (Singular) 5/4b
erfahren (erfährt, erfuhr, hat erfahren) 3/10c
erfahren (Wir suchen erfahrene Techniker.) 9/5c
Erfahrungsbericht, der, -e 2/3b
Erfindung, die, -en 5/8b
erforderlich AB 9/4a
erhalten (erhält, erhielt, hat erhalten) 8/6b
erhalten sein 7/10c
erhöhen 12/4c
erholen (sich) 1/4a
erholsam 1/2
erholt 1/14a
Erholungsmöglichkeit, die, -en 6/6b
erkämpfen 7/10b
erleichtert 1/10b
Ernährung, die (Singular) 8/6b
ernst nehmen (nimmt ernst, nahm ernst, hat ernst genommen) 4/1c
ernsthaft AB 12/1b
eröffnen 10/7b
errichten 3/10b
erschießen (erschießt, erschoss, hat erschossen) 9/11b
erschöpft 7/5c
erschrecken (erschrickt, erschrak, ist erschrocken) 1/10b
ersetzen 2/2b
Erste, der/die, -n 6/1b
erstellen 3/5b
erstmals 5/8b
erwachen 11/6a
erwähnen 9/9f
erwischen 3/6a
Erzähler, der, – 3/10d
Erzieher, der, – 6/3b
Erziehung, die (Singular) 3/9b
erzielen 9/7a
eskalieren 7/7a
Essen, das (Singular) 1/13b
Etage, die, -n 11/14a
EU-Bürger, der, – 10/11b
EU-Land, das, -Länder 10/10b
EU, die (Singular) (die Europäische Union) 10/10a
Eurone, die, -n (ugs.) 12/4b
europäisch 10/10a
Europäische Union, die (Singular) 10/10b
Exemplar, das, -e 9/1b
Experte, der, -n 5/8b
Fabel, die, -n 7/11b
Fabrik, die, -en 3/1b
Facharzt, der, -ärzte AB 8/3a
Fachleute, die (Plural) 6/6b
Fachzeitschrift, die, -en 2/4a
Fahrbahn, die, -en 11/1b
Fahrer, der, – 11/6c
Fahrerin, die, -nen 11/6b
Fahrkartenautomat, der, -en 12/5a
Fahrradfahrer, der, – 6/6c
Fahrt, die, -en 1/7
Fahrzeug, das, -e 11/1b
Fairness, die (Singular) 10/1a
Faktor, der, Faktoren 4/14b
fallen (fällt, fiel, ist gefallen) 3/10c
falls 1/14a
Familienunternehmen, das, – 3/3c
fantasievoll 8/13a
Farbdrucker, der, – 2/7
farbig 2/7
Farbpatrone, die, -n 2/7
fassen (1) (Ich kann es kaum fassen, morgen fahre ich schon nach Hause.) 1/14a
fassen (2) (Ich fasse jeden Morgen einen guten Vorsatz für den Tag.) 6/3b
faul AB 7/2a
faulenzen 1/5a
Feder, die, -n 7/11c
Feedback, das, -s (Feedback geben/erhalten/bekommen) 8/14b
Feierabend, der, -e 1/4a
feierlich 8/7b
Feiertag, der, -e 11/13b
Fernbedienung, die, -en 8/6b
Fernsehredakteur, der, -e 3/3c
fest|nehmen (nimmt fest, nahm fest, hat festgenommen) 11/14a
Festnetz, das (Singular) 8/6b
feucht 5/11a
Feuerwehrleute, die (Plural) 10/3b
Figur, die, -en 6/1b
Filiale, die, -n 12/5a
Filmbranche, die (Singular) 8/7b
Filmmusik, die, -en 8/7b
Filmpreis, der, -e 9/9a
Filmvorführung, die, -en 9/9b
finanziell 7/10b
finanzieren 12/11b
Finanzkrise, die, -n 12/7a
finster 9/11b
Firmenname, der, -n 2/12b
Fisch, der, -e AB 5/1b
Fleischer, der, – AB 9/1b
Fleischfabrik, die, -en 3/3c
Fleischhauer, der, – (Österreich) AB 9/1b
Fleischkonsum, der (Singular) 5/1b
Fliege, die, -n AB 7/11
fliehen (flieht, floh, ist geflohen) 3/10b
Flöte, die, -n AB 8/8a
Flucht, die (Singular) 11/14a
flüchten 9/1b
Flüchtlingsfrau, die, -en 9/1b
Flug, der, Flüge 1/7
Flugbegleiter, der, – 1/10b
flüssig 6/1b
Flüssigkeit, die, -en AB 8/3a
folgendermaßen 10/12b
fordern 3/10c
Förderung, die, -en 8/14b
Forscher, der, – 8/7b
Forschung, die, -en 12/7a
Forschungsthema, das, -themen 8/7c
fort|setzen 4/5a
Fortbildung, die, -en AB 3/3a
Fortschritt, der, -e 12/7a
fortschrittlich 12/11b
Forumsname, der, -n 11/4a
frech 2/11d
Freizeitaktivität, die, -en 11/15a
Freizeitangebot, das, -e 6/6a
Freizeitmöglichkeit, die, -en 11/10b
Fremdsprachenkenntnis, die, -se 4/1b
fressen (frisst, fraß, hat gefressen) 7/11c
freuen (sich) (auf + Akk.) (Ich freue mich auf den Urlaub.) 1/14a
freuen (sich) (über + Akk.) (Ich freue mich über das gute Ergebnis.) 4/10b
Freundeskreis, der, -e 2/4a
freundlich (Mit freundlichen Grüßen) 11/15b
Frisur, die, -en 9/4c
Frosch, der, Frösche 5/13a
Frucht, die, Früchte AB 5/1b
fruchtbar 6/1b
Frühschicht, die, -en 11/6b
frustriert 1/2
Fuchs, der, Füchse 7/11b
führen (ein Restaurant führen) 10/7b
Fünftel, das, – 6/6b
Funktion, die, -en 2/3b
furchtbar 12/7a
Fußabdruck, der, Fußabdrücke 5/3
Fußgängerzone, die, -n 11/1b
Ganztagsschule, die, -n 6/6b
Garantie, die, -n 2/5c
Garderobe, die, -n AB 9/4a
Gasse, die, -n 12/11b
Gasthaus, das, -häuser AB 9/1b
Gaststätte, die, -n AB 9/1b
Gebäck, das (Singular) 6/1b
Gebiet, das, -e 10/7b
gebrauchen 2/5c
Gebrauchsanweisung, die, -en 8/6b
Gebühr, die, -en 5/1b
Gedächtnis, das (Singular) 5/11d
Gedächtnisleistung, die, -en 8/11a
Gedicht, das, -e 9/11b
gedruckt 5/4b
geduldig 6/1b
geehrt (Sehr geehrte Damen und Herren, ...) 11/15b
geeignet 7/7b
gefallen lassen (sich) (lässt sich gefallen, ließ sich gefallen, hat sich gefallen lassen) 7/7a
Gegenteil, das, -e 5/7
Gegenüber, das, – 6/1b
Gegenwart, die (Singular) 7/3d
gegliedert 10/12b
Gegner, der, – 2/1b
Gehalt, das, Gehälter 2/10a
Gehaltsniveau, das, -s 11/11a
geheim 5/8b
Geheimnummer, die, -n 12/4a
Geheimzahl, die, -en 12/4c
Gehirn, das, -e 8/1a
Gehsteig, der, -e 11/1b
Geige, die, -n AB 8/8a
gelähmt 3/3c
gelangen 8/7b
Geldautomat, der, -en 12/3a
Geldbetrag, der, -beträge 12/5a
Geldbörse, die, -n AB 9/1b
Geldkarten-Chip, der, -s 12/5a
Geldschein, der, -e 5/8a
gelingen (gelingt, gelang, ist gelungen) 7/7a
gell (Das war super, gell?) 10/7d
Gemälde, das, – 9/1b
Gemeinschaft, die, -en (die Europäische Gemeinschaft) 10/10b
genügen 2/12b
Genuss, der, Genüsse 2/12b
geometrisch 9/1b
Gepäckband, das, Gepäckbänder 1/13b
Gepäckfach, das, Gepäckfächer 1/10b
gepflegt 7/2a
geraten (gerät, geriet, ist geraten) 12/11b
Gerechtigkeit, die (Singular) 10/1a
geregelt 4/1b
Gerichtsschiff, das, -e 9/9a
Gesamtbevölkerung, die (Singular) 5/1b
Gesamtschule, die, -n 8/14b
Gesang, der, Gesänge 6/10a
Geschäftspartner, der, – 11/15b
Geschäftspartnerin, die, -nen 11/15b
geschehen (geschieht, geschah, ist geschehen) 11/7
Geschenkpapier, das (Singular) 5/8a
Geschichte, die (Singular) 3/10c
Geschirrspüler, der, – 5/4b
Geschmack, der, Geschmäcker 2/13b
geschmacklos 2/11d
Geschwindigkeit, die, -en 11/1b
Gesellschaft, die (Singular) AB 4/1a
Gesetz, das, -e 5/7
Gesicht, das, -er 2/11c
gesperrt 5/13a

geteilt (Deutschland war lange Zeit geteilt) 3/10a
getrennt leben AB 3/3a
Gewalt, die (Singular) 7/10b
Gewinner, der, – 5/4b
Gewissen, das (Singular) 12/10a
Gewissensfrage, die, -n 12/10b
Gewitter, das, – 5/11a
gewöhnlich 9/1b
Gift, das, -e 7/7a
giftig AB 1/1a
Giraffe, die, -n AB 7/11
Girokonto, das, -konten 12/3a
glatt 8/4c
Gleichberechtigung, die (Singular) 10/1a
gleichbleibend 8/10a
global 10/7b
Globalisierung, die (Singular) 12/6a
Glückskeks, der, -e 6/1b
Goldwaage, die, -n (jedes Wort auf die Goldwaage legen) 7/7a
Graffito, das, Graffiti 9/3a
grandios 3/10c
greifen (greift, griff, hat gegriffen) 9/1b
Grenze, die, -n AB 1/10
Grenzkontrolle, die, -n 10/10b
Grenzübergang, der, Grenzübergänge 3/10c
Großfamilie, die, -n 3/1b
Großtante, die, -n 12/10b
Grundidee, die, -n 3/3c
gründlich 9/7a
Grundstück, das, -e 10/7a
Gründung, die, -en 3/10b
Guerilla Gardening, das (Singular) 5/13a
Gummiwanne, die, -n 9/7a
gut situiert 3/3b
gut|schreiben (schreibt gut, schrieb gut, hat gutgeschrieben) 12/5a
Güterzug, der, Güterzüge 5/1b
Gymnastik, die (Singular) 8/1a
Haar, das, -e 8/5b
Hackfleisch, das (Singular) AB 5/1b
hageln 5/11a
Halbjahr, das, -e 8/14b
Halbzeit, die (Singular) (Halbzeit im Urlaub) 7/4a
Halle, die, -n 10/7b
handeln (sich) (um + Akk.) (Es handelt sich um öffentliche Flächen.) 5/13a
Händler, der, – AB 4/1a
Handlesen, das (Singular) 6/1b
Handlinie, die, -n 6/1a
Handwerk, das (Singular) 9/1b
Handwerker, der, – AB 4/1a
Handyhersteller, der, – 12/7a
Harmonie, die, -n 7/7a
Harz, der (Gebirge in Deutschland) 1/2
Hauptmahlzeit, die, -en 8/6b
Hausarzt, der, -ärzte AB 8/3a
Haut, die (Singular) AB 1/1a
Hawk-Eye, das, -s 2/1a
Heavy Metal (Singular, ohne Artikel) 8/7b
heben (hebt, hob, hat gehoben) 5/9c
Heilung, die (Singular) 8/7c
heim|kommen (kommt heim, kam heim, ist heimgekommen) 2/8c
Helle, das (Singular) 6/9e
her|stellen 5/4b
heran|kommen (kommt heran, kam heran, ist herangekommen) 9/7a
heraus|finden (findet heraus, fand heraus, hat herausgefunden) 12/10b
Herausforderung, die, -en 4/1c
herein|kommen (kommt herein, kam herein, ist hereingekommen) 2/8b
Herkunft, die (Singular) 5/1b
Herrenanzug, der, -anzüge 12/2b
Herstellung, die (Singular) 5/8b
heutig 3/10c
heutzutage 6/1b
hierher|kommen (kommt hierher, kam hierher, ist hierhergekommen) 9/1b
Hightech-Wohnung, die, -en 2/9
Hilfsbereitschaft, die (Singular) 10/1a
Himmel, der (Singular) 6/9d
hin|gehen (geht hin, ging hin, ist hingegangen) 10/7d
hin|hören 6/9d
hin|sehen (sieht hin, sah hin, hat hingesehen) 2/8b
hinauf|gehen (geht hinauf, ging hinauf, ist hinaufgegangen) 9/1b
hinein|gehen (geht hinein, ging hinein, ist hineingegangen) 11/6b
hinunter|rasen 11/14a
Hinweis, der, -e 8/14b
Hip-Hop (Singular, ohne Artikel) 9/10a
Hirnforscher, der, – 8/14b
Hirsch, der, -e 7/11b
Hochschule, die, -n 10/7b
Höchsttemperatur, die, -en 5/11b
Hochtouren, die (Plural) (Alle arbeiten auf Hochtouren.) 11/6b
Hochwasser, das, – 10/3b
Holzfaser, die, -n 5/8b
Horoskop, das, -e 6/1b
Huhn, das, Hühner 5/1b
Hühnerfleisch, das (Singular) 11/14a
Humor, der (Singular) 7/2a
humorvoll AB 10/1c
Hunderttausende 3/10c
Hut, der, Hüte AB 5/1b
IBAN, die, -s AB 12/4a
Ich-Aussage, die, -n 7/7a
illegal 5/13a
Illusion, die, -en 5/8b
illustrieren 7/11c
im Freien AB 1/1a
immerhin 1/9a
Immobilie, die, -n 12/11b
inbegriffen 1/7
indianisch 6/1b
Indien 10/7b
Infoblatt, das, -blätter 8/6b
Informationsquelle, die, -n 11/9a
Ingwer, der (Singular) 2/13b
inhaltlich 4/14b
Inhaltsbeschreibung, die, -en 9/10a
inkl. (inklusive) 8/6b
inklusive 1/6a
Innenstadt, die, Innenstädte 3/4c
innere/inneres 6/9d
innerhalb (+ Genitiv) 10/7b
Insekt, das, -en AB 1/1a
Insektenschutz, der (Singular) AB 1/1a
Inserat, das, -e 9/5a
Inspiration, die, -en 7/10c
Installation, die, -en 9/7a
Institution, die, -en 4/9b
Instrument, das, -e 8/1a
inszenieren AB 9/4a
Integration, die (Singular) AB 10/1c
Interessent, der, -en 4/13b
Interessierte, der/die, -n 11/9a
interkulturell 11/4a
Investor, der, -en 11/9a
involviert 8/12a
inzwischen 10/3b
irgendjemand 5/13a
irgendwann 5/13a
irgendwo 1/3b
irren 6/9d
Jagd, die, -en 7/11b
Jäger, der, – 9/11b
Jahresmiete, die, -n 12/11b
Jahrgangsstufe, die, -n 8/14b
je ..., desto ... 12/3a
jedoch 8/14b
jetzig 7/3b
Jobcenter, das, – 10/7b
Jobsuche, die (Singular) 4/12a
jodeln 9/10a
jubeln 3/10c
Jugend, die (Singular) 2/2a
Jugendgruppe, die, -n 10/7b
Jungfrau, die, -en AB 6/1b
Kabel, das, – AB 2/5a
Kaffeepulver, das (Singular) 6/1b
Kaffeesatz, der (Singular) 6/1b
Kaffeetasse, die, -n 6/1b
Kaiserin, die, -nen 9/1b
kämmen (sich) 8/5b
Kampf, der, Kämpfe 7/10b
kämpfen 6/9e
Kandidatin, die, -nen AB 10/1c
Karte, die, -n (Der Automat hat meine Karte eingezogen.) 12/4c
Käsekuchen, der, – 8/7b
Käserei, die, -en 1/14a
Kassette, die, -n 2/1a
Kasten, der, Kästen 2/6b
katholisch 12/11b
Kaufentscheidung, die, -en 2/3b
Kaufmannsfamilie, die, -n 12/11b
Kaufverhalten, das (Singular) 2/12b
Kerker, der, – 9/11b
Kerze, die, -n AB 5/1b
Kette, die, -n 9/1b
Keyboard, das, -s 6/10a
Kindererziehung, die (Singular) 3/1b
Kinderfilm, der, -e 9/9a
Kinderland, das (Singular) 1/8a
klar|kommen (kommt klar, kam klar, ist klargekommen) 7/3b
Klassenlehrer, der, – 8/14b
Klavier, das, -e AB 8/8a
Klebefilm, der, -e 2/11d
kleben 6/1b
Klebezettel, der, – 5/8b
kleiden (sich) 7/2a
Kleiderschrank, der, -schränke 12/2b
Kleinfamilie, die, -n 3/1b
Kleingeld, das (Singular) 12/10b
klicken 2/8b
klingen (klingt, klang, hat geklungen) 2/6a
Klinikaufenthalt, der, -e 8/6b
klopfen 3/10c
klug, klüger, am klügsten AB 7/2a
Klügere, der/die, -n 7/11b
Knie, das, – (in die Knie gehen) 8/10b
Knödel, der, – 8/1a
knurren 11/14a
Kohle, die (Singular) (ugs. für Geld) 12/4b
Kölsch (Singular, ohne Artikel) 11/13a
kommerziell 7/10b
komponieren 7/10b
Komponist, der, -en 7/10b
Kompromiss, der, -e 7/3b
Konkurrenz, die (Singular) 12/7a
konservativ 4/14b
konstant 5/1b
Konsulat, das, -e AB 1/10
Konsum, der (Singular) 2/12b
Konsument, der, -en 5/9b
Kontoauszug, der, -auszüge 12/5a
Kontoeröffnung, die, -en 12/3a
Kontonummer, die, -n 12/4c
Konzentration, die (Singular) 7/10c
Konzeption, die, -en 12/11b
Konzertreise, die, -n 7/10c
Kopf, der, Köpfe (durch den Kopf gehen) 8/9
Kopfhörer, der, – 2/1a
Kopie, die, -n 9/8d
Korb, der, Körbe 11/6b
Körperhaltung, die (Singular) 4/14b
körperlich AB 10/1c
Körpersprache, die (Singular) 4/14b
kostbar 3/3c
Kosten, die (Plural) 2/8b
Kraft, die, Kräfte 9/1b
kräftig AB 7/2a
kraftlos 7/11b
Krankenpfleger, der, – 9/4b
Krankenzimmer, das, – 8/3b
Krankheit, die, -en 3/3b
krass 7/4a
Krebs, der (Singular) (an Krebs sterben) 7/10c
Krebs, der, -e AB 6/1b
Kredit, der, -e 12/4a
Kreuzfahrt, die, -en 1/6a
Kreuzworträtsel, das, – 8/1a
Krieg, der, -e (Krieg führen) 9/1b
Krimi, der, -s 11/14a
Krise, die, -n 3/6b
Krisensituation, die, -en 3/3b
Kriterium, das, Kriterien 11/9a
Kritik, die (Singular) 7/7a
Krokodil, das, -e AB 7/11
Kröte, die, -n 5/13a
Kröten, die (Plural) (ugs. für Geld) 12/4b
Krötenwanderung, die, -en 5/13a
Küchenteam, das, -s 8/6b
kühlen 8/1a
kulinarisch 1/9a
Kulisse, die, -n 9/4c
kulturell 6/6b
Kulturgrenze, die, -n 9/10a
Kundenbewertung, die, -en 2/4a
kündigen AB 3/3a
Kunsterzieherin, die, -nen 9/1b
Kunsthistoriker, der, – 7/10b
künstlich 3/3c
Kunstobjekt, das, -e 9/2b
Kunststück, das, -e 9/1
Kunstwerk, das, -e 9/1b
Kursort, der, -e 11/11b
Kursraum, der, -räume 9/5d
Kursstunde, die, -n 8/11a
Kursunterlagen, die (Plural) 4/13a
Kurve, die, -n 9/1b
kurzfristig 12/4c
Kurzporträt, das, -s 9/9f
Kuvert, das, -s (Österreich) AB 9/1b
Labor, das, -s 4/1b
Labyrinth, das, -e 6/9d
lachend 7/11b
laden (lädt, lud, hat geladen) 2/5c
Laden, der, Läden 11/14a
Lampenfieber, das (Singular) 9/4c
Landmensch, der, -en 11/4b
längerfristig 4/13a
längst 11/14a
langweilen (sich) 1/2
Lärm, der (Singular) 11/1b
laut (Laut aktuellen Forschungen sollten Schüler Freude am Entdecken haben.) 8/14b
lauter (Ich habe vor lauter Aufregung alles vergessen.) 4/14b
lauwarm 8/1a
Lebensdauer, die (Singular) 6/1b
Lebensgeschichte, die, -n 3/3b
Lebenswandel, der (Singular) 3/3b
Lebensweisheit, die, -en 7/11b
lebenswert 11/8a
Leder, das, – AB 5/8b
Lehne, die, -n 9/4c
Lehrgang, der, -gänge 10/3b
Lehrling, der, -e 11/6b

leiden (an + Dat.) (leidet, litt, hat gelitten) (Meine Oma leidet an Alzheimer.) 8/7b
leiden können (Ich kann es nicht leiden, wenn du zu spät kommst.) 12/10c
Leistung, die, -en 8/14b
Lernbegleiter, der, – 8/14b
Lerncoach, der, -s 8/12a
Lernfreude, die (Singular) 8/14b
Lernmenge, die, -n 8/12b
Lerntipp, der, -s 8/13b
Lernweg, der, -e 8/14a
Leser, der, – 6/3b
Liebesgeschichte, die, -n 3/6d
Liebesszene, die, -n 8/7b
Lieblingskollegin, die, -nen 4/7a
Liedzeile, die, -n 9/11b
Lieferung, die, -en 10/8b
Linie, die, -n 6/1b
Liste, die, -n 11/9a
loben 7/11c
locker 4/14b
Lohn, der, Löhne 12/7a
los|fahren (fährt los, fuhr los, ist losgefahren) 1/3b
los|schicken 4/9b
löschen 10/5b
Lösungsweg, der, -e 8/14b
Löwe, der, -n 5/9b
lutschen 8/1a
Luxus, der (Singular) 1/8c
Magazinbericht, der, -e 11/6b
Magen, der, Mägen 11/14a
Mahnung, die, -en AB 12/1b
Mail-Adresse, die, -n 4/9b
Manager, der, – 9/4b
Margarine, die, -n 10/3b
Marke, die, -n 5/1b
Markierung, die, -en 7/12a
Markt, der, Märkte 2/4a
Marktanteil, der, -e 5/1b
Mars, der (Singular) 6/1b
Maschine, die, -n 5/4b
Massel, der, -s 1/10a
Massenproduktion, die (Singular) 3/3c
Massenware, die, -n 5/8b
Material, das (Singular) 5/1b
Matheprofi, der, -s 8/14b
Mäuse, die (Plural) (ugs. für Geld) 12/4b
Mechatronikerin, die, -nen 4/1b
Medienbranche, die (Singular) 7/10b
meist 10/3b
meistern 4/14b
melken (melkt, melkte, hat gemolken) 1/14a
Menge, die, -n 5/1b
Menschenkenntnis, die (Singular) AB 4/1a
Menschenmasse, die, -n 3/10c
menschlich 4/14b
Merkmal, das, -e 2/12b
messen (misst, maß, hat gemessen) 8/4a
Metal (Singular, ohne Artikel) (= Heavy Metal) 8/7b
Metall, das, -e 4/1b
Methode, die, -n 5/8b
Metzger, der, – AB 9/1b
Migrant, der, -en AB 10/1c
Mineralwasser, das, – 8/6b
Minister, der, – AB 10/1c
Ministerium, das, Ministerien 11/9a
Mischbrot, das, -e 12/2b
Missgeschick, das, -e 9/7a
mit|arbeiten 1/14b
mit|helfen (hilft mit, half mit, hat mitgeholfen) 1/14a
mit|hören 6/9d
mit|rechnen 5/1b
mit|singen (singt mit, sang mit, hat mitgesungen) 6/9d
mit|spielen 10/7b
mit|teilen 11/15c
Mitbewohner, der, – 2/8b
miteinander 7/11b
mithilfe (+ Genitiv) 6/1b
mittlerweile 10/5a
Modell, das, -e 5/6a
Moderator, der, Moderatoren 8/12b
Möhre, die, -n 10/3b
Mokkapulver, das (Singular) 6/1b
Moll (Singular, ohne Artikel) 8/7b
Mond, der, -e 5/1b
Monitor, der, Monitoren AB 2/5a
monoton 5/9c
Moral, die (Singular) 7/11a
motiviert 8/12a
Motto-Party, die, -s 9/5d
Mücke, die, -n AB 7/11
Mühe, die, -n 5/13a
Müllabfuhr, die (Singular) 5/1b
Mülltrennung, die (Singular) 5/1b
Münze, die, -n 2/4b
musikalisch 9/10a
Musikgeschmack, der (Singular) 8/7b
Musikgruppe, die, -n 9/5d
Musikinstrument, das, -e 8/7b
Musikstudium, das (Singular) 8/7b
musizieren 9/10a
Muss, das (Singular) (Es war einfach ein Muss.) 2/1b
Muster, das, – 6/1b
Mut, der (Singular) 6/9d
mutig AB 7/2a
nach|geben (gibt nach, gab nach, hat nachgegeben) 7/7a
nach|prüfen 12/10b
nachdem 7/4a
nacheinander 9/7d
Nachfrage, die, -n 8/10a
nachmittags 4/13a
Nachmittagsstunde, die, -n 8/14b
Nachtdienst, der, -e 11/6c
Nachthemd, das, -en 8/6b
nächtlich 9/11b
Nachtportier, der, -s 4/13a
Nachtwächter, der, – 12/11b
Nachtzeit, die, -en 10/3b
nähen 9/1b
Nähmaschine, die, -n 9/4c
Nahrungsmittel, das, – 5/1b
national 10/10b
natürlich (Ohne Make-up siehst du sehr natürlich aus.) 7/2a
nebeneinander 8/14b
Nebenkosten, die (Plural) 12/11b
neblig 5/11a
Nerv, der, -en 3/3c
nerven 7/1b
Netz, das, -e AB 1/1a
Neuanfang, der, Neuanfänge 3/6b
Neubau, der, Neubauten 2/8b
Neuerung, die, -en 2/1a
Neuigkeit, die, -en 7/4a
Neukunde, der, -n 12/5a
Nichtraucher, der, – AB 3/3a
nie mehr 11/4a
niemals 3/6d
nieseln 5/11a
Norden, der (Singular) 10/7d
Notaufnahme, die, -n AB 8/3a
Notausgang, der, -ausgänge 8/6b
Notfall, der, Notfälle 8/6b
nötig 8/3c
notwendig 8/3c
nutzen 1/8a
Nutzung, die, -en 8/6b
Obdachlose, der/die, -n 11/6b
offen lassen (lässt offen, ließ offen, hat offen gelassen) 11/6c
offenbar 8/14b
Öffentlichkeit, die (Singular) AB 4/1a
Öffnungszeiten, die (Plural) 11/13a
Ohrring, der, -e 9/1b
Ohrwurm, der, -würmer 8/9
Öko-Duell, das, -s/-e 5/4a
Ökobilanz, die, -en 5/4b
ökologisch 5/3
Olympiade, die, -n 6/7b
olympisch 6/6b
Operation, die, -en 11/6b
Opfer, das, – 9/4b
opfern 5/13a
Optik, die (Singular) 2/11c
Optimismus, der (Singular) 3/3c
optimistisch AB 7/2a
Ordination, die, -en (Österreich) AB 9/1b
Organisation, die, -en 10/3b
original 9/7a
Originalzustand, der, -zustände 12/11b
Outfit, das, -s 4/14b
Pädagoge, der, -n 5/9b
Papierherstellung, die (Singular) 5/8b
papierlos 5/8b
Papiertaschentuch, das, Papiertaschentücher 2/11d
Papiertüte, die, Papiertüten 5/4b
Papierverbrauch, der (Singular) 5/1b
Pappe, die (Singular) 5/8b
Papyrus, der (Singular) 5/8b
Parkautomat, der, -en 12/5a
parken 4/7a
Partei, die, -en AB 10/1c
Partnerinterview, das, -s 8/5b
Partnerschaft, die, -en 6/1b
Passivität, die (Singular) 3/3c
Passkontrolle, die, -n 1/10b
Pasta, die (Singular) 8/1a
Patchwork-Familie, die, -n 7/3a
Patchwork, das, -s 7/3a
Pate, der, -n 10/3b
Patenschaft, die, -en 10/3b
Patrone, die, -n 2/7
PDF-Dokument, das, -e 4/9b
Perserteppich, der, -e 9/7a
Personalchef, der, -s 4/9b
Persönlichkeit, die, -en 4/14b
pessimistisch AB 7/2a
pfiffig 9/7a
pflanzen 5/13a
Pflanzenfaser, die, -n 5/8b
Pflanzenstiel, der, -e 5/8b
Pflaster, das, – AB 8/3a
pflegen AB 3/3a
Pfleger, der, – 8/4c
Pflegerin, die, -nen 8/4c
Pflicht, die, -en 9/7a
Pianistin, die, -nen 7/10b
Pilz, der, -e AB 1/1a
PIN, die, -s 12/4a
Plastikbecher, der, – 3/10c
Plastiktüte, die, -n 5/4b
Politik, die (Singular) AB 10/1c
Politiker, der, – AB 4/1a
politisch 6/6b
Portemonnaie, das, -s 12/4a
Positives 3/6b
Praktikant, der, -en 5/9b
preiswert 9/7a
Premiere, die, -n 9/4b
Pressekonferenz, die, -en 6/6b
pressen 5/8b
prinzipiell 8/6b
Privatleben, das (Singular) 9/4b
problematisch 12/7a
Produktion, die (Singular) 5/1b
Produzent, der, -en 9/9a
produzieren 12/7a
Programmankündigung, die, -en 8/12a
prophezeien 5/8b
Prozess, der, -e 3/3b
prüfen 9/7a
Publikum, das (Singular) AB 10/1c
Puls, der, -e 8/7b
pur 1/8a
Putzfirma, die, -firmen 9/7c
Putzfrau, die, -en 9/7a
Qualifikation, die, -en AB 9/4a
qualitativ 10/3b
quer 9/10a
Quilt, der, -s 9/1b
Rabe, der, -n 7/11c
Radiodiskussion, die, -en 8/12a
Radiospot, der, -s 2/13b
Radwegnetz, das, -e 6/6b
Rand, der, Ränder 11/1b
Rang, der, Ränge 11/9a
Ranking, das, -s 11/9a
Rankingplatz, der, -plätze 11/9a
rasend 12/7a
raus 3/3b
räuspern (sich) 12/10c
rechnen 4/3
recht geben (gibt recht, gab recht, hat recht gegeben) 11/4a
Recht, das, -e AB 10/1c
Recycling, das (Singular) 5/1a
Redakteur, der, -e 9/9c
Rede, die, -n 7/12a
Refrain, der, -s 6/9c
regeln 4/1c
Regenrisiko, das (Singular) 5/11b
Regie, die (Singular) 9/4b
regieren 12/1
Regierung, die, -en AB 10/1c
Region, die, -en 5/1a
regional 9/10a
regnerisch 5/11a
reich 3/3c
reichen 3/10c
Reim 2/12b
rein 5/1b
rein 9/11b
reinigen 1/8a
Reinigungsfahrzeug, das, -e 11/6b
Reinigungsfirma, die, -firmen 9/7a
Reinigungspersonal, das (Singular) 9/7a
reißen (reißt, riss, ist gerissen) 5/4b
Reklamation, die, -en 2/7
Reklame, die, -n 8/7b
relativ 5/1b
relevant 4/9b
Religion, die, -en 10/2c
rennen (rennt, rannte, ist gerannt) 3/10c
Rente, die, -n (Er geht in Rente. Er bekommt Rente.) AB 3/3a
Reporter, der, – AB 4/1a
repräsentieren 6/6b
Republik, die, -en 3/10b
Respekt, der (Singular) 10/1a
respektieren 6/1b
retten 5/13a
Rettungsdienst, der, -e 8/1a
Rhythmus, der, Rhythmen 6/9b
Richter, der, – AB 4/1a
Risiko, das, Risiken 5/11b
roh 8/1a
Rolle, die, -n (eine wichtige Rolle spielen) 8/7b
Rollschuh, der, -e 2/11b
Rollstuhl, der, Rollstühle 3/3c
Rückblick, der, -e 1/14a
Rückhalt, der (Singular) 6/1b
Rücksicht, die (Singular) 8/6b
Rufnummer, die, -n 8/6b
Ruhe, die (Singular) 1/2

ruhig bleiben (bleibt ruhig, blieb ruhig, ist ruhig geblieben) 7/7a
Salsa (Singular, ohne Artikel) 8/7b
Sammlung, die, -en 7/10d
sämtlich 8/6b
Sandwich, der, -s 11/14a
sauber halten (hält sauber, hielt sauber, hat sauber gehalten) 10/7c
Schachtel, die, -n AB 8/3a
schaden AB 8/3a
Schaf, das, -e 5/1b
Schalter, der, – AB 2/5a
Schatten, der, – 6/1b
schätzen (1) (Ich schätze dieses Gemälde sehr.) 9/1b
schätzen (2) (auf + Akk.) (Das Auktionshaus schätzt den Wert des Kunstwerks auf 8000 Euro.) 9/7a
schauen 2/1b
Schaufenster, das, – 11/1b
Schauspielkarriere, die, -n 7/10b
Schauspielschule, die, -n AB 9/4a
Scheibe, die, -n 5/8b
scheiden lassen (sich) (von + Dat.) (lässt sich scheiden, ließ sich scheiden, hat sich scheiden lassen) 7/3b
Scheidung, die, -en AB 3/3a
scheinbar 3/3b
Scheinwerfer, der, – 9/4c
schick (sich schick machen) 7/4a
Schicksal, das, -e 6/1a
Schiedsrichter, der, – 2/1a
schief|gehen (geht schief, ging schief, ist schiefgegangen) 4/6a
Schlachthof, der, Schlachthöfe 3/3c
Schlafanzug, der, -anzüge 8/6b
schlagen (schlägt, schlug, hat geschlagen) AB 8/3a
Schlagzeug, das, -e 6/10a
schlank 7/2a
Schließfach, das, -fächer 8/6b
schmeicheln 7/11c
schmelzen (schmilzt, schmolz, ist geschmolzen) 2/13b
Schmerzen, die (Plural) AB 8/3a
Schmerzmittel, das, – AB 8/3a
Schmetterling, der, -e 3/6a
Schminke, die (Singular) 9/4c
schminken 9/4c
Schmuckdesignerin, die, -nen 9/1b
Schmutz, der (Singular) 11/1b
Schnabel, der, Schnäbel 7/11c
schnarchen 8/1a
Schönheit, die (Singular) 2/12b
schöpfen (Kraft schöpfen) 9/1b
schräg 9/1b
Schranke, die, -n 9/11b
Schreibmaterial, das, -ien 5/8b
Schreinerin, die, -nen AB 4/1a
Schulbildung, die (Singular) 3/1b
Schulden, die (Plural) 12/11b
schuldig 9/7a
Schulklasse, die, -n 9/3b
Schulpreis, der, -e 8/14b
schütten (1) (Ich habe Kaffee über die Tastatur geschüttet.) 4/7a
schütten (2) (Das Wetter ist schlecht, es schüttet.) 5/11b
Schutz, der (Singular) AB 1/1a
Schütze, der, -n AB 6/1b
schwach, schwächer, am schwächsten AB 7/2a
Schwäche, die, -n 8/14b
Schwangerschaft, die, -en AB 3/3a
schweigen (schweigt, schwieg, hat geschwiegen) 7/7a
Schweinebraten, der, – 8/1a
Schweinekotelett, das, -s 12/2b
Schwerpunkt, der, -e AB 10/1c
Schwierigkeit, die, -en 10/3b
schwindlig 8/4c
schwitzen 12/8b
schwül 5/11a
seitdem 2/2a
Sektbecher, der, – 3/10c
Sektflasche, die, -n 3/10c
Sekunde, die, -n 3/3c
Selbsthilfe, die (Singular) 12/11b
selbstständig machen (sich) AB 3/3a
selbstverständlich 4/9b
senden 2/5a
senken AB 8/3a
senkrecht 9/1b
seriös 4/9b
setzen (Grenzen setzen) 7/3b
Shopping, das (Singular) 11/4a
sicherlich 5/8b
sichern 10/2c
sichtbar 8/6b
Siedlung, die, -en 12/11b
Sieger, der, – 6/9c
signalisieren 4/14b
Single, die, -s 6/10a
sinken (sinkt, sank, ist gesunken) 8/7b
Sitzreihe, die, -n 1/10b
Skirennen, das, – 3/3c
Skorpion, der, -e 6/1b
Skype-Dialog, der, -e 1/4a
Slogan, der, -s 2/12b
Smalltalk, der, -s 5/11b
smart 2/8a
sobald 8/7b
sodass 3/7a
solche/solcher 3/3b
Sonderangebot, das, -e 2/4a
Song, der, -s 6/10b
Sonnenaufgang, der, Sonnenaufgänge 1/14a
sonnig 5/11a
sonstige 11/9a
sorry 1/4a
Soße, die, -n 10/3b
sowohl 8/7b
Sozialarbeiter, der, – 11/6d
Sozialkundeunterricht, der (Singular) 3/10c
Sozialsiedlung, die, -en 12/11b
Spalte, die, -n 11/15c
sparsam AB 12/1b
speichern 2/8b
spekulieren 12/7a
spenden 10/3b
sperren (Ich musste gestern meine EC-Karte sperren lassen.) 12/4c
speziell 4/9b
Spielgeld, das (Singular) 10/7b
Spielstadt, die, -städte 10/7b
Sponsor, der, -en 7/3b
spontan 1/3b
Sportteam, das, -s 9/5d
Sportverein, der, -e AB 12/1b
Sprachenlernen, das (Singular) 8/12a
Sprachgrenze, die, -n 9/10a
Sprechrhythmus, der, Sprechrhythmen 5/10a
Spritze, die, -n 8/4b
Spruch, der, Sprüche 6/1a
spüren 3/3c
Staat, der, -en AB 1/10
Staatsempfang, der, -empfänge 8/7b
Städteranking, das, -s 11/9b
Stadtführer, der, – 11/14a
Stadtgarten, der, -gärten 11/4d
städtisch 11/6b
Stadtmauer, die, -n 12/11b
Stadtmensch, der, -en 11/4a
Stadtteil, der, -e 11/1b
Stadttyp, der, -en 11/4a
Stadtzentrum, das, -zentren 11/1b
Stammkneipe, die, -n 11/14a
Stand, der (Singular) 4/9b
Standpunkt, der, -e 5/7
stärken (das Herz stärken) 8/1a
statistisch 5/1b
Statue, die, -n 9/1b
staunen 9/7a
Steak, das, -s 8/1a
stechen (sticht, stach, hat gestochen) 8/1a
Steckdose, die, -n AB 2/5a
Stecker, der, – AB 2/5a
stehlen (stiehlt, stahl, hat gestohlen) 7/11c
steigend 8/10a
Steinbock, der, Steinböcke AB 6/1b
Stellung, die, -en (die Stellung im Satz) 9/7b
sterben (stirbt, starb, ist gestorben) AB 3/3a
Sternzeichen, das, – 6/1a
Steuer, die, -n AB 3/3a
steuern 2/9
Stichpunkt, der, -e 2/12b
Stiege, die, -n (Österreich) 9/1b
Stier, der, -e AB 6/1b
Stiftungsvermögen, das, – 12/11b
Stoff, der (Singular) (Ich muss noch so viel Stoff für die Prüfung lernen.) 8/12b
Stoff, der, -e AB 5/8b
Stofflumpen, der, – 5/8b
Stofftasche, die, -n 5/4b
stolz 3/10c
Stopp, der, -s 1/6b
Straßenlaterne, die, -n 10/8b
Straßenseite, die, -n 5/13a
Strategie, die, -n 8/12b
Streichholz, das, -hölzer AB 9/1b
Streik, der, -s 10/7b
streiken 10/7c
Streit, der, -e 7/3b
Streitgespräch, das, -e 7/8a
strömen (strömt, strömte, ist geströmt) 3/10c
Struktur, die, -en 10/11c
Studentenleben, das (Singular) 11/4a
Studie, die, -n 7/2b
Studienplatz, der, -plätze 10/7b
Studienzeit, die, -en 10/7b
Studiogast, der, -gäste 8/12a
stumm 9/4b
Stundenlohn, der, Stundenlöhne 4/13a
Sturm, der, Stürme 5/12
stürmisch 5/11a
süchtig (nach) (nach einer Droge süchtig werden) AB 3/3a
Süden, der (Singular) 10/7d
superschnell 6/6b
Süßes 6/3b
Süßstoff, der (Singular) 2/11d
symbolisch 12/11b
tagelang 7/3b
Tageszeit, die, -en 8/12b
Talent, das, -e 9/4c
Tanz, der, Tänze AB 9/4a
Tänzer, der, – AB 9/4a
Taschenbuch, das, Taschenbücher 2/1b
Täter, der, – 11/14a
tätig 3/6a
tauschen 3/4c
technisch 2/1a
Techno (Singular, ohne Artikel) 8/7b
Teich, der, -e 5/13a
teilen (Ich teile Ihre Meinung nicht.) 6/1b
Teilzeit, die (Singular) (Sie arbeitet Teilzeit.) AB 3/3a
Teilzeitjob, der, -s 4/13a
Tempo, das, -s 11/1b
Terminkalender, der, – 9/4c
Testbericht, der, -e 2/4a
Theaterbühne, die, -n 9/4c
Theaterleute, die (Plural) 9/4b
Theaterregisseur, der, -e AB 9/4a
Theaterstück, das, -e 9/4b
thematisch 10/10c
Themenbereich, der, -e 11/11a
Therapeut, der, -en 3/3c
Therapie, die, -n AB 3/3a
tierisch 9/7a
Tierpark, der, -s 2/11c
Tod, der, -e 7/10c
Tod, der, -e AB 3/3a
Todesfall, der, Todesfälle 3/3b
tolerant 7/7a
Toleranz, die (Singular) 10/1a
tolerieren 12/10c
Tonne, die, -n 5/1b
Tontafel, die, -n 5/8b
Top-Koch, der, Top-Köche 1/8a
Topmanager, der, – 12/7a
Tote, der/die, -n 11/14a
Tourismus, der (Singular) 11/15a
touristisch 12/11b
Trabi, der, -s 3/10c
Tradition, die, -en 6/1a
tragisch 8/7b
Tragödie, die, -n 9/4c
Trainingsanzug, der, -anzüge 8/6b
Trambahn, die, -en 3/4c
transportieren 5/1b
Transportweg, der, -e 5/1a
trauen (sich) 6/9d
Traumbank, die, -banken 12/3a
Traumfrau, die, -en 7/2a
traumhaft 12/3b
Traummann, der, -männer 7/2a
Treibhausgas, das, -e 5/4b
Trend, der, -s 5/1b
trennen 7/3c
Trennung, die, -en 3/3b
Trinkwasser, das (Singular) 5/1b
trotz (+ Genitiv/Dativ) 2/10a
Tunnel, der, -s 5/13a
Türöffner, der, – 2/1a
über … hinweg 9/10a
überleben 12/7a
übernachten AB 1/1a
Übernahme, die, -n 11/6b
überprüfen 8/13a
überwinden (überwindet, überwand, hat überwunden) 3/3c
überzeugend 9/8c
überzeugt 5/7
überziehen (überzieht, überzog, hat überzogen) 12/4c
üblich 11/6c
Übungssache, die (Singular) 3/5a
um sein (ist um, war um, ist um gewesen) (Der Krimi war schon zur Hälfte um.) 11/14a
um|sehen (sich) (sieht um, sah um, hat umgesehen) 2/8b
umarmen (umarmt, umarmte, hat umarmt) 3/10c
Umgang, der (Singular) 3/3c
Umgangssprache, die (Singular) 12/4b
umgehend 12/5a
umsonst 12/3a
Umwelt, die (Singular) 5/1a
umweltfreundlich 5/4b
Umweltschutz, der (Singular) 5/1b
unabhängig 7/10b
unbequem 8/4c
undiplomatisch 7/8a
unehrlich AB 7/2a
unfair 2/1b
unfreundlich 2/6a

ungewöhnlich 8/13a
Unikat, das, -e 9/1b
uninteressant 10/9a
Union, die, -en (die Europäische Union) 10/10a
unmodern 2/11d
unregelmäßig 3/3d
unruhig 11/6b
unschlagbar 6/1b
untereinander 8/14b
unterhalb 3/3c
Unterlage, die, -n 4/9b
Unternehmen, das, – 3/3c
Unterrichtsstoff, der (Singular) 8/14b
unterscheiden (unterscheidet, unterschied, hat unterschieden) 4/9b
unterstützen 8/14b
untersuchen AB 8/3a
Unterthema, das, -themen 11/11a
untreu AB 7/2a
unzuverlässig AB 7/2a
Urgroßvater, der, -väter 12/11b
Urlaubsgruß, der, Urlaubsgrüße 1/2
Urlaubsplanung, die (Singular) 1/3b
Urlaubstyp, der, -en 1/3b
Urlaubsziel, das, -e 1/3b
Vase, die,-n AB 5/1b
vegetarisch 8/6b
verantwortlich 8/7b
Verantwortung, die (Singular) 5/7
verarbeiten 8/7b
verärgert 2/5c
verbissen 7/11b
Verbrauch, der (Singular) 5/8b
verbrauchen 5/4b
verbreiten 5/8b
Verdächtige, der/die, -n 11/14a
Verein, der, -e 10/3b
vereinbaren 4/13b
Vereinskasse, die, -n AB 12/1b
Vereinsmitglied, das, -er 10/3b
Verfügung, die (Singular) (zur Verfügung stehen) 8/6b
Vergangenes 3/4b
Vergangenheit, die (Singular) 7/3d
vergeblich 9/11b
Vergleich, der, -e 3/2c
vergleichbar 3/10c
vergraben (vergräbt, vergrub, hat vergraben) 5/13a
verhaften 1/10b
verhalten (sich) (verhält, verhielt, hat verhalten) 5/7
Verhalten, das (Singular) 2/12b
Verhältnis, das, -se 9/10a
verhindern 4/14b
verjagen 8/1a
Verkauf, der, Verkäufe 10/7b
Verkaufsstand, der, -stände 11/14a
Verkehrssituation, die, -en 6/7c
verklagen 9/7a
verknallt 3/6a
verlegen (Er war verlegen, weil sie so nett zu ihm war.) 1/10b
Verleger, der, – 7/10b
verletzen (sich) 3/9c
Verletzung, die, -en 3/3c
verlieben (sich) (in + Akk.) 7/3b
Verlust, der, -e 12/5a
vermeiden (vermeidet, vermied, hat vermieden) 6/1b
vermissen 3/7a
vermitteln 3/3c
vermutlich 8/7b
vernehmen (vernimmt, vernahm, hat vernommen) (Die Polizei hat Verdächtige vernommen.) 11/14a
verneinen 9/7b
vernichten 10/3b
Verpackung, die, -en 5/1a
Verpackungsmaterial, das, -ien 5/1b
verschlucken 8/1a
verschönern 5/13a
verschreiben (verschreibt, verschrieb, hat verschrieben) AB 8/3a
Versehen, das, – 9/7a
Versichertenkarte, die, -n AB 8/3a
verspeisen 5/1b
Versprechen, das, – 12/9a
verständlich 2/12b
Verständnis, das (Singular) 5/13a
verstärken 9/8c
verstaubt 12/10b
vertraut machen (sich) (mit + Dat.) 8/14b
verwalten 12/5a
verwandt 7/3b
verwöhnen 1/8a
verzeihen (verzeiht, verzieh, hat verziehen) 4/7a
Verzeihung, die (Singular) 4/7a
verzichten 4/10c
verzweifelt 1/10b
Videonachricht, die, -en 2/8b
vielerorts 5/13a
Viertel, das, – 11/1b
Violine, die, -n AB 8/8a
Visum, das, Visa AB 1/10
Volkslied, das, -er 9/10a
Volksmusik, die (Singular) 9/9a
Vollmilch, die (Singular) 12/2b
Vollpension, die (Singular) 1/7
voneinander 7/10b
vor allem 5/8b
vor|haben (hat vor, hatte vor, hat vorgehabt) 6/4
vor|nehmen (sich) (nimmt vor, nahm vor, hat vorgenommen) 6/4
vor|singen 7/11c
vorbei|fliegen (fliegt vorbei, flog vorbei, ist vorbeigeflogen) 9/11b
vorbei|kommen (kommt vorbei, kam vorbei, ist vorbeigekommen) 4/13b
vordere 11/9a
Vorfahrt, die (Singular) 5/13a
vorhanden 9/4c
vorher|sagen 6/1b
Vorhersage, die, -n 5/11c
Vorsatz, der, Vorsätze 6/3b
Vorstellung, die, -en 2/8a
Vorstellungsgespräch, das, -e 4/9b
Vortrag, der, Vorträge 10/11a
Vorwurf, der, Vorwürfe 12/10b
Waage, die, -n 6/1b
waagerecht 9/1b
wachsend 12/7a
wagen 6/9d
Wahl (1), die, -en (Die Menschen fordern freie Wahlen.) 3/10c
Wahl (2), die (Singular) (Eine Stofftasche ist die beste Wahl.) 5/4b
wahnsinnig 7/3b
während (+ Genitiv/Dativ) 3/6a
Wahrheit, die, -en 4/7a
Walkman, der, -s 2/1a
Wanderer, der, – 1/14a
Ware, die, -n AB 4/1a
warnen (vor + Dat.) 8/3c
Wassermann, der, Wassermänner AB 6/1b
Wasserverbrauch, der (Singular) 5/4b
weder ... noch 8/7b
Weg, der, -e (sich auf den Weg machen) 11/6b
weg|räumen 10/7c
weg|werfen (wirft weg, warf weg, hat weggeworfen) 10/3b
weg|ziehen (zieht weg, zog weg, ist weggezogen) 3/6d
wegen (+ Genitiv/Dativ) 2/10a
wehren (sich) 7/11b
Weide, die, -n 1/14a
weiter|verschenken 12/10b
weiterhin 7/10b
Wellnesshotel, das, -s 1/6a
Weltkrieg, der, -e 3/10b
Weltmarkt, der (Singular) 12/7a
Wende, die, -n 3/10a
Wendepunkt, der, -e 3/3a
Werbeagentur, die, -en 4/14b
Werbeanzeige, die, -n 2/11b
Werbebranche, die (Singular) 2/12b
Werbematerial, das, -ien 5/8b
werben (wirbt, warb, hat geworben) 2/12b
Werbeprospekt, der, -e 2/4a
Werbesprache, die (Singular) 2/12b
Werbetext, der, -e 2/11d
werfen (wirft, warf, hat geworfen) 2/4b
Werk, das (1), -e (das Werk von Joseph Beuys) 9/7a
Werk, das (2), -e (vergebliche Werke) 9/11b
Wert, der, -e (die Werte in einer Gesellschaft) 10/1a
Wertsachen, die 8/6a
wertvoll 3/3c
wessen 2/9
Wetterbesserung, die (Singular) 5/11b
Wettervorhersage, die, -n 5/11c
Widder, der, – AB 6/1b
widersprechen (widerspricht, widersprach, hat widersprochen) 5/7
wieder|bekommen (bekommt wieder, bekam wieder, hat wiederbekommen) 1/10a
wieder|finden (findet wieder, fand wieder, hat wiedergefunden) 12/5a
Wiedervereinigung, die, -en 3/10c
wieso 12/4c
wildfremd 3/10c
Wille, der (Singular) 3/3c
Wirbelsäule, die, -en 3/3c
Wirklichkeit, die (Singular) 3/5a
wirtschaftlich 6/6b
Wissenschaftlerin, die, -nen 4/1c
witzig 2/11d
Wochenaufgabe, die, -n 8/14b
Wohlstand, der (Singular) 12/7a
Wohnform, die, -en 6/6b
Wohnraum, der, Wohnräume 6/7c
Wohnsituation, die, -en 6/6c
Wohnungsbau, der (Singular) 6/6b
Wohnungssuche, die (Singular) 10/3b
wolkig 5/11a
Wolle, die (Singular) AB 5/8b
woran 8/11a
Wortfamilie, die, -n 5/11d
wörtlich 7/12a
Wortspiel, das, -e 2/12b
worüber 7/5a
worum 3/10c
Wunderkräutertee, der, -s 1/14a
wunderschön 12/10b
Wurf, der, Würfe 6/5c
würfeln 6/5c
Wurstwarenfabrik, die, -en 3/3c
würzig 8/7b
wütend 7/11b
Zahlencode, der, -s 2/1a
Zahlung, die, -en AB 12/4a
Zahn, der, Zähne 7/3b
Zahnbürste, die, -n AB 5/1b
Zahncreme, die, -s AB 5/1b
zaubern 9/4c
Zebra, das, -s 3/9c
Zeitraum, der, Zeiträume 5/4b
Zeitschaltuhr, die, -en 2/1a
Zeitungskasten, der, -kästen 12/10b
Zentrale, die, -n 2/8b
zerreißen (zerreißt, zerriss, hat zerrissen) 9/11b
zerstören 9/7a
Zeuge, der, -n 11/14a
Ziege, die, -n 5/1b
ziehen (zu/nach) (zieht, zog, ist gezogen) (Sie zieht zu ihrem Mann / Sie zieht nach Italien.) 3/6d
Zigarette, die, -n 2/13a
Zimmernachbar, der, -n 8/6b
Zimmertür, die, -en 8/6b
Zins, der, -en AB 12/4a
zirka (= circa) 5/1b
Zitat, das, -e 3/5a
Zitronenbaum, der, Zitronenbäume 3/9c
Zivilcourage, die (Singular) 10/1a
Zoll, der (Singular) AB 1/10
Zone, die, -n 11/1b
Zoo, der, -s 2/11c
Zoodirektor, der, -direktoren 9/7a
zornig 7/11b
zu|gehen (geht zu, ging zu, ist zugegangen) (Hier geht es anders zu als an anderen Schulen.) 8/14b
zu|schicken 12/5a
zu|trauen (Niemand hat ihnen das Abitur zugetraut.) 8/14b
zu|wenden (wendet zu, wandte zu, hat zugewandt) 6/1b
Zufriedenheit, die (Singular) 11/11a
zukünftig 4/9b
Zukunftscamp, das, -s 6/6b
Zukunftsprognose, die, -n 6/1b
zum Glück 3/2c
zumindest 2/12b
zunächst 7/10b
Zünder, der, – (Österreich) AB 9/1b
Zündholz, das, -hölzer AB 9/1b
Zuordnung, die, -en 10/1b
zurück|bekommen (bekommt zurück, bekam zurück, hat zurückbekommen) 3/8a
zurück|brüllen 7/11b
zurück|erhalten (erhält zurück, erhielt zurück, hat zurückerhalten) 12/5a
zurück|gehen (geht zurück, ging zurück, ist zurückgegangen) 1/14a
zusammen|bleiben (bleibt zusammen, blieb zusammen, ist zusammengeblieben) 7/3b
zusammen|brechen (bricht zusammen, brach zusammen, ist zusammengebrochen) 7/11b
zusammen|leben 7/3b
zusammen|treffen (trifft zusammen, traf zusammen, ist zusammengetroffen) 3/5a
Zusammenhang, der, Zusammenhänge 11/11c
zusätzlich 8/14b
zuständig 8/6b
zwar (1) (Ich möchte eine Reise buchen, und zwar nach Spanien.) 1/7
zwar (2) (Ich verstehe zwar Spanisch, aber ich spreche nicht gut.) 3/8a
Zweifel, der, – 3/3c
zweifeln 6/1b
Zwilling, der, -e AB 6/1b
zwingen (zu + Dat.) (zwingt, zwang, hat gezwungen) 7/10b
zwischendurch 12/10b
Zwischenmahlzeit, die, -en 8/6b

Lösung zum Quiz im Kursbuch, Kapitel 5, Aufgabe 2

1 Trinkwasser: b, 2 Fleischkonsum: b, 3 Gefahrene Kilometer: c, 4 Müll: a, 5 Papierverbrauch: c

Auswertung zum Test im Kursbuch, Kapitel 8, Aufgabe 1

Zählen Sie Ihre Punkte zusammen:

1. A: 1 Punkt, B: 3 Punkte, C: 3 Punkte
2. A: 3 Punkte, B: 0 Punkte, C: 1 Punkt
3. A: 0 Punkte; B: 3 Punkte, C: 0 Punkte
4. A: 3 Punkte; B: 0 Punkte, C: 0 Punkte
5. A: 0 Punkte, B: 3 Punkte, C: 0 Punkte
6. A: 3 Punkte, B: 0 Punkte, C: 0 Punkte
7. A: 0 Punkte, B: 1 Punkt, C: 3 Punkte
8. A: 0 Punkte, B: 0 Punkte, C: 3 Punkte

22–30 Punkte
Herzlichen Glückwunsch, Sie sind ein Profi. Sie wissen gut über sich und Ihren Körper Bescheid. Sie ernähren sich gesund, hören auf die Signale Ihres Körpers und wissen, was gut für Sie ist. Machen Sie weiter so!
16–21 Punkte
Nicht schlecht. Offenbar leben Sie einigermaßen gesund und kennen sich recht gut mit Fragen rund um den Körper aus. Aber Sie könnten noch mehr für sich und Ihre Gesundheit tun. Nur Mut, es tut nicht weh. Fangen Sie gleich damit an.
8–15 Punkte
Sie achten nicht so sehr auf Ihre Gesundheit und Ihren Körper. Und Biologie war in der Schule vermutlich nicht Ihr Lieblingsfach. Vielleicht versuchen Sie es einfach mit ein bisschen mehr Bewegung oder gesünderer Ernährung. Nutzen Sie jede Gelegenheit: Fahren Sie nicht immer mit dem Lift, nehmen Sie lieber die Treppe! Lassen Sie das Auto mal stehen und gehen Sie zu Fuß! ...
0–7 Punkte
O je! Über Gesundheit und über Ihren Körper müssen Sie noch viel lernen. Lesen Sie noch einmal den Test und konzentrieren Sie sich auf die Antworten, die Sie beim ersten Mal nicht angekreuzt haben. Machen Sie einen Anfang und bemühen Sie sich in Ihrem Alltag um mehr Bewegung: Fahren Sie nicht immer mit dem Lift, nehmen Sie lieber die Treppe! Lassen Sie das Auto mal stehen und gehen Sie zu Fuß oder fahren Sie mit dem Fahrrad!

DVD zu Netzwerk Kursbuch B1

Filmclips von ZDF-Enterprises
Lizenz durch: www.zdf-archive.com/ZDF Enterprises GmbH
Trailer „Sound of Heimat": 3Rosen GmbH, Fruitmarket Kultur & Medien GmbH & Tradewind Pictures GmbH
Filmrecherche: Peter Lege | Redaktion: Angela Kilimann | Produktion: Michael Paulsen

Audio-CDs zu Netzwerk Kursbuch B1

Sprecherinnen und Sprecher:
Ulrike Arnold, Julia Cortis, Angelika Fink, Vanessa Jeker, Crock Krumbiegel, Detlef Kügow, Johanna Liebeneiner, Saskia Mallison, Lars Mannich, Verena Rendtorff, Jakob Riedl, Leon Romano, Kiara Schuster, Louis F. Thiele, Peter Veit, Martin Walch, Sabine Wenkums, Laura Worsch, Laura Zöphel

Lied Kapitel 6, Aufgabe 10: Text, Musik und Interpretation: Luxuslärm

Volkslied Kapitel 9, Aufgabe 11: Interpretation: Chicas Kikas, Aufnahme und Postproduktion: Augusto Aguilar

Aufnahme und Postproduktion gesamt: Christoph Tampe, Plan 1, München

Regie: Sabine Wenkums

Laufzeiten: Kursbuch-CDs 125 min.

Quellenverzeichnis

Cover oben: iStockphoto – nensuria
unten: Fotolia – Christian Schwier

S. 4 1 shutterstock – Sergey Krasnoshchokov, 2 Dieter Mayr, 3 Getty Images – F1 online – Norbert Michalke

S. 5 4 Dieter Mayr, 5 shutterstock – SergeyIT, 6 Sabine Wenkums

S. 6 7/8 Dieter Mayr, 9 Paul Rusch

S. 7 10 Getty Images (Dougal Waters), 11 Uwe Steinbrich – pixelo.de, 12 Dieter Mayr

S. 8 1 shutterstock – Sergey Krasnoshchokov2 mauritius images – Wolfgang Diederich

S. 9 3 blickwinkel – Alamy – 4 mashua – Fotolia, 5 David Davies – Alamy

S. 11 von links: World travel images – Fotolia, Sergione – Fotolia, dieter76 – Fotolia

S. 12 von links: fotofinder – Bilderbox, Marco Jimenez – Fotolia, Yuri Arcurs – Fotolia, shock – Fotolia

S. 14 kalafoto – Fotolia

S. 15 von links: mediacolor's – Alamy, kor – shutterstock, Christa Eder – Fotolia

S. 18 von oben: Paul Rusch, Kramografie – Fotolia, Dieter Mayr

S. 19 links: shutterstock – Slavoljub Pantelic
rechts: JackF – Fotolia

S. 20 Foto: Franz Pfluegl – Fotolia
Grafik 4a: www.graphitti-blog.de, Katja Berlin

S. 22 Getty Images – Peathegee Inc

S. 24 1 www.krass-optik.com; 2 www.bionade.de
3 Tierpark Hellabrunn, München
4 www.christophegilbert.com (aus Werbeplakat für Golf TDI)

S. 28 1 Getty Images – Will Vanderson, 2 contrastwerkstatt – Fotolia, 3 Rainer Plendl – Fotolia, 4 Getty Images – Hulton Collection

S. 29 5 Getty Images – Petrified Collection, 6 wildworx – Fotolia

S. 30 Markus Holubek

S. 31 Schweisfurth-Stiftung – Hans-Günther Kaufmann

S. 34 links: Getty Images – TIME & LIFE Images – Robert Lackenbach; oben v.l.: Getty Images – Hulton Archive – John Waterman, Mondadori via Getty Images; unten v.l.: Fotolia – Kalle Kolodziej, Getty Images – Premium Archive – Jurgen Schadeberg; Text 10c: Andreas H. Apelt (Hg.), Mein Herbst '89: Zeitzeugen berichten, Metropol-Verlag

S. 35 Karten v.l.: Fotolia – Increa, Fotolia – Matthias Geipel, Fotolia – marog-pixcells; Fotos v.o.l.: Getty Images – Tom Stoddart Archive, shutterstock – Deklofenak, Getty Images – Premium Archive – Tom Stoddart Archive, picture alliance – dpa – Wolfgang Krumm

S. 36 Foto oben: Getty Images – F1 online – Norbert Michalke

S. 38 oben: shutterstock-haveseen
unten: shutterstock – Scirocco340

S. 39 Alamy – OJO Images Ltd – Paul Bradbury

S. 42 1 shutterstock – Yurchyks, shutterstock – auremar

S. 43 2 iStock – Michael Bodmann, 3 mauritius ib – Bernhard Claßen, 4 shutterstock – Christine Langer-Pueschel

S. 44/45 Dieter Mayr

S. 52 1 Mario Hösel – Fotolia, 2 NMint – Fotolia, 3 shutterstock – silver-john

S. 53 4 christian-colista – Fotolia, 5 Sabine Wenkums

S. 58 A shutterstock – rui vale sousa, B Oleksandr Kotenko – Fotolia, C shutterstock – SergeyIT, D shutterstock – Igor Kovalchuk

S. 59 A Alamy – Tom Gilks, B Lutz Kilimann

S. 62/63 Sabine Wenkums

S. 66 shutterstock – Dr_Flash

S. 69 Luxuslärm

S. 74 shutterstock – Svetlana Lukienko

S. 75 laif/hemis.fr – YannDoelan, Sabine Wenkums

S. 76 A Daniela Kohl, B Theo Scherling, C Anette Kannenberg

S. 77 D Theo Scherling, E Florence Dailleux

S. 78 Shutterstock - Olga Sapegina (N.Y.)

S. 80 Dieter Mayr

S. 82 A Archivio GBB Agenzia Contrasto – laif; B Jens Passoth – laif + © By courtesy of Galerie Kleindienst (Leipzig) – Michael Kohn Gallery (Los Angeles) – VG Bild-Kunst (Bonn 2013); C Wieland – laif

S. 83 Zwei Fabeln nach Aesop

S. 86 1. Shutterstock – Monkey Business Images (N.Y.),
3. fotolia –Patryk Kosmider (N.Y.)
4. Shutterstock – HL Photo (N.Y.), Shutterstock – siebenla (N.Y.), Shutterstock – Olena Mykhaylova (N.Y.)

S. 87 5. Shutterstock – Andrey_Popov (N.Y.), 6. Shutterstock – Sebastian Kaulitzki (N.Y.), 7. Shutterstock – VLADGRIN (N.Y.), 8. Shutterstock – S. Kuelcue (N.Y.)

S. 90 Dieter Mayr

S. 93 fotolia – Rido (N.Y.)

S. 96 A Paul Rusch, B Innsbruck Tourismus

S. 97 C/D Paul Rusch, E Lucia Lienhard-Giesinger

S. 100 © fundart-21, picture alliance / dpa – Christie's

S. 101 Galerie van de Loo (München) / © VG Bild-Kunst (Bonn 2013)

S. 102 ©2013 Wolfgang Ennenbach / Fruitmarket Kultur & Medien GmbH & Tradewind Pictures GmbH

S. 103 2012 „SOUND OF HEIMAT" – 3Rosen GmbH, Fruitmarket Kultur & Medien GmbH & Tradewind Pictures GmbH

S. 108 Märchen nach den Gebrüdern Grimm

S. 110 1 getty images – Dougal Waters (München), 2 iStockphoto – brittak (Calgary Alberta), 3 Shutterstock – Circumnavigation (N.Y.), 4 Shutterstock – Lisa S. (N.Y.)

S. 111 5 Dieter Mayr, 6 iStockphoto – diane39 (Calgary Alberta), 7 Shutterstock – Masson (N.Y.)

S. 112 A Shutterstock – Flashon Studio (N.Y.), B getty images – SW Productions (München), C Angela Kilimann

S. 114 Text (gekürzt und vereinfacht): http://www.mini-muenchen.info/index.php?article_id=22, Fotos: Kultur & Spielraum e.V.

S. 116 Shutterstock – kanvag (N.Y.), Otto Filtzinger/Elke Montanari/Giovanni Cicero Catanese: Europäisches Sprachenportfolio, Shutterstock – blackstroke (N.Y.), Shutterstock – Eldad Carin (N.Y.), Shutterstock – Botond Horvath (N.Y.), iStockphoto – bigworld (Calgary Alberta), Europakarte: Shutterstock – Jktu_21 (N.Y.)

S. 120 1 Uwe Steinbrich – pixelio.de, 2 Sabine Franke, 3 Shutterstock – Nadiia Gerbish (N.Y.)

S. 121 4/5 Sabine Franke, 6 fotolia – Marcel Schauer (N.Y.)

S. 123 Shutterstock (N.Y.): Blend Images, majaan, Vitezslav Halamka

S. 124 Grafik (nachgesetzt): © Deutsche Post

S. 126 © www.abracus.de / Max Julius Schmidt

S. 128 Stadtplan: © Salzburg Information – www.salzburg.info, Fotos rechts oben, v.o.: fotolia – JR Photography (N.Y.), fotolia – JR Photography (N.Y.), Shutterstock – Tupungato (N.Y.)

S. 130 A Shutterstock – KarSol (N.Y.), B fotolia – M.A.D. Studio (N.Y.), C fotolia – DragonImages (N.Y.)

S. 131 D iStockphoto – GregChristman (Calgary Alberta), E iStockphoto – LifesizeImages (Calgary Alberta), F iStockphoto – laughingmango (Calgary Alberta), Grafik (nachgesetzt): © 2010, IW Medien · iw-Dossier

S. 132 Dieter Mayr

S. 134 Shutterstock.com

S. 137 fotolia – amorfati.art (N.Y.), fotolia – Pixelshop (N.Y.), fotolia – TASPP (N.Y.)

S. 138 unten: Angela Kilimann

S. 140 Shutterstock – Artazum and Iriana Shiyan (N.Y.)

S. 141 © www.abracus.de / Max Julius Schmidt, fotolia – TASPP (N.Y.)

S. 142 „Der Radwechsel": © Bertolt-Brecht-Erben / Suhrkamp Verlag 1988

S. 143 „Der kleine Unterschied" von Mascha Kaléko – Textboerse Lore Cortis, Foto: © Rowohlt Archiv

Fotos auf den DVD-Seiten, die nicht im Quellenverzeichnis stehen, sind Standfotos aus den Videoclips.